ISBN 978-0-243-55236-8
PIBN 10773049

Forgotten Books is a registered trademark of FB &c Ltd.
Copyright © 2017 FB &c Ltd.
FB &c Ltd, Dalton House, 60 Windsor Avenue, London, SW19 2RR.
Company number 08720141. Registered in England and Wales.

For support please visit www.forgottenbooks.com

1 MONTH OF
FREE
READING

at
www.ForgottenBooks.com

By purchasing this book you are eligible for one month membership to ForgottenBooks.com, giving you unlimited access to our entire collection of over 700,000 titles via our web site and mobile apps.

To claim your free month visit:
www.forgottenbooks.com/free773049

English
Français
Deutsche
Italiano
Español
Português

www.forgottenbooks.com

Mythology Photography **Fiction**
Fishing Christianity **Art** Cooking
Essays Buddhism Freemasonry
Medicine **Biology** Music **Ancient**
Egypt Evolution Carpentry Physics
Dance Geology **Mathematics** Fitness
Shakespeare **Folklore** Yoga Marketing
Confidence Immortality Biographies
Poetry **Psychology** Witchcraft
Electronics Chemistry History **Law**
Accounting **Philosophy** Anthropology
Alchemy Drama Quantum Mechanics
Atheism Sexual Health **Ancient History**
Entrepreneurship Languages Sport
Paleontology Needlework Islam
Metaphysics Investment Archaeology
Parenting Statistics Criminology
Motivational

1868.

Auch das Jahr 1868 begann unter den günstigsten Auspizien und verlief für mich ungetrübt in meinem Arbeits- und Dienstverhältniß zum Könige. Durch allerlei sorgsame und zufällige Vermehrung meiner Sammlung von Daten und Aktenstücken für die einstige Lebensgeschichte des Königs, bildete sich bei mir das Bewußtsein heraus, es sei meine Mission, mit Ausschluß jeder anderen Thätigkeit, den künftigen Geschichtschreibern für die Regierungsperiode des Königs Wilhelm wahres und zuverlässiges Material zu liefern. Dem schon Veröffentlichten konnte ich Anderes, Werthvolles hinzufügen, freilich immer nur mit der andauernd gütigen und nachsichtigen Unterstützung des Königs selbst, den meine zudringlichen Fragen über Zweifelhaftes oft genug belästigt haben mögen! Ich habe mich aber wiederholt überzeugen müssen, daß eine absolute geschichtliche Wahrheit garnicht möglich ist, wenn die handelnden Personen sich nicht selbst aussprechen, namentlich aber wenn die Motive nicht erkennbar werden, aus denen die Handlungen hervorgegangen sind. Ebenso habe ich die

Erfahrung gemacht, daß der gewissenhafte Geschichtsschreiber
sich lange mit dem Detail, dem anscheinend Unbedeutenden
und Nebensächlichen beschäftigt haben muß, ehe er es wagen
darf, eine allgemeine Schilderung des Charakters oder der
Vorgänge niederzuschreiben. Das Große und Bedeutende
wird erst durch Kenntniß des Kleinen und Nebensäch=
lichen vollständig übersichtlich und beurtheilungsreif. Darum
begnüge ich mich damit, erst das Kleine sorgfältig zusammen
zu tragen und durch Beweise vor jedem Zweifel zu sichern,
vor allen Dingen aber der enthusiastischen Sage und dem
entstellenden Gerüchte den Mund zu stopfen; ich habe bereits
die Erfahrung gemacht, daß mein Weg der richtige, und
wenn auch nicht brillant und effektvoll, so doch gewissenhaft
und effektuirend ist und gedenke mich auch auf diesem Wege
nicht irre machen zu lassen!

Bei meiner Neujahrsgratulation sprach der König weder
von seinem Nekrologe noch überhaupt von seinem Tode.
Etwas der Art mußte aber doch fallen; erst kurz vorher
von einem in dieser Jahreszeit gewöhnlichen Unwohlsein be=
freit, hieß es diesmal: „Je älter man wird, je länger dauert
es doch, bis die Kräfte wieder kommen!" Dagegen war nun
freilich nichts zu sagen, da ich ganz dieselbe Erfahrung an
mir selbst gemacht.

Der schon im vorigen Jahre erwähnte Aufsatz: „Eine
Königliche Dienstschnalle", gab während der ersten Wochen
des Jahres wiederholt Gelegenheit zu Mittheilungen über
die näheren Umstände, unter denen der König seine ver=
schiedenen Kriegsorden erworben, von denen viele mir bis

dahin unbekannt waren. Der Buchhändler Winckelmann veranstaltete später einen Separatabdruck dieses für den Soldatenfreund geschriebenen Aufsatzes, um denselben auch dem größeren Publikum zugänglich zu machen; und ich fragte deshalb an, ob vielleicht der soldatische Ton umgearbeitet werden solle? erhielt aber die schriftliche Antwort: „Ist mir gleichgültig und hat nur der Verleger zu entscheiden!"

Als ich am 17. Januar in das Palais kam, bemerkte ich in den Fluren mehrere Schutzleute in Civil, wie ich sie sonst nur im Parke von Babelsberg gesehen. Verwundert darüber hörte ich, daß wieder einmal Nachrichten aus London eingelaufen wären, und zwar durch die dortige Gesandtschaft, es sei ein Attentat gegen den König im Werke. Ein ehemaliger Hannoverscher Unteroffizier, Emerich, habe dort dergleichen Drohungen ausgestoßen und sich nach dem Kontinente begeben. Vorsicht sei also anzurathen. Der Polizei-Präsident von Wurmb hatte darauf sogleich die nöthigen Sicherheitsmaßregeln angeordnet. Dergleichen ist beim Könige nicht leicht, da es vor allen Dingen darauf ankommt, daß e selbst nichts von einer solchen Bewachung gewahr wird, und weil er durchaus keinen Rath annimmt, wenn es sich darum handelt, aus Rücksicht auf eine drohende Gefahr, irgend etwas in seinen täglichen Gewohnheiten zu ändern. Er hat in dieser Beziehung oft seine feste Ueberzeugung und sein Gottvertrauen ausgesprochen und demgemäß auch vor aller Augen gehandelt, so daß man ihn persönlich zu irgend einer Vorſichtsmaßregel nicht beſtimmen konnte; darum ließ man denn auch die gutgemeinten Wächter ſehr bald wieder aus dem Palais verſchwinden. Dies zeigt wohl keine Verachtung der Gefahr oder Gleichgültigkeit gegen die Möglichkeit, als Opfer eines Wahnſinnigen oder Fanatikers zu fallen; wohl aber ein tiefes Pflichtgefühl, unter allen Umſtänden auf dem Poſten auszuhalten, den der Allmächtige ihm angewieſen. Bei dem milden Gemüth und dem leicht erregten Gefühle des Königs war wohl ſeine Mißſtimmung nach dem 1861er Attentat in Baden-Baden und bei dem Eingehen verſchiedener Droh=nachrichten einfach aus dem bitteren Gefühl erfahrenen Un=danks zu erklären. Ich habe den König nie über ſolche Dinge ſprechen hören, aber ich weiß, daß er ſie als ſchwere Prüfungen ſeines Lebens betrachtete. Der Dank und die Freude, welche ſeine Aufbewahrung aller, ihm in Folge des Attentats in Baden-Baden von Mitgliedern des Königs=hauſes, Verwandten, Souveränen, wichtigen Perſonen und Korporationen zugegangenen Briefe beweiſt, zeugt auch zugleich von dem ernſten Eindruck, den jene traurige Erfahrung auf ihn gemacht.

––––––––

Es war dies eine politiſch erregte Zeit, denn die An=gelegenheit des Hannoverſchen Provinzialfonds bewegte die Gemüther in ungewöhnlicher Weiſe und drohte ein ernſtes Zerwürfniß zwiſchen dem Miniſterium und der konſervativen Partei herbeizuführen. Die bedeutendſten Mitglieder dieſer Partei, die ſonſt bei jeder Gelegenheit die Regierung in ihren Intentionen unterſtützten, ſtimmten in dieſer Frage gegen

dieselbe, so daß der König auf einem Hoffeste am 6. Februar
gegen mehrere hervorragende Konservative seine Mißbilligung
über ihre Opposition sehr lebhaft aussprach. Es war darauf
viel von einem Briefe die Rede, den der Abgeordnete Mi=
nister a. D. von Bodelschwingh an den König geschrieben,
sowie von der Antwort auf denselben. Beide Briefe gab
mir der König, den ersteren im Original, den zweiten in
einer zurückbehaltenen Abschrift zur Kenntnißnahme — wie
er mir ja auch früher seine Antwort an den liberalen Ab=
geordneten Vincke von Olbendorf gegeben; — vielleicht als
Erklärung jener Aeußerung nach seiner Rückkehr aus den
neuen Provinzen: „Ich bin hierher (nach Babelsberg) ge=
kommen, weil ich wieder gut machen will, was meine Mi=
nister in den neuen Provinzen verdorben!" Wenn irgend
etwas die Stellung des Königs Wilhelm über den Parteien
und seine Benutzung aller ihrer Schattirungen zu den höchsten
Zwecken des Staatswohles zu veranschaulichen vermag, so ist
es folgende königliche Antwort an den Minister von Bodel=
schwingh. Sie lautet:

„„Berlin, den 10. Februar 1868.
Auf Ihr Schreiben vom gestrigen Tage erwiedere
ich Ihnen Folgendes:

Wie wenig es in meiner Auffassung der einmal
angenommenen konstitutionellen Form liegt, aus Ab=
geordneten pure Ja=Herren zu machen, wissen Sie aus
hundert meiner Aeußerungen in vorgekommenen Fällen
während Ihrer, Sie ehrenden Dienstlaufbahn. Daher
mache ich Ihnen und denjenigen, welche Ihrem Bei=

spiele folgten, und in der Hannoverschen Provinzial-
fonds-Frage gegen das Gouvernement stimmten, die s er-
halb keinen Vorwurf. Wohl aber trifft mein Vorwurf
die Tendenz, welche in der ganzen Debatte bei den
Höch-Conservativen und Fortschrittlern gemeinsam zu
Tage trat, der Provinz Hannover bitter und unangenehm entgegen treten zu wollen, weil die Haltung
ihrer Vertreter, wie die der Provinz, noch nicht
enragirt Preußisch sich zeigt. Wie wenig auch ich
Ursache habe, diese Haltung zu loben, ist hinlänglich
bekannt. Diese Ansicht, welche auch in dem Ministerium
Platz gegriffen hatte, veranlaßte im Monat Juni
vorigen Jahres eine Menge von Gesetzen und Ver-
ordnungen, welche die Stimmung in jener Provinz
(wie auch in den anderen neuerworbenen Landestheilen)
in hohem Grade verschlimmerten. Als ich dies selbst
durch genaue Prüfung der Verhältnisse erkannte, und
mich von geschehenen Mißgriffen der Behörden überzeugte, war es meine Pflicht, Maßregeln zu ergreifen
diese Mißgriffe wieder gut zu machen. Ich ließ Ver-
trauensmänner einberufen, créirte die Provinzial-Land-
tage und ließ diese sofort in Wirksamkeit treten, um
so die wahren Wünsche der Länder, — im vorliegenden
Falle Hannovers, — kennen zu lernen. Zu diesen
Wünschen gehörte die Belassung des quäst. Fonds als
Provinzialfond. Die Minister sagten dies in meiner
Abwesenheit zu, da sie meine Ansicht aus der Hessischen
Schatzfrage her kannten, und ich bestätigte diese Zu-

sage, was offenkundig ward, indem ich die betreffende Gesetzesvorlage dem Landtage machte.
— Dies beruhigte die Gemüther; das Arrangement mit dem Könige Georg kam hinzu, und somit war ein großer Schritt endlich zur Annäherung der Provinz an den Staat geschehen. Wenn ich also nach dem Gesagten, wie Graf Bismarck auch ganz richtig geäußert, nicht persönlich engagirt war, — so ging doch aus dem ganzen Procédé bis zur quäst. Gesetzes-Vorlage hervor, in welchem Grade ich persönlich thätig in der ganzen Angelegenheit gewesen war, da man allgemein durchfühlte, daß ich da persönlich eingetreten war, wo meine Regierung Mißgriffe gemacht hatte.

Diese meine Stellung konnte und durfte Ihnen und Niemand, der den Verhältnissen folgt, unbekannt sein.

Nun aber tritt die Parthei, auf welche ich und meine Regierung sich allein stützen konnte, scharf gegen diese Vorlage auf, und hält, in Verbindung mit Mitgliedern der extremen Linken, Reden, welche den neuen Unterthanen auf das Empfindlichste geradezu ins Gesicht schlagen und die guten Eindrücke, welche endlich langsam erreicht waren, vollkommen vernichten müssen.

Auf diese Art sah ich also meine Bemühungen im Begriff zu scheitern, wenn ich mich nicht in einer Art aussprach, aus der jenes Land abnehmen konnte, daß weder ich, noch meine Regierung solche Schmähungen theilten oder gut hießen.

Dies unbedachte Benehmen des Abgeordnetenhauſes
iſt es alſo, was mich perſönlich verletzte, indem meiner
perſönlichen Thätigkeit in der vorliegenden Frage keine
Rechnung getragen ward, und eben ſo wenig meine
Miniſter berückſichtigt wurden und Angriffen ſich aus=
geſetzt ſahen, wie in den ſchlimmſten Tagen der ſo=
genannten Wirren, — Männer, die zu mir ſtanden
und ſo Großes vollbringen halfen! Und dies Ver=
fahren ging großentheils von Männern aus, die der
Parthei angehören, auf welche, — wie ſchon geſagt, —
meine Regierung ſich ſtützte. Solches Benehmen haben
meine Miniſter nicht verdient; ja, ich muß es ſagen,
das habe ich nicht verdient!

Wenn Graf Bismarck nach den erſten Debatten
Sie Alle aufmerkſam machte, was auf dem Spiele
ſtehe, ſo war das die Folge des Eindrucks, den ich
von der Sachlage hatte. und den er wiedergab.

Ich frage Sie Alle, wenn es möglich iſt, daß nach
dem Jahre 1866 ſolche Dinge im Abgeordnetenhauſe
ſchon 1868 vorgehen, auf Wen ſoll ich mich künftig
ſtützen? Sie treiben mich ja geradezu der entgegen=
geſetzten Parthei in die Arme, wenn ich bei Ihnen
keine Stütze mehr finde!

Somit haben Sie die Aufklärung über meinen
Tadel auf dem Hoffeſte, den ich unter den gegebenen
Umſtänden laut werden laſſen mußte.

Noch iſt Preußen nicht daran gewöhnt, ſeinen
König von den Maßregeln ſeiner Regierung zu

trennen, und Gott gebe, daß es nie anders werde! Daher muß der König zu Zeiten in die Bresche treten, wenn er Fehler bei dem umgeschaffenen Staats= körper sieht.

Dies habe ich von 1860 bis 1866 gethan, und wahrhaftig, Gott hat dies Verfahren gesegnet; im vor= liegenden Falle mußte ich es wieder und zwar augen= blicklich thun, wenn ich nicht noch wunde Stellen bei meinen neuen Unterthanen von Nenem aufreißen lassen wollte.

Sie kennen meinen Charakter hoffentlich hin= reichend, um zu wissen, daß er nicht nachzu= tragen versteht, und daher werden Sie und die Anderen, welche sich momentan mein Mißfallen zu= gezogen, diesen Charakterzug auch wieder finden, namentlich gilt Ihnen das, der ja in so schweren Tagen rühmlich mir zur Seite stand und das Blut der Seinigen hingab für König und Vaterland. Aber Bedachtsamkeit rufe ich Allen zu!

Ihr wohlgeneigter König
Wilhelm.

An den Minister a. D. von Bodelschwingh.""

Auch diesen Brief halte ich für einen wichtigen Beitrag zur Kenntniß des Charakters und der Regententhätigkeit König Wilhelms. Leider liegt es eben in der Natur der Verhältnisse, daß dergleichen allereigenste Ergüsse der augen= blicklichen Stimmung unbekannt bleiben, denn weder Herr von Vincke=Olbendorf, noch der Erzbischof von Cöln, weder

Herr von Bethmann-Hollweg, noch Herr von Bodelschwingh werden die Briefe unmittelbar in der Zeit veröffentlichen, in der sie dieselben erhalten haben. Wie anders würden sich aber die Urtheile des Publikums, ja, die Verhältnisse überhaupt gestalten, wenn man zu Zeiten politischer Erregung und schwieriger Fragen die Intentionen des Königs so klar zu erkennen vermöchte, wie er sie z. B. in diesem Briefe an einen Mann dargelegt hat, der sich zu allen Zeiten des verdienten Königlichen Vertrauens erfreute.

Aber auch noch ein anderer Moment in der Regierungs- weise des Königs wird durch diesen Brief bestätigt. Es ist das durchaus selbstständige persönliche Einschreiten in schwierigen Fällen, was ich auch sonst schon in diesen Aufzeichnungen angedeutet habe. Ich erinnere nur an das Regierungs- Programm vom 9. November 1858, welches, ganz gegen die konstitutionelle Schablone, den Ministern vom Könige zur Be- folgung vorgelegt wurde — an den Brief, welchen der König an den Kaiser Franz Joseph als Antwort auf die in eigen- thümlicher Art ergangene Einladung zum Fürstentage in Frankfurt a./M. von Gastein aus geschrieben — an die Durchführung der Krönung statt der Huldigung, gegen die Ansicht vieler Treuen und Gutmeinenden — ferner an die durchaus selbstständigen Arbeiten zur Reorganisation der Armee, u. s. w. — König Wilhelm nennt dies in jenem Briefe ein „persönliches Eintreten in die Bresche", und die Erfolge haben gelehrt, daß dies persönliche Eintreten die Bresche auch jedesmal wieder geschlossen hat. Gewiß hat König Wilhelm die „einmal angenommene konstitutionelle

Form" treu und gewissenhaft beobachtet, wohl ihre will=
kürlichen Fiktionen bekämpft, aber nie ihre Grundbedingungen
verletzt, er hat aber auch nicht vergessen, daß „Preußen noch
nicht daran gewöhnt ist, seinen König von den Maßregeln der
Regierung zu trennen."

Mit Bezug auf die mißfälligen Aeußerungen des Königs
bei dem Hoffeste am 6. Februar, gegen mehrere Abgeordnete
über deren Reden und Abstimmungen wegen des Hannover'schen
Provinzialfonds, erzählte mir der König, als er mir seine Ant=
wort auf den Brief des Ministers von Bodelschwingh gab:
„„Ich habe eine Abschrift meiner Antwort auch an den Ab=
geordneten von Vincke (Olbendorf) geschickt, weil er mir auf
meinen Tadel für diese Herren erwiedert hatte: ‚Ich habe
nur nach meinem Gewissen gestimmt und gesprochen!' Darauf
mußte ich ihm sagen: „Glauben Sie denn, daß ich nicht
mit meinem Gewissen zu Rathe gegangen bin, als ich den
Gesetz=Entwurf vorlegen ließ?" So sollte er wenigstens auch
meine ausführliche Antwort an Bodelschwingh kennen lernen.""

Hieraus kann man sehen, daß der König besonders
empfindlich gegen eine Opposition war, wenn diese aus der
konservativen Partei hervorging. Opposition, selbst die ver=
bissenste aus den Reihen der Gegner seiner, wie überhaupt
jeder Regierung, schien er für ein unvermeidliches Uebel zu
halten; kam sie aber von denen, deren Grundsätze er achtete
und theilte, so scheint ihm das jedesmal persönlich wehe ge=
than zu haben. Aehnliche Vorgänge mit dem General=
Adjutanten Grafen von der Groeben und mit der „Neuen
Preußischen Zeitung", mit der letzteren, wie schon erwähnt,

bei Gelegenheit der Frage: Huldigung oder Krönung, sprechen
wenigstens dafür. —

Am Geburtstage dieses Jahres hatte ich dem Könige
schon früh Morgens eine Ueberraschung bereitet, an deren
Wirkung ich meine ganz besondere Freude hatte. Aus seinem
„Album" hatte ich nämlich diejenigen Aquarellbilder ge=
nommen, welche sich auf die Fahnenweihe des Jahres 1861
(Annagelung, Gottesdienst, Abbringen ins Zeughaus) und
auf den Feldzug von 1866 (Morgen, Mittag und Abend
des 3. Juli bei Königgrätz) bezogen, und diese in der
Bibliothek zu beiden Seiten vor den Schränken so aufgestellt,
daß der König aus seinem Schlafzimmer bis zum Arbeits=
zimmer mitten durch diese improvisirte Via triumphalis
gehen mußte. Links die Ursachen, rechts die Wirkungen!
Der König sagte zwar nichts; als ich die Blätter aber wieder
wegräumen wollte, meinte er: „Lassen Sie nur noch stehen,
Ich will der Königin das zeigen!"

Es waren um diese Zeit viele süddeutsche Offiziere in
Berlin, um die Preußischen Militäreinrichtungen kennen zu
lernen. Ich kam zufällig mit mehreren derselben zusammen
und freute mich, ihr Urtheil über das persönliche militärische
Auftreten und die Erscheinung des Königs zu hören. Auf
sie machte das, was wir in Preußen längst gewohnt waren,
einen Eindruck der Frische und Neuheit, der mir vollständig
erklärte, warum in Süddeutschland so vieles militärisch ganz

anders ist als bei uns, und warum es vielleicht in einem
Menschenalter noch nicht gelingen wird, das bei uns schon zu
Fleisch und Blut gewordene dort einzuführen oder auch nur
annehmbar zu machen. Die Herren waren durchaus keine
unbedingten Bewunderer alles Preußischen, aber über die
Wirkung, welche die persönliche Erscheinung und das Walten
des Königs auf die Armee ausübte, — darüber waren sie
Alle einig, und die daran geknüpften Vergleiche mit ihrer
Heimath waren eben nicht besonders schmeichelhaft für dieselbe.

Wie vorsichtig man in seinen Kombinationen sein muß,
wenn man Material zur Geschichte gewissenhaft sammeln
will, hatte ich Gelegenheit im März und Mai dieses Jahres
zu erfahren. Am Geburtstage des Königs sah ich nämlich
in seiner Bibliothek die außerordentlich sauber gearbeiteten
Statuetten des Kaisers Napoléon und der Kaiserin Eugénie
stehen, welche auf dem Piedestal folgende Inschrift trugen: „Je
désire resserrer les liens d'amitié et de bonne union qui
existent entre la Prusse et la France." Das konnte natürlich nur ein Geschenk des Kaisers Napoleon selbst sein. Wer
sonst dürfte es auch wagen, solche Worte unter eine Statuette
zu setzen, die König Wilhelm in seinen Zimmern hatte? Die
Sache war auch um so wichtiger, als gerade jetzt alle
Zeitungen von Kriegsgerüchten und Kriegsvorbereitungen in
Frankreich widertönten. Und war doch eben der Prinz
Napoleon in Berlin gewesen, über dessen Reisezwecke man sich
den Kopf zerbrochen, und mit dem man gar nichts anzufangen

gewußt hatte, weil es hieß: Der Kaiser nimmt es übel,
wenn man zu höflich und die Franzosen, wenn man nicht
höflich genug mit ihm ist. — Jene Statuetten entfernten nun
aber alle Besorgnisse! Ich notirte also für spätere Benutzung diesen ganz besonderen Freundschaftsbeweis des
Kaisers für den König, und hätte damit bald eine positive
Unwahrheit diesen Aufzeichnungen einverleibt, ja, ich hätte
sie auch noch mit voller Ueberzeugung als wahr und richtig
vertheidigt; — hatte ich doch den Beweis mit eigenen Augen
im Zimmer des Königs gesehen! Glücklicherweise erfolgte
aber die Aufklärung. Im Mai zeigte mir der König eine
in Brüssel erschienene Karrikatur, welche den Kaiser Napoleon
und den König Wilhelm, in einer Haltung wie Müller und
Schulze des Klabberadatsch, einander gegenüber stellte, mit
der Unterschrift: „Dis donc, chèr Guillaume, est ce que
nous désarmerons?" worauf König Wilhelm erwiedert:
„Vieux farceur, va!" — Das Bild war in der That ungemein komisch und ich fragte, ob ich es mit in die Mappe
legen solle, wo die 1866 und nachher erschienenen Zerrbilder
lagen, bemerkte aber auch: „Wie wenig wissen diese Leute
Bescheid! Jene Statuetten dort, sprechen besser das Verhältniß aus, in welchem Eure Majestät zum Kaiser Napoleon
stehen."

„Welche Statuetten?"

„Nun, diese mit der bedeutungsvollen Inschrift, die doch
nur nach den eigenen Worten des Kaisers gemacht sein können."

„Diese Statuetten beweisen gar nichts, als daß der Fa-
brikant sie gern gut bezahlt haben möchte."

„Sind sie denn kein Geschenk des Kaisers an Eure Majestät?"

„Im Gegentheil, ein Pariser Bronzefabrikant muß wohl nicht gewußt haben, wie er die Figuren besser anbringen könnte; er hat auf eigene Hand jene Worte darauf gesetzt und sie mir zugeschickt."

Ich mußte unwillkürlich des Ausspruchs gedenken: Et c'est ainsi, qu'on écrit l'histoire! und strich in der Stille meine zuversichtliche Notiz wegen der intimen Verhältnisse zwischen Frankreich und Preußen wieder aus.

———

Anfangs April gab ich dem Könige den Theil dieser Aufzeichnungen, welcher das Jahr 1867 umfaßt und erhielt das Manuskript am 17. zurück. Der König war um diese Zeit unpäßlich und lag im Bette, hörte aber vom Kammerdiener, daß ich da sei und ließ mich unerwartet an sein Bett rufen, wo die Mappe mit meinem Manuskript auf dem Nachttische am Kopfende des Bettes lag. — Obgleich heiser, sagte der König mir doch, daß er die Bogen aufmerksam gelesen, an den bezeichneten Stellen korrigirt und daß er sie mir heute schon habe zusenden wollen. Als ich zu Hause die Mappe öffnete, fand ich einen Zettel mit den Worten darin:

„„Kranksein ist doch zu etwas gut!"" — (b. h. zum Lesen).

Die Bogen waren also im Bette gelesen worden. Unter den Korrekturen befanden sich wieder einige sehr bezeichnende

und merkwürdige. Ich hatte z. B. bei der Verleihung des
goldenen Sterns zum Orben pour le mérite an den Kron=
prinzen und Prinz Friedrich Carl geschrieben „Der König
befahl, daß beide Prinzen die früher erhaltene Dekoration
des Ordens neben dem größeren Halskreuz und dem goldenen
Stern tragen dürften." Dieses „dürften" war mit sehr
kräftigen Strichen in „sollten" umgeändert.

Bei dieser Gelegenheit sah ich den König zum ersten
Male im Bette liegend und habe einen ganz eigenthümlichen,
nicht erfreulichen Eindruck davon gehabt. Fast 50 Jahre
lang hatte ich den fürstlichen Herrn immer nur stehend,
gehend, zu Pferde, selten nur, und auch dann immer bei
einer Arbeit, sitzend, aber nie liegend, nie unbeschäftigt ge=
sehen. Dazu kam das leidende Aussehen, das ungeordnete
Haar und das Halbdunkel des vom Tageslichte nie be=
rührten Alkovens, wo das Bett des Königs stand. Ist dieser
Raum als Schlafzimmer schon so ungünstig und unbehaglich
wie möglich, so paßt er noch weniger zum Aufenthalt eines
Kranken! An die beiden wichtigsten Requisiten, Luft und
Licht, scheint bei der Einrichtung nicht gedacht worden zu
sein. Der König muß sich jedoch wohl und behaglich in
demselben fühlen; die Gewohnheit thut ja Vieles! Ich
möchte nicht krank in diesem Alkoven liegen! Auch die Möbel
sind von primitivster Einfachheit; das Bett lag auf einer
ganz gewöhnlichen, eisernen Feldbettstelle, und namentlich
interessirte mich der Nachttisch. Die Anspruchslosigkeit dieses

Stück Möbels übersteigt in der That Alles; neu kann es höchstens 16 Gutegroschen gekostet haben und würde in einer Auktion nicht 3 einbringen! Wenn man sich in Königs-Wusterhausen und im Jagdschlosse Stern über die Einfachheit des Mobiliars, mit dem sich König Friedrich Wilhelm I. umgab, wundert, so muß man diesen Nachttisch König Wilhelms nicht gesehen haben.

Als ich mir um diese Zeit den schon mehrerwähnten Erinnerungskalender nahm, um die denkwürdigen Tage für das Jahr 1867 nachzutragen, fand ich abermals mehrere eigenhändige Zusätze und Verbesserungen, welche mir nicht allein bewiesen, daß der König ein dauerndes Interesse an dieser Zusammenstellung nahm, sondern dieselbe auch zu einem absolut richtigen geschichtlichen Dokumente gestalten wollte. Es befanden sich sehr merkwürdige Daten unter den-selben, z. B.:

28. Februar 1866. Conseil-Sitzung. Erörterung der immer drohenderen Situation mit Oesterreich, und ob deshalb militairische Vorkehrungen zu treffen wären, was einstimmig verneint wird, um fortgesetzt alle diplomatischen Wege zur Erhaltung des Friedens zu gehen.

3. April 1849 findet sich bei der Angabe: „Der König-liche Bruder schlägt die ihm angetragene deutsche Kaiserkrone aus", das Wort „unannehmbar" in einer Klammer hinzu-gefügt. Diese Einschaltung eines so bezeichnenden Wortes spricht kein Datum oder Faktum, sondern eine Meinung aus,

die i ch mich wenigstens nicht unterstanden haben würde an diesem Orte niederzuschreiben. Dann folgten andere Zusätze:

7. April 1866. „Oesterreichische Note, welche lügenhaft Rüstungen und Vorbereitungen zum Kriege leugnet."

24. Juli 1866 „in Nicolsburg. Friedens-Verhandlungen. Schwerer Entschluß die Integrität Oesterreichs und Sachsens zu bewilligen."

26. Juli 1866. „In Nicolsburg die Friedens-Praeliminarien unterzeichnet!!! — —."

12. Oktober 1849. „Fahrt von Potsdam nach Berlin und zurück, um den morgenden Einmarsch des Berliner Garde-Landwehr-Bataillons, — aus der Badenschen Campagne zurückkehrend, — als nicht auf mich beziehend, gelten zu laffen."

Daß ich dergleichen Intimissima nicht schreiben konnte, selbst wenn ich sie gewußt, bedarf wohl keiner Erwähnung. Ich freute mich aber um so mehr dieser Zusätze, weil meine Idee — gewissermaßen einen Extrakt aus dem ganzen Leben und Wirken des Königs zusammenzustellen — dadurch erst zu ihrer rechten Bedeutung gelangte.

Am 11. Mai feierte die Loge Minerva in Potsdam ihr hundertjähriges Stiftungsfest, und als stellvertretender Logenmeister erbat ich nicht allein das Geschenk des Königlichen Bildes für die Loge, sondern auch die Anwesenheit des gekrönten Protektors bei der Festlichkeit selbst. Der König war bei dieser Bitte ganz erstaunt, daß ich auch Maurer

sei, da er mich nie in einer Loge gesehen hatte. Ich gab
darüber Erklärungen, die nicht hierher gehören und fand,
wie es mir schien, Billigung für meine Handlungsweise. —
Zu meiner Freude und zur Freude vieler achtbarer Männer
Potsdams wurden beide Bitten gewährt, ja, nicht allein der
König, sondern auch der Kronprinz erschienen in der Loge,
obgleich der Kronprinz eben erst von seiner Reise nach Italien
zurückgekommen war und kaum Zeit gehabt hatte, seine
Familie zu sehen. So sah ich beide Fürsten in vollständiger
maurerischer Bekleidung, mit Beobachtung aller für die
Brüderschaft vorgeschriebenen Formen, in ihrer hohen Bundes=
stellung funktioniren. Der König erwiederte eine Anrede des
Logenmeisters Engelcken so fließend, so klar, vom Augenblicke
eingegeben und dem Gedankengange der Anrede folgend, daß
ich jetzt die Begeisterung vieler Brüder Maurer verstand,
die mir früher von den selbstständig durch König Wilhelm
in den 40ger Jahren geleiteten Logen=Arbeiten erzählt. Ich
habe mich wahrlich nicht von dem Nimbus bestechen lassen,
den die Majestät unter allen Verhältnissen nun einmal aus=
übt, denn ich hatte ja den König so oft im Zimmer sprechen
hören; aber aus rein maurerischem Standpunkte muß ich
doch sagen, daß ich Besseres, als die Rede des Protektors
mit Bezug auf die eigentliche Aufgabe des Bundes, noch in
keiner Loge gehört. Es war so gar keine Phrase, so gar keine
oratorische Umhüllung oder glänzende Wendung, aber so
vollständige Wahrheit und Geradheit, daß ich nur bedauern
kann, hier nicht weiter darauf eingehen zu dürfen. Nebenbei
war die Anwesenheit beider Fürsten und ihre Theilnahme an

der Feier ein persönliches Opfer, weil die Hitze in dem ge=
schlossenen Raume, bei Beobachtung aller vorgeschriebenen
Formen, eine Anstrengung bedingte, die man bei vorge=
rücktem Alter gern vermeidet. Ich bat später wiederholt um
eine Abschrift der Rede; der König sagte aber: „Wozu? es
war nichts Anderes, als was ich den Herren hundertmal
und bei jeder Gelegenheit gesagt.“ Ich dachte mir zwar,
gerade deswegen wäre es von Wichtigkeit, ein authentisches
Dokument zu besitzen, aus welchem auch für die Nachwelt die
Stellung des Königs zum Orden und seine Anschauung
desselben hervorgehen könne, mußte aber schweigen, da es
eben nicht geschah.

Als es sich um die Frage handelte, ob 1868 eine
Königs=Revue stattfinden solle, fragte ich danach, erhielt aber
die Antwort: „Dazu habe ich in diesem Jahre kein Geld,
werde aber einige Divisionen sehen, vielleicht die Hannoversche
und Thüringische. Jedenfalls gehe ich nach Worms zur Ent=
hüllung des Lutherdenkmals, und da sollen Sie mitgehen,
denn es wird dort einer geschickten Feder bedürfen, weniger
um gute Berichte zu schreiben, als um die Taktlosigkeiten,
die wahrscheinlich vorkommen werden, zu beschönigen. Ich
hoffe, daß es dort zu einer Versammlung aller protestantischen
deutschen Fürsten kommt. Der Großherzog ist als Landes=
herr zwar kein Freund solcher Festlichkeiten in seinem Lande,
der König von Württemberg wartet ab, was ich thun werde,
und der Großherzog von Baden wartet ab, was der König
von Württemberg thun wird. Ich hoffe aber, daß ich nicht

allein dort sein werde." — Ich freute mich sehr über die
Aussicht, eine solche Reise mitmachen zu dürfen, und erzählte
dem dienstthuenden Flügeladjutanten, als ich vom Könige
herauskam, wie glücklich es mich mache, gerade einem solchen
Feste in Worms beiwohnen zu können, welches durch die An-
wesenheit des Königs eine so hohe Bedeutung für das
protestantische Deutschland habe, fand aber für meinen
Enthusiasmus eine sehr kühle und ablehnende Aufnahme.
Jetzt erst fiel mir ein, daß ich allerdings die Adresse meiner
Freude sehr ungeschickt gewählt hatte, denn der Flügel-
Adjutant vom Dienst war der katholische Fürst Anton
Radziwill, also von ihm wirklich keine besondere Theilnahme
für meine Nachricht zu erwarten.

Mit der Reise nach Worms wurde ein Besuch in
Hannover verbunden, dem man mit einiger Besorgniß ent-
gegensah. Ich konnte wegen bringender Privatgeschäfte erst
einen Tag später als das Gefolge nach Hannover kommen,
und hörte, als ich mich im Georgs-Palais melden wollte,
daß der König bei Vorstellung der Behörden eine für den
Moment und die Verhältnisse sehr bedeutungsvolle Anrede
an dieselben gehalten hatte. Der Oberpräsident der Provinz,
Graf zu Stolberg-Werningerode, wünschte sehr, den Wortlaut
derselben zu besitzen, und so wagte ich es, gleich bei meiner
ersten Meldung nach dem Diner, um ein Diktat derselben zu
bitten, da es von Wichtigkeit war, daß der gute Eindruck,
den die Rede in der Stadt Hannover gemacht, wo möglich

dem Könige auf der bevorstehenden Reise entgegenkam. Ob=
gleich sehr ermüdet von der Anstrengung des Tages, diktirte
mir der König doch den Inhalt seiner Rede und genehmigte
auch die gleich im Nebenzimmer vollendete Redaktion der=
selben; sie lautete:

„Wir stehen uns zum ersten Male gegenüber, seit die
Ereignisse so große Veränderungen hervorgerufen und uns
zusammen geführt haben. Wie ich, müssen auch Sie sich von
gemischten Gefühlen durchdrungen wissen. Glauben Sie
nicht, daß ich Empfindungen mißbillige oder table, welche
Sie persönlich für frühere Verhältnisse bewahren. Im Gegen=
theil, es würde mir kein Beweis für die Verläßlichkeit Ihrer
eben gegen mich ausgesprochenen Gesinnungen sein, wenn ein
solcher Umschwung Sie gleichgültig gelassen haben könnte.
Wenn ich aber dies weder table noch mißbillige, sondern gern
anerkenne, so muß ich Sie doch darauf aufmerksam machen,
daß das, was Herz und Haus ehrt, auch im Herzen und im
Hause bleiben muß, soll es seine Rechte nicht verlieren.
Drängt es sich auf irgend eine Art in die Oeffentlichkeit, so
treten Sie mir und meiner Regierung gegenüber und zwingen
diese, wie mich selbst, demgemäß zu handeln. Es steht also
ganz in Ihrer Hand, durch Ihre Haltung das Vertrauen zu
erwiedern, mit welchem ich und meine Behörden Ihnen ent=
gegenkomme. Lassen Sie auch Ihrerseits Vertrauen zu mir
und meiner Regierung walten, so hoffe ich zu Gott, ja, ich
bin bei näherer Bekanntschaft überzeugt, daß wir glücklichen
Zuständen entgegengehen.“

Ich ließ zwar den Oberpräsidenten sogleich eine Abschrift für die in Hannover selbst erscheinenden Zeitungen zukommen, hielt die Rede des Königs aber doch für so wichtig und wirkungsvoll, daß ich sie sofort nach Berlin telegraphirte und veranlaßte, daß sie so schnell wie möglich nach allen denjenigen Städten befördert wurde, durch welche der König auf seiner weiteren Reise kommen mußte. Dies Verfahren hatte denn auch einen überraschend guten Erfolg, denn überall, wo der König auf dem Wege bis Worms anhielt, waren seine Worte bekannt und hatten das Publikum enthusiasmirt. Ich überzeugte mich aufs Neue, daß sich eine solche Publikation auf andere Weise garnicht ausführen läßt. Erstens ist es bei Beobachtung der unvermeidlichen Formen, selbst den höchstgestellten Personen und Beamten garnicht möglich, vom Könige ein Diktat zu erbitten; ferner bedenken diejenigen, welche Reden und Aeußerungen des Königs selbst gehört, nicht, daß auch Millionen Andere ein Interesse daran haben dieselben zu erfahren; schließlich spielen die Bedenken und die Besorgniß vor Verantwortlichkeit eine wichtige jedesmal lähmende Rolle; kurz, es kommt eben nicht dazu; — und werden solche Reden nur aus dem Gedächtniß niedergeschrieben, so sind sie immer falsch, weil Jeder nur das gehört hat, was er gern hören wollte.

Am Tage darauf erzählte mir der König von den Eindrücken, die er in Hannover empfangen und war im Ganzen sehr zufrieden mit der Haltung des Publikums; wie denn auch in der That nicht das Geringste vorgekommen war, was irgend wie als feindlich aufgefaßt werden konnte. Der König hatte bei seinen Fahrten durch die Stadt nur bemerkt, daß einige Personen ihm anscheinend absichtlich den Rücken gekehrt und die Schaufenster betrachtet hatten; eine alte Frau hatte sogar vor ihm ausgespuckt. — Ich sprach meinerseits Verwunderung darüber aus, daß ich keine einzige weißgelbe Fahne in der ganzen Stadt gesehen; während damals in Königsberg bei der Krönung, einige Verbissene statt der Preußischen, die schwarz-roth-goldenen Farben ausgehängt, und trotz des Einschreitens der Polizei, während der ganzen Anwesenheit des Königs dabei verharrten, obgleich sich doch Jeder nur einigermaßen Vernünftige sagen mußte, daß bei einer Preußischen Königskrönung das Aushängen der deutschen Fahne wirklich keinen Sinn hatte. Was also die Königsberger Polizei nicht hatte durchsetzen können, schien der Hannoverschen gelungen zu sein; und dies war wenigstens verwunderlich, weil ein Nichtachten des Verbots wohl nur eine geringe Strafe nach sich ziehen konnte. Auch Komisches war vorgekommen. Bei der Parade war ein Mensch verhaftet worden, der laut auf den König von Preußen geschimpft hatte. Befragt, was er denn gegen den König habe, erwiederte er in höchster Entrüstung: „Er reitet so schnell, daß man ihn garnicht ordentlich betrachten kann. Der vorige war blind und mußte deswegen so langsam reiten, daß man ihn doch wenigstens mit Muße ansehen konnte!"

Die ganze Reise bis Worms schien dem Könige nur angenehme Eindrücke gemacht zu haben, wozu wohl

auch beitrug, daß die neugebildeten Truppen, von denen nur noch ein Drittel Altpreußen waren, die also schon zu zwei Dritteln aus den Eingebornen der Provinzen be=
standen, überall eine gleichmäßig gute Ausbildung zeigten. Bei Northeim wurde das Exerziren des 2. Hannoverschen Dragoner=Regiments Nr. 16 zu einem wahren Volksfeste. Der König bestieg dort die Sadowa, welche von Hannover aus hingebracht worden war; und seine Erscheinung auf diesem berühmt gewordenen Pferde machte einen großen Ein=
druck.

In Mainz wohnte der König im Großherzoglichen Palais, und ich war noch spät anwesend, um mich nach den Dispositionen für den morgenden Tag zu erkundigen, als ein Brief des Großherzogs von Sachsen=Weimar gebracht wurde, dessen Träger dringend eine sofortige Antwort erbat. Der Kammerdiener hatte Bedenken, den König, der eben ein=
geschlafen war, noch einmal zu stören; die Sache wurde aber so dringend gemacht, daß er endlich doch hineinging. Der Brief betraf eine Anfrage, in welcher Uniform die Fürsten, welche Chefs Preußischer Regimenter seien, bei der Enthüllungsfeier in Worms zu erscheinen hätten. Wie ge=
wöhnlich geduldig, selbst bei einer ganz unnöthigen Störung, schrieb der König im Bette gleich Antwort, die nur schon vorher Bestimmtes wiederholte; denn er hatte bereits seinen Wunsch ausgesprochen, daß der König von Württemberg und alle Fürsten, welche der Feier beiwohnen würden, in den Uniformen und mit den Ordensbändern ihrer eigenen Länder,

also nicht als Preußische Generale, erscheinen möchten. Es
war dies der eigene Entschluß des Königs gewesen, wahr=
scheinlich, um der Meinung die Spitze abzubrechen, als er=
schienen die Souveräne im Gefolge des Königs von Preußen. —

In Worms fuhr der König vor dem Beginn der Ent=
hüllungsfeier in die Kirche und mußte dabei an der mannig=
fach geschmückten Vorderfacade des Festplatzes vorüber. Es
waren dort die Wappenschilde von Bayern, Württemberg,
Baden, Rheinhessen und der Hessischen Provinzen Starkenburg
und Rheinhessen, neben den Landesflaggen dieser Staaten und
Provinzen angebracht. Dem Könige fiel die Abwesenheit des
Preußischen Wappens und der Preußischen Farben auf, und
er sprach seine Wahrnehmung so gegen mich aus, als köune
darin eine Demonstration liegen. — Zu meiner Freude kounte
ich aber eine vollkommen befriedigende Aufklärung geben, da
ich mir gleich nach unserer Ankunft das Innere des Fest=
baues angesehen hatte. Die Ordner hatten nämlich. auf sehr
sinnige Weise alle Wappenschilde und Nationalflaggen der
Staaten des Norddeutschen Bundes nnd der Provinz Ober=
hessen, die ja zum Norddeutschen Bunde gehörte, innerhalb
des Festbaues und im Angesicht der zu enthüllenden Statue
Luthers angebracht, während sich die genannten Süddeutschen
Staaten und die beiden außerhalb des Norddeutschen Bundes
stehenden Hessischen Provinzen draußen befanden und bei der
eigentlichen Feier nicht gesehen wurden. Wie alles Heraldische
und Geschichtliche bei solchen Feiern, ging auch dies · an der
Menge unbemerkt und spurlos vorüber. Desto erfreuter waren
aber die Wenigen, welche Sinne und Verständniß dafür

hatten. Als die Hülle des Monumentes gefallen war, und
dem ebenso unbeschreiblichen, wie gerechten Jubel ein wüstes
Durcheinander der enthusiasmirten Tausende folgte, zog ich
mich durch einen Nebenausgang zurück und ging in den Dom,
wo ich nur einige still Betende fand. Ich suche nun einmal
bei Allem, was mich besonders ergreift und bewegt, gern die
Gegensätze auf; und versetzte mich hier in dem halb restaurirten
Münster in die Zeit, wo das „Mönchlein Luther" vor dem
Kaiser stand. Was mögen damals in diesem Dome die
Priester, die Gläubigen geahnt, gehofft und gefürchtet haben!
und was mögen die heute hier Erbauung Suchenden von der
eben vollendeten Feier gedacht haben! —

In Frankfurt a./M., von wo der König nach Berlin
zurückreiste, trennte ich mich von dem Zuge, um eine Kur in
Homburg zu beginnen. Absolute Ruhe und Stillleben folgten
der Aufregung und dem Glanze der Reise. Nur einmal
wurden sie durch einen eigenthümlichen Vorgang unterbrochen.
Ich hatte nämlich während der Anwesenheit des Königs in
Mainz die Bekanntschaft mehrerer, besonders regsamer Preußen-
freunde gemacht, welche offen bekannten, es sei kein Heil für
Deutschland zu erwarten, wenn Preußen nicht an der Spitze
stände und die Leitung übernähme. Begreiflicherweise hatte
das meine Zustimmung, und so kam es bald zu einem vertraulichen Plaudern mit diesen Herren. Doch war ich nicht
wenig erstaunt, als in Homburg einige derselben erschienen
und mich im Namen eines „national-liberalen" Komités zu

einem großen demonstrativen Feste einluden, welches die
„national = liberale", also die dortige Preußenfreundliche
Partei in Waisenau bei Mainz veranstalten wolle. Nach
einigen Erkundigungen zeigte es sich sehr bald, daß unter
dem veränderten Titel doch eigentlich nichts anderes, als die
zur Genüge bekannte Rheinische Demokratie stecke. Das war
mir denn doch außer allem Spaße; aber Nachdenken und
dringende Vorstellungen, mein Erscheinen bei diesem Feste
könne dem Könige nützlich sein, ließen mich unter der Be=
dingung zusagen, daß der König es erlaube. In Gegenwart
meiner neuen, in der That kaum je gehofften Freunde,
formulirte ich ein Telegramm nach Babelsberg und hatte
schon nach fünf und fünfzig Minuten die Drahtantwort:

„„Ja! aber Takt und Vorsicht!   Wilhelm!""

So war ich denn gesichert; denn Takt und Vorsicht
verstanden sich inmitten dieser Gesellschaft bei meiner aus=
gesprochen reaktionären Gesinnung von selbst, und ließen sich
am besten beweisen, wenn ich mich eben nicht zum Sprechen
verleiten ließ. So ging ich denn nach Mainz und wohnte
am Vormittage in der, zur Bierstube umgeschaffenen Kloster=
kapelle „zum heiligen Geist", einer demokratischen Vereins=
konstituirung und dann einem Banquet, — wieder in einer
großartigen Bierstube, — in Waisenau bei. Zum ersten Male
in meinem Leben befand ich mich inmitten einer politischen
Versammlung von Demokraten und kam mir unglaublich
deplacirt, ja komisch bei diesen Reden, Verhandlungen und
Toasten vor. Es waren eben, wie ich das immer gelesen
hatte, einige Männer, die das weiche Wachs der Menge

kneteten und für ihre Zwecke zurechtstutzten, wie die Herren
Bamberger, Dr. Görz, Dernburg, Finger u. s. w. Es wurde
unter einem genügenden Quantum von Reden, Resolutionen
und Abstimmungen ein exklusiv „Rheinhessischer national=
liberaler Agitations=Verein" für Anschluß an den Nord=
deutschen Bund gestiftet, und die gelungene Stiftung sofort
durch ein Banquet gefeiert, an dem über 1200 Personen
Theil nahmen. Das Komité mußte wohl geglaubt haben,
es könne an eingeborenen Rednern mangeln, denn man hatte
sich den allezeit rede= und gesetzgebungsfertigen Herrn Lasker
aus Berlin verschrieben, der denn auch die Rednertribüne
für geraume Zeit in Beschlag nahm. Ein besonderer Effekt
war ebenfalls vorbereitet worden und wurde mit vollständigem
Erfolge in Scene gesetzt. Der bekannte Zitz, seit 1849 als
Flüchtling in Amerika lebend, war zurückgekommen und wurde
feierlich in den Banquetsaal eingeführt. Doch muß ich sagen,
daß Alles in bester Ordnung verlief und keinerlei Mißton
die Versammlung störte. Hatte man sich erst mit dem Grund=
gedanken abgefunden, der die ganze Procedur durchzog, so
konnte man sich mit den eigentlichen Vorgängen wohl ver=
söhnen. Einstimmig war man darin, daß von Oesterreich
für Deutschland nichts, dagegen Alles von Preußen zu hoffen
sei, natürlich müsse Preußen aber auch etwas mehr Rücksicht
auf die Demokratie nehmen. Der ganze Vorgang hatte mich
interessirt; doch athmete ich erst frei auf, als ich wieder in
dem stillen Homburg war.

Am Morgen des 3. Juli fanden ſich beim Brunnen=
trinken mehrere Preußen zuſammen, die des wichtigen Jahres=
tages gedachten und gar zu gern dem Könige zu den glor=
reichen Erinnerungen deſſelben gratulirt hätten. Ich erbot
mich zur Vermittelung und ſandte ein Telegramm nach
Babelsberg; es enthielt den Wunſch für Erhaltung des
Friedens, alſo für das Gelingen der Beſtrebungen des
Königs. „Ginge es aber durchaus nicht anders, ſo wünſchten
die heute in Homburg verſammelten Alt=Preußen ihrem Könige
noch einen ſolchen Tag wie den 3. Juli 1866." Schon nach
wenigen Stunden war die Antwort aus Babelsberg da:
„„Allen meinen beſten Dank für die Erinnerung an den
heutigen Ehrentag Preußens! Wilhelm."" Ich erfuhr
ſpäter, daß der König den Morgen dieſes Tages bei der
von ihm errichteten Denkſäule im Park von Babelsberg zu=
gebracht, wo Ihre Majeſtät die Königin durch Aufſtellung
der Muſikchors des 1. Garde=Regiments zu Fuß, ihm eine
ſinnige Ueberraſchung bereitet hatte. Der Choral: „Wie
ſchön leucht't uns der Morgenſtern!" hatte an dieſer mit den
Denkmünzen der ſiegreichen Feldzüge von 1864 und 1866
geſchmückten, monumentalen Säule, mit dem Blick weit in
das geſegnete, blühende Land hinein, ſeine volle, tiefernſte
Bedeutung für den König; — um ſo mehr, als von ihm
ſelbſt bis jetzt nichts geſchehen oder ausgegangen war, was
wie eine Feier dieſes Schlachttages ausgeſehen hätte. Wir
in Homburg hatten dem Könige zu ſeinem Ehrentage
gratulirt; ſeine Antwort ſprach aber von einem Ehrentage
Preußens.

Bald darauf kam der König nach Ems und später auch nach Wiesbaden. Obgleich ganz in der Nähe, und obgleich ich Veranlassung genug gehabt hätte, mir eine Direktion für die Presse zu holen, — denn das Wiener Schützenfest, die demokratischen Wahlen in Württemberg und allerlei politisch gereizte Erscheinungen in Holland waren an der Tages=ordnung, — ging ich doch nicht nach Ems, ja ich verließ sogar Homburg einen Tag früher, ehe der König zu kurzem Aufenthalte dort eintraf; denn so lange ich die Freude habe, ihm dienen zu dürfen, habe ich es mir zum Gesetz gemacht, mich nie in seiner Nähe sehen zu lassen, wenn ich nicht ver=langt werde, oder der Dienst selbst mich dazu berechtigt. Darüber haben sich schon Viele verwundert; — ich halte es aber dessenungeachtet für das einzig Richtige. Freilich hätte ich gern die Truppenbesichtigungen in Thüringen mitgemacht; ich hätte aber persönlich darum bitten müssen, ohne doch einen direkten Grund für mein Erscheinen vor dem Könige zu haben. So unterblieb es denn.

———   ———

Dafür hatte ich bei meiner Rückkehr nach Potsdam die Freude, den Befehl zur Mitreise nach Dresden, Lübeck, durch die Elbherzogthümer und nach Hamburg zu erhalten. Sie war in jeder Hinsicht eine genugthuende, wenn auch ungewöhnlich anregende für mich, weil ich allen Truppen=besichtigungen beiwohnte, und während das Gefolge speiste oder sich amüsirte, genaue Berichte für den Staatsanzeiger und die mir sympathischen Zeitungen schreiben mußte. —

In Dresden nahm der König das 2. Königlich Sächsische Grenadier-Regiment Nr. 101 an, und diktirte mir im Schlosse Moritzburg die Fassung der dem Staats-Anzeiger zu gebenden Nachricht. Als darin die Stelle vorkam, daß die Verleihung dieses Regiments eine Auszeichnung für den König von Preußen sei, stockte ich im Schreiben und erlaubte mir die Frage, ob das wohl der richtige Ausdruck für das Verhältniß Sachsens zu Preußen sei? Auszeichnen könne wohl nur der Mächtige, der Sieger, jedenfalls würde das Wort auffallen.

„Wissen Sie ein Besseres?"

„Allerdings, nein! aber man müßte eine Wendung zu finden suchen, die —"

„Die doch immer nur dasselbe sagen würde. Ihre Bemerkung ist zwar richtig, aber unter den obwaltenden Verhältnissen geht es eben nicht anders. Ich betrachte es auch als eine Auszeichnung, wie jede Verleihung eines Regiments."

So blieb denn der Ausdruck stehen und wird in Sachsen wahrscheinlich nicht mißfallen haben. —

Ueber die Truppen der 1. Division des XII. (Königlich Sächsischen) Armee-Korps sprach sich der König im Großen und Ganzen sehr befriedigt aus, da sie seit Annahme des Preußischen Reglements alles Mögliche gethan, um sich in dasselbe zu finden. Doch sagte er: „Der Rock ist ihnen zwar angemessen, sitzt ihnen auch schon gut und kleidsam, aber bequem ist er ihnen noch nicht. — Dazu gehört eben Zeit!"

Die ganze diesmalige Reise war eine außerordentlich bewegte und fatiguante. Kaum am Abend des 9. September von Dresden nach Berlin zurückgekommen, begab sich der

König am 10. früh nach Neuenhagen zu den Feldmanövern
der Garde=Truppen, um gleich nachher nach Schwerin abzu=
reisen, wo am 11. und 12. Parade, Exerziren und Manöver
der 17. Division stattfanden. Von einem auch nur Stunden=
langen Ausruhen war bis zum 21. nicht die Rede, und wenn
ich nicht jedes Mal früh Morgens beim Kaffee die Zeit be=
nutzt hätte, um nach etwaigen Befehlen zu fragen, so wäre
es nicht möglich gewesen, den König überhaupt zu sprechen.

––––––––––

In Kiel kam ich auf das Schloß, als die Vorstellung
der Behörden und Korporationen stattfand; der Saal war
aber so voll, daß ich nur halbe Worte von den Anreden und
nur undeutlich die Antworten des Königs hörte; dennoch
glaubte ich zu bemerken, daß eine der Antworten mit etwas
erregter Stimme und Betonung gegeben wurde. Was ich
später von dem Inhalt dieser Antworten durch die Herren
hörte, welche zunächst dabei gestanden, erschien mir doch so
wichtig, daß ich es wagte, mich zu ganz ungewöhnlicher Zeit,
noch vor dem Beginn der Tafel, melden zu lassen, um
Weisung wegen telegraphischer Mittheilung zu erbitten, da
bei der großen Zahl von Ohrenzeugen sich kaum eine, je
nach den Wünschen oder Meinungen façonnirte, Veröffent=
lichung vermeiden lassen würde. Der König billigte dies
und diktirte mir nun drei Antworten, deren eine — an den
Rektor der Universität, Professor und Kirchenrath Lüdemann
— großes Aufsehen in ganz Europa hervorrief, weil man
unbegreiflicher Weise eine Kriegsdrohung aus derselben

herauslesen wollte. Der Herr Rektor hatte es nämlich nöthig gefunden, seinen Landesherrn an die Erhaltung des Friedens zu mahnen und damit an die Erfüllung einer Herrscherpflicht zu erinnern, deren gerade König Wilhelm sich so vollständig bewußt ist, daß er wahrlich einer solchen Mahnung, noch dazu mit einer gewissen Feierlichkeit ausgesprochen, nicht bedarf. Offenbar war der König von diesem Theile der Anrede des Rektors unangenehm berührt worden, denn er betonte bei dem Diktat die Hinweisung, daß er sich seiner schweren Verantwortlichkeit wohl bewußt sei. Das Diktat lautete:

„Daß ich Sie, als die Repräsentanten einer Universität, die sich von jeher eines so guten wissenschaftlichen Rufes erfreute, heute ebenfalls vor mir sehe, ist mir besonders angenehm. Wie meine Vorfahren an der Krone die Pflege der Wissenschaften als eine ihrer Hauptaufgaben betrachteten, so werde auch ich thun, was in meinen Kräften steht, um die weitere Entwickelung und Blüthe der Universität Kiel zu fördern. Was Ihren Wunsch für Erhaltung des Friedens betrifft, so kann ihn wohl Niemand lebhafter theilen, als ich, denn es ist für einen Souverän etwas sehr Schweres und vor Gott Verantwortliches, wenn er sich gezwungen sieht, das folgenschwere Wort: Krieg! auszusprechen. Und doch giebt es Verhältnisse, wo er sich einer solchen Verantwortlichkeit nicht entziehen kann, nicht entziehen darf. Sie selbst sind in diesem Lande Zeugen gewesen, daß die Nothwendigkeit zu einem Kriege an einen Fürsten, wie an eine Nation herantreten kann; ja, daß wir uns heute vertrauend und mit gutem Willen einander gegenüber stehen, ist erst durch einen Krieg ermöglicht worden. Uebrigens sehe ich in ganz Europa keine Veranlassung zu einer Störung des Friedens und sage Ihnen das zu Ihrer Beruhigung. Was Sie aber noch mehr beruhigen dürfte, das ist der Blick auf die hier mit Ihnen versammelten Repräsentanten meiner Armee und meiner Marine, dieser Kraft des Vaterlandes, welche bewiesen hat, daß sie sich nicht scheut, einen ihr auf= gezwungenen Kampf aufzunehmen und durchzufechten."

Beim Aufzeichnen zu Hause kam es mir aber doch vor, als könnte die Antwort des Königs, wenn man seine Motive nicht kannte, mißverstanden, und ihr eine politische Trag= weite beigelegt werden, welche ihr nicht zukam. So hielt ich mich verpflichtet, die Fassung am nächsten Morgen zur Ge= nehmigung vorzulegen und zugleich die Unterzeichnung zu erbitten, damit ich meine Berechtigung zu einer Veröffent= lichung nachweisen könne. Die beiden darin befindlichen Korrekturen sind für den Charakter und die Anschauungen des Königs bezeichnend. Ich hatte geschrieben: „das furcht= bare Wort: Krieg! auszusprechen" und mußte es in „folgen= schwer" umändern. Von der Kieler Universität hatte ich gesagt, daß sie „sich von jeher eines guten Rufes erfreute", da mußte ich einfügen: eines guten „wissenschaftlichen" Rufes. Der König mochte dabei wohl an die mit Kieler Professoren hinreichend gemachten Erfahrungen gedacht haben. —

Kaum waren wir am nächsten Tage in Flensburg an= gekommen, so erhielt ich durch das Wolff'sche telegraphische

3*

Büreau, an welches ich die Reden aus Kiel telegraphirt, Telegramme über Telegramme, welche den beunruhigenden Eindruck meldeten, den — unbegreiflicher Weise — die Worte des Königs in allen Europäischen Hauptstädten, besonders in Wien und in Paris gemacht hatten. In Wien waren Börse und Handelswelt alarmirt, in Paris war sogar ein Minister= rath gehalten worden. Kein Mensch wollte von einer Er= klärung des Königs, er sähe in ganz Europa keine Veran= lassung zur Störung des Friedens, etwas wissen; aber alle Welt war bereit, in dem Hinweis auf die Kampfbereitschaft der Armee und der Marine eine Kriegsdrohung zu erkennen. Hätte man gewußt, an welche Adresse diese Worte gerichtet waren und zu wessen noch größerer Beruhigung sie bienen sollten, so hätten sie freilich nicht so arg mißverstanden werden können. Allerdings hatte der König eben erst kurz nach einander Truppen des X. Armee=Korps in Hannover, des IV. in Thüringen, eine ganze Division des XII., den größten Theil des Garde=Korps und das ganze XI. Korps gesehen, so mag den Zeitungslesern ein Machtbewußtsein des Königs wohl wahrscheinlich und ihre Angst begreiflich ge= wesen sein. Außerdem hatte der König von Preußen noch die Flotte besichtigt — Grund genug zu einem Börsenalarm. Natürlich legte ich diese Mißverständniß=Telegramme vor und zwar mit einiger Besorgniß wegen meines Diensteifers. Der König nahm die Sache aber sehr ruhig und gleichgültig auf, ordnete auch keinerlei Berichtigung an, so daß der Vorgang bald vergessen war. — Es würde allein ein Buch füllen, wenn ich alles Interessante und Erfreuliche während dieser

ganzen Reise schildern wollte. Hier muß ich nur aussprechen,
daß mir der König, bis zur Rückkehr nach Berlin am
21. September, sehr zufrieden mit den erhaltenen Eindrücken
erschien, als ob er sich nach langer sorgenvoller Saat der
beginnenden Ernte freute.

Eine besondere Freundlichkeit des Königs auf dieser
Reise möchte ich noch erwähnen. Ich war in Altona bei
einem Kaufmann Wall einquartiert, der es sich als eine be=
sondere Bevorzugung ausgebeten hatte, irgend Jemand vom
Gefolge des Königs bei sich aufnehmen und bewirthen zu
dürfen. Er zeigte sich als ein aufrichtiger Anhänger Preußens,
und seine Gattin schwärmte für die Person des Königs.
Man hörte leicht heraus, daß dies nicht etwa ein gelegentlich
affigirter, sondern ein ehrlicher Enthusiasmus war, und damit
hatte sie mich denn bald gewonnen. Sie besaß eine ganze
Sammlung von Photographieen des Königs und ließ einige
Male die Aeußerung fallen, wie glücklich sie sein würde,
wenn sie nur irgend etwas, was der König in der Hand
oder im Gebrauch gehabt, erhalten könnte. In Erinnerung
an einen ähnlichen Fall, der mir einen Bleistift für einen
Verwandten des Kastellans von Babelsberg eingetragen, nahm
ich eine jener Photographieen am letzten Morgen mit zum
Könige, erzählte von der Anhänglichkeit und Verehrung der
Madame Wall, sowie von ihrem Wunsche, irgend etwas zu
besitzen, was er im Gebrauch gehabt; — da sich das aber
schwer thun lasse, so erlaubte ich mir die Bitte, gelegentlich
eine eigenhändige Unterschrift unter die mitgebrachte photo=

graphische Visitenkarte zu setzen. Der König hatte sich eben
niedergelassen, um Kaffee zu trinken, und ich kam nicht allein
in Verlegenheit, sondern machte mir Vorwürfe, als er sofort
wieder aufstand, an seinen Schreibtisch ging und wirklich
seinen Namen unter die Photographie schrieb. — Welche
Freude ich damit in der Familie Wall anrichtete, brauche ich
nicht zu sagen; wohl aber, daß ich mich fast schämte, den
König belästigt zu haben. —

Wenn der König von einer Reise zurückkehrte, so bekam
ich jedesmal etwas für die Bibliothek zu thun; denn er pflegte
alle Gedichte, Adressen, Bilder, eingereichte Bücher, Karten
und Pläne sorgfältig zusammen in eine Mappe einzupacken
und dieselbe dann auf einen bestimmten Platz im Bibliothek=
zimmer zu legen, mit der Weisung, ihren Inhalt einzurangiren.
Da kamen denn stets Kuriosa vor. So z. B. hatte er diesmal
aus Altona, wo er bei dem Kommandanten, Generalmajor
von Gerstein=Hohenstein gewohnt, einen Plan von Altona
mitgenommen, der dort auf seinem Schreibtische gelegen.
Als ich ihn beim Einrangiren näher ansah, fand ich den
Namen des Besitzers von Gerstein=Hohenstein darauf, und
übergab ihn dem Geheimen Hofrath Bork zur Rücksendung,
nachdem ich die unbewußte Entführung fremden Eigenthums
gemeldet hatte. Von der größten Zahl der Bücher und
Bilderwerke erfuhr ich nie, wer sie eingereicht, noch wie sie
sonst in den Besitz des Königs gekommen waren, war auch
gar nicht berechtigt, danach zu fragen; so kamen auch Fälle

vor, wo ich nicht wußte, was aus eingegangenen Büchern geworden war. Schon als ich zuerst die Bibliothek übernahm, fehlten einzelne Bände aus ganzen Werken, einzelne Sektionen von Karten; und der König sprach dabei seine Verwunderung aus, wie überhaupt irgend etwas aus seiner Bibliothek fehlen könne? Dies war, unter Anderen, mit einzelnen Blättern der großen Generalstabskarte von Baden der Fall; hier lag aber die Erklärung ziemlich nahe. Sie waren nämlich während der Campagne 1849 von der Adjutantur und den Generalstabs= offizieren benutzt und vielleicht verloren oder schmutzig ge= worden. Aber es gab für einzelne Fälle noch näherliegende Erklärungen. Im Jahre 1850 zeigte ich z. B. dem Könige eine Karte des Terrains um Berlin, auf welcher groß und breit gedruckt war: „Eigenthum des großen Generalstabes. Der Empfänger hat die Verpflichtung, diese Karte nach Be= endigung des Manövers zurück zu geben." Sie trug die Jahreszahl 1824 und befand sich 1850 noch in der Bibliothek des Prinzen von Preußen, — ein Beweis, daß die so groß gedruckte Ermahnung nicht befolgt worden war! Andere, namentlich große Pracht= und Bilderwerke gelangten oft gar= nicht einmal in die Bibliothek. Der König nahm sie entweder mit zu Ihrer Majestät der Königin hinauf, oder gab sie als Muster für irgend etwas an hohe Beamte, Künstler u. s. w., so daß ich oft nicht Red' und Antwort geben konnte, wenn nach einem bestimmten Buche, einer musikalischen Komposition oder einem Plane gefragt wurde. — Bei der unglaublichen Menge täglich eingehender Bücher, Kunstwerke und Zeich= nungen, war es selbst dem ausgeprägten Ordnungssinn des

Königs nicht möglich, Ordnung zu halten. Ich hatte die Weisung, musikalische Kompositionen an die große Musikalien=sammlung der Königlichen Bibliothek abzugeben; und die General=Intendantur der Königlichen Schauspiele hatte die schriftliche Erlaubniß, behufs Anfertigung von Dekorationen und Kostümen, die betreffenden Werke aus des Königs Privat=bibliothek zu entleihen. Ebenso hatte ich für meine, auf die Biographie des Königs bezüglichen Arbeiten die Erlaubniß, Bücher aus seiner Bibliothek in meiner Behausung zu be=nutzen, wofür ich aber eine schriftliche Erlaubniß erbat und erhielt. —

Im September erhielt ich in Potsdam einen Brief von einem gewissen Hermann Rintisch, Handlungslehrling, der mein Fürwort beim Könige für die Niederschlagung einer Strafe von 10 Thalern erbat, welche ihm die Polizeibehörde für unbefugtes Abbrennen von Feuerwerkskörpern am Geburts=tage des Königs zudiktirt hatte. Er deducirte die Ungerechtig=keit dieser, für seine Verhältnisse bedeutenden Geldstrafe daraus, daß er geglaubt habe, am Geburtstage des Königs könne sich jeder Preuße freuen, wie er wolle. Da er überhaupt jetzt erst in die Lehre gekommen sei, so wäre er damals doch eigentlich noch ganz unzurechnungsfähig gewesen; und wenn er auch bei der Vernehmung allerdings etwas ausfallend gegen die Polizei geworden sei, so wären 10 Thaler doch jedenfalls zu viel dafür, daß ein „junger Preuße“ den Geburts=tag seines Königs gefeiert habe. Es war Humor in dem Briefe; — da ich mich aber grundsätzlich nicht in Gnaden=

sachen mische, so schickte ich den Brief des „jungen Preußen
Rintisch" nach Baden=Baden, an den Korrespondenzsekretär
des König, Geheimen Hofrath Bork, und überließ es ihm,
den richtigen Weg für das Gesuch zu finden.   Der König
mag wohl über die eigenthümlichen Entschuldigungsgründe
für Uebertretung eines Polizeiverbots gelächelt haben: jeden=
falls befahl er, — nicht etwa die von der Behörde zudiktirte
Strafe niederzuschlagen, — wohl aber dem Jüngling 10 Thaler
zu schicken, mit denen er machen könne, was er wolle.   Ich
freute mich über diesen Erfolg, sollte aber bald genug Ursache
haben, ihn zu bedauern; denn Jung Rintisch machte sich ent=
weder selbst darüber her, oder er veranlaßte durch seine
enthusiastischen Erzählungen, daß in der Gerichtszeitung vom
27. Oktober ein vollständiger Bericht über den ganzen Vor=
gang erschien und auch die in Bezug auf denselben geschriebenen
Briefe mit abgedruckt wurden.   Der Brief an mich, den ich
freilich nicht mehr besitze, sollte banach gelautet haben:
„Geehrter Herr Hofrath!   Ich habe so viel von Ihrer Liebens=
würdigkeit gehört, und da ich erfahren habe, daß Sie öfter
in die Nähe Seiner Mäjestät des Königs kommen, so bitte
ich u. s. w."   Genau mit denselben Worten beginnend brach
nun gleich nach dem Erscheinen dieses unglückseligen Artikels
eine unglaubliche Fluth von Briefen über mich herein, wovon
ein jeder meine Verwendung beim Könige für eine Be=
gnadigung, ein Geldgeschenk oder Darlehn, ja sogar für
Verleihung eines Ordens, in Anspruch nahm.   Jedesmal
war meine „Liebenswürdigkeit" und das „öfter in die Nähe
kommen" betont, so daß ich mich wirklich einige Wochen lang

vor dieser Korrespondenz nicht zu retten wußte; außerdem
wollte jeder der Bittsteller von mir umgehende Antwort haben.
Ich war also bald gezwungen, — trotz meiner Liebenswürdig=
keit, — dergleichen Briefe alle dem Portier des Palais zu
vorschriftsmäßiger Beförderung zu übergeben; es hat aber
lange gedauert, ehe dieser Bittschriftenandrang nachließ, und
die Leute sich überzeugten, daß auf dem Umwege über meine
Liebenswürdigkeit durchaus nicht mehr zu erreichen war, als
durch die Post.

———

Beim Durcharbeiten der Journale, welche die dienst=
habenden Flügel=Adjutanten führten, um daraus berichtigende
Daten für den Tageskalender des Königs zu entnehmen, fand
ich beim Datum 17. August 1866, ein gedrucktes Exemplar
der Adresse, welche das Herrenhaus dem Könige nach seiner
Rückkehr aus dem Feldzuge überreicht hatte. Daß der König
sie sehr aufmerksam durchgelesen hatte, bewiesen die mit Blei=
stift an den Rand geschriebenen Bemerkungen, welche einen
umfassenden Blick in die Gemüthsstimmung des Königs nach
diesem denkwürdigen Feldzuge thun lassen. Daher fühle ich
mich verpflichtet, dieselben hier aufzuführen; von der Adresse
selbst aber, weil sie unter Nr. 12 den Drucksachen des
Herrenhauses einverleibt ist, nur diejenigen Sätze wiederzu=
geben, auf welche sich die Randbemerkungen des Königs be=
ziehen:

Gott allein, Ihm sei die Ehre! „Ja wohl!" —
Eure Majestät haben es Allerhöchstselbst ausgesprochen,
daß der Krieg nur nach der reiflichsten Prüfung und in der

dadurch gewonnenen Ueberzeugung von der unbedingten
Nothwendigkeit der Abwehr eines von Preußen weder hervor-
gerufenen, noch von ihm verschuldeten Angriffs unternommen
wurde. „Ja!" und das Wort „reiflichsten" unterstrichen.

Dieses Königliche Wort hebt unser schmerzliches Bedauern, welches wir sonst, wie Eure Majestät über den Krieg
u. s. w. Von diesem Satze ist das „schmerzliche Bedauern"
unterstrichen.

Wir haben aufrichtig beklagt, daß auch andere, sonst
Preußen nahe verbündete Staaten mit Oesterreich feindlich
den Preußischen Heeren gegenübertraten und daß in den
heißen Kämpfen der jüngst vergangenen Zeit auf beiden
Seiten deutsches Blut geflossen ist. „Ja!"

Der glorreiche Verlauf des Krieges legt ein neues, un-
widerlegliches Zeugniß ab von den wunderbar glücklichen
Erfolgen, der von Eurer Majestät mit fester Hand Allerhöchstselbst angebahnten und geleiteten Heeresorganisation. „Dank
dem Herrenhause!" und das Wort „geleiteten" unterstrichen.

„Wir hoffen mit Zuversicht, daß von dem jetzt nahen
Friedenschlusse an, mit dem Ausscheiden des Kaiserstaates
aus dem Bunde, ungetrübte Beziehungen zwischen den Re-
gierungen Preußens und Oesterreichs beginnen und im
beiderseitigen Interesse der mächtigen Monarchieen sicher fortbestehen werden. — „Ja!" und der letzte Satz von dem
Worte „beginnen" an bis „fortbestehen werden", unterstrichen.

Wir erkennen die Uneigennützigkeit und richtige Würdi-
gung der Verhältnisse, welche eine auswärtige Macht bei
Vermittelung der Friedens-Praeliminarien bewiesen. „Ja!"

Wir hoffen, daß diese Opfer und das geflossene edle Blut Saaten sind, deren reiche Früchte das Vaterland in naher, wie in ferner Zukunft ernten wird. „Hoffentlich!"

Für Verwundete, Wittwen und Waisen werden wir mitwirken. „Schön! 17. 8. 66."

Weiter lag beim 24. Juni 1862 das von der Hand eines Flügel=Adjutanten geschriebene Konzept zu der, durch die Zeitungen veröffentlichten Antwort des Königs auf die Adresse einer Deputation von Westpreußen, auf welchem sich eigenhändige Korrekturen des Königs befanden. Nach diesen war der Schlußsatz dahin abgeändert:

„„Ich kann aber nicht unterlassen, noch Eins zu erinnern. Ich werde nie dulden, daß man unter dem Vorwande der Anhänglichkeit an mich Exzesse gegen diejenigen begeht, die anders gewählt haben, wie dies z. B. in Mühlhausen geschehen ist. Solche Unord= nungen sind sehr strafbar. Ich bitte Sie, dies den= jenigen mitzutheilen, die Ihre Freunde sind. Mein Vertrauen zu meinem Volke ist unverändert dasselbe geblieben; dagegen ich diejenigen, welche jene Mißver= ständnisse veranlaßten, nicht zu meinen Freunden rechnen kann.""

Im November 1868 wandte sich der Geheime Rath Zitelmann, vortragender Rath des Grafen Bismarck, mit der Bitte an mich, ob ich ihm nicht Auskunft über eine an=

gebliche Aeußerung des Königs verschaffen könnte, laut
welcher er, nach der Behauptung Wiener und süddeutscher
Blätter, 1863 in Gastein dem Kaiser Franz Joseph ver=
sprochen habe, Preußen würde nie eine Waffe gegen ihn er=
heben. Da jene Zeitungen ihre Behauptung in langen
Artikeln gegen Preußen ausbeuteten, so müsse man diesseits,
vor jeder nachdrücklichen Abwehr, wenigstens wissen, ob irgend
etwas gesagt oder geschehen, was jene Behauptung gerecht=
fertigt haben könne. Ich erlaubte mir, den König danach
zu fragen, und er antwortete mir:

„Kein Wort wahr! Was sollte auch in jenem Jahre
und in Gastein für eine Veranlassung dazu gewesen sein?
Es war das die Zeit der Einladung zum Frankfurter Fürsten=
kongresse. Wie hätte ich dazu kommen sollen, eine solche
Aeußerung zu thun?"

Um dieselbe Zeit war derjenige Band des Oester=
reichischen Generalstabs über den Feldzug 1866 erschienen,
welcher die Verhältnisse und Vorgänge unmittelbar vor der
Schlacht von Königgrätz schildert. So innerlich animos dies
Werk gegen Preußen, so aufrichtig und rücksichtslos ist es
auch gegen die leitenden Persönlichkeiten bei jener Katastrophe;
und ich machte den König besonders auf einige bis dahin
unbekannt gebliebene Telegramme zwischen Benedek und dem
Kaiser am 1. und 2. Juli aufmerksam. — Sie interessirten
ihn so sehr, daß ich länger als gewöhnlich vorlesen mußte,
während der König wiederholt sein höchstes Erstaunen über
diese Enthüllungen äußerte.

„Aber das iſt ja entſetzlich!"

„Wer kounte ahnen, daß die Verwirrung ſchon bis auf
dieſen Grad geſtiegen war!"

„Wenn das Alles richtig iſt, ſo waren ſie ja eigentlich
ſchon am 1. Juli geſchlagen!"

„Und das drucken die Leute Alles mit der größten Un=
befangenheit!"

Ich habe den König ſelten ſo ergriffen geſehen, als bei
dieſer Gelegenheit.

———

Im November 1868 begann ich für den „Soldaten=
freund" die Fortſetzung meiner militäriſchen Biographie des
Königs zu ſchreiben, welche ich mit der Krönung (1861)
vorläufig abgeſchloſſen hatte. Auch dieſe Fortſetzungen durfte
ich zur Genehmigung und Korrektur vorlegen, erhielt dabei
auch, allerdings unter allerlei Bedenken, die Erlaubniß, das
Bd. I, S. 148 erwähnte Schriftſtück abzudrucken, welches
der König im Jannar 1865, zur Widerlegung der damals
im Abgeordnetenhauſe gegen die Reorganiſation geltend ge=
machten Oppoſition geſchrieben hatte. In Folge des Ab=
drucks dieſer merkwürdigen Arbeit des Königs bekam ich den
folgendenben Brief des Generals von Manteuffel.*)

„Lieber Schneider! Ich ſitze in ernſten Arbeiten
und dabei lieſt mir meine Frau aus dem ‚Soldaten=
freunde' Heft 6 Dezember 1868 ein Memoire von des
Königs Majeſtät vor, das Allerhöchſtderſelbe im
Jannar 1865 zur Zurückweiſung der unklaren Oppo=

*) Starb als Statthalter von Elſaß-Lothringen.   Der Verleger.

fitions=Angriffe auf die Armee=Reorganisation schrieb
und dem Kriegs=Minister gab. Leider wurde es in
seinen schlagenden, unwiderlegbaren und nur aus der
reichen Diensterfahrung des Königs entsprungenen
Sätzen, in den dreitägigen Debatten nicht benutzt; und
darum freut es mich, daß Sie einen Beleg mehr in
die Oeffentlichkeit bringen, wie Seine Majestät der
König sein Kind selbst zu vertheidigen, zu schützen und
doch auch allein groß zu ziehen verstanden haben. Aber
das Hauptverdienst ist doch die Zeugung des Kindes
selbst, und von dieser ist auch ein Denkmal vorhanden.
Von Allem, was der König in Bezug auf die Armee=
Reorganisation gethan, ist dies die Grundlage. Nur
ein General, der dadurch die Armee so genau kannte,
daß er seit vierzig Jahren in allen Kommissionen über
Armee=Angelegenheiten gesessen, oder ihnen präsidirt
hatte, der dabei ein Provinzial=Armee=Korps schon
kommandirt hatte, konnte aus der mobil gemachten
Armee, sie so in den Friedens=Zustand zurückzuführen,
daß in dieser Zurückführung der Grund zur Reorgani=
sation gelegt wurde, in welcher die Armee 1866 den
Feind geschlagen hat. Dieser General nun war der
König, oder vielmehr der Prinz=Regent, im Sommer 1859.
Von Babelsberg aus schrieb der Prinz=Regent ganz
allein, ohne Vortrag und ohne daß das Kriegs=Mi=
nisterium in diesen Gedanken eingeweiht oder einge=
gangen war, den Befehl nieder, nach welchem die De=
mobilmachung der Armee erfolgen und die mobil

gemachten Korps mit den noch nicht mobil gemachten
in Einklang gebracht werden sollten. Es ist das
Klarste, Meisterhafteste, was ich je gelesen, und der
König hat sich hier ein Denkmal gesetzt, das nicht in
den Akten bleiben darf. Der Prinz-Regent schickte mir
auf Konzeptpapier über den ganzen Bogen vier Seiten
voll geschrieben, diesen Organisationsbefehl. Ich nehme
sonst gern von solchen, von Seiner Majestät dem
Könige für die Minister geschriebenen Sachen Abschrift
für die Kabinets-Akten; bei diesem langen Befehl war
es der Eile wegen und aus anderen Gründen nicht
zulässig, und ich schickte den Befehl brühwarm wie er
war an den Kriegs-Minister General von Bonin. In
den Akten des Kriegs-Ministeriums muß diese Aller-
höchst-eigene Schrift Seiner Majestät des Königs noch
liegen. Bitten Sie den König, daß er befiehlt, daß
Sie Abschrift von diesem Dokument (es muß aus dem
Juli 1859 sein, wenn ich mich nicht irre — aber ich
werde alt — es kann auch August gewesen sein, Ende
Juni glaube ich nicht) nehmen und dasselbe in Anschluß an die Veröffentlichung der Schrift aus dem
Januar 1865 ebenfalls veröffentlichen dürfen. Es ist
von historischem Interesse und ein Denkmal für den
König. —

Königsberg."

––––––––

Das Jahr schloß für den König mit einem Fußleiden.
Er war vor Weihnachten auf der Wendeltreppe, welche von

der Bibliothek in die Wohnung Ihrer Majestät der Königin
führt, ausgeglitten und hatte sich am Knöchel verletzt, so daß
eine mehrwöchentliche Behandlung und Schonung nöthig
wurde. Er ließ sich nämlich nie die Freude nehmen, alle
zur Weihnachtsbescheerung für seine Familie, seine Um=
gebung, ja selbst für seine Diener bestimmten Gegenstände
eigenhändig auszusuchen und aufzubauen; so war er — den
Arm voller Geschenke — hinaufgestiegen und dabei ausge=
glitten. In den Tagen vor dem Weihnachtsfeste pflegte er,
meist früh Morgens, ganz allein auszugehen, um Einkäufe
zu machen, die er dann selbst auf die Tische stellte; nachher
hatte er seine Freude, wenn die Beschenkten darin irgend
eine Beziehung erkannten, in denen er zu ihnen gestanden,
eine Erinnerung an irgend Etwas, dessen er sich gern be=
wußt war. Ich erhielt das Meinige jedes Mal am ersten
Sonnabend nach dem Weihnachtsabende: einen Briefbe=
schwerer, eine Photographie, eine Bronzebüste, ein Gyps=
Medaillon mit seinem Brustbilde, einmal eine kleine Büste
des Kaisers Nicolaus; — immer aber konnte ich erkennen,
daß er das besonders ausgesucht hatte, was mir Freude
machen mußte, weil es meinem Fühlen und Denken entsprach.
So waren denn diese Geschenke nie kostbar, sondern sinnig
und zu meinem Herzen sprechend. —

1869.

Neujahr 1869 hatte der König noch Schmerzen am Fuße und konnte nur mit Anſtrengung ſtehen; bei meiner Gratulation ſprach er aber trotzdem nicht von ſeinem Tode, von ſeinem Nachfolger, oder von ſeinem Nekrologe. —

Der Zufall wollte, daß gerade während ich da war, ein Telegramm des Königs Victor Emanuel von Italien ankam, in welchem derſelbe zu Neujahr gratulirte. Der König war erſichtlich erfreut darüber und ſagte, es ſei dies das erſte Mal, daß der König von Italien dieſe Aufmerk=ſamkeit für ihn gehabt.

Es war dies die Zeit, wo ſich plötzlich ein heftiges Ge=zänk zwiſchen den Oeſterreichiſchen und Preußiſchen Blättern erhoben, in welches die beiderſeitigen Premierminiſter in unerfreulichſter Weiſe verwickelt wurden. Die Preußiſchen offiziellen Zeitungen hatten endlich die Geduld verloren und antworteten einmal dem fortdauernden Nörgeln aus Wien in kräftigſter Weiſe. Da dies nur mit Bewilligung, oder wenigſtens mit Vorwiſſen des Grafen Bismarck geſchehen konnte, ſo war dieſe plötzliche Erhitzung auffallend. Auch dem Könige mußte ſie aufgefallen ſein, denn er fragte mich am 9. Januar, ſchon beim Eintreten in ſein Arbeitszimmer: „Was ſagen Sie zu dem jetzigen Benehmen Oeſterreichs und ſeiner ganzen Preſſe gegen Preußen? Das iſt ja gerade wie 1866 vor dem Ausbruche des Krieges. Als wir ſtill waren, ſagte alle Welt, warum ſich Preußen Das gefallen laſſe, und jetzt, wo wir in demſelben Tone antworten, iſt es den Leuten wieder nicht recht." Da der König ſonſt nie über politiſche

Dinge mit mir sprach, so mußte ihn die Lektüre der Zeitungs=
berichte sehr aufgeregt haben; ja es schien mir sogar aus den
angeführten Worten hervorzugehen, daß Graf Bismarck ihn
von seiner Absicht unterrichtet hatte, den Oesterreichern einmal
in dem von ihnen beliebten Tone zu antworten. Der König
mochte nichts dagegen gehabt haben; da ihm aber überhaupt
jede Heftigkeit, jedes gegenseitige Anschuldigen zuwider ist, so
war es ihm auch wahrscheinlich unangenehm, daß nun der
Zeitungsstreit weitertobte. Bald darauf endete er denn auch;
und wenn ich nach diesem Vorgange richtig schließe, auf den
ausgesprochenen Willen des Königs.

Ich hatte um diese Zeit dem Leibarzte des Königs
Dr. von Lauer, diese Aufzeichnungen bis zum Jahre 1868
zu lesen gegeben und ihn gebeten zu verbessern, wenn er
irgend etwas Unrichtiges oder falsch Aufgefaßtes fände, da
er doch noch mehr als ich Gelegenheit habe, den König zu
beobachten. Ich erhielt das Manuskript ohne jede Korrektur
zurück, und zwar in einem, mit sieben Siegeln geschlossenen
Couvert, worauf geschrieben war:

> Oeffnest Du die sieben Siegel,
> Siehst Du einen klaren Spiegel,
> Und in diesem ernst und mild
> Eines edlen Mannes Bild! —

In den ersten Monaten dieses Jahres schrieb ich die
Fortsetzung der militärischen Biographie für den „Soldaten=
freund“. Viele meiner Leser hatten den Wunsch ausgesprochen,
etwas Zuverlässiges über die Thätigkeit des Königs, gerade

4*

in den Jahren 1864 und 1866 zu erfahren; und so ent=
standen die Hefte 5 bis 12 des 36. Jahrganges, besonders
interessant durch den vom Könige selbst gezeichneten Plan
seines Rittes über das Schlachtfeld von Königgrätz. Diese
Aufsätze, welche sieben Monate lang den „Soldatenfreund"
füllten, fanden so großen Beifall, daß die Hofbuchhandlung
E. S. Mittler und Sohn einen Separatabdruck derselben
veranstaltete.

Im März hatte man in Wien das Ausgraben alter
Depeschen und vertraulicher Schreiben begonnen, um entweder
die Erfolge des Krieges von 1866 zu verringern, oder die
Handlungsweise Preußens zu verdächtigen. Das machte viel
böses Blut. Namentlich bemühte man sich dort, zu beweisen,
daß der Kaiser Napoleon durch seine telegraphischen Depeschen,
zwei Tage nach der Schlacht bei Königgrätz, der Preußischen
Armee ein absolutes Halt geboten, daß Preußen aus Furcht
vor Frankreich keinen Angriff auf Wien gemacht, und sich
die bonnes graces Napoleons nur dadurch erhalten habe,
daß es in die Abtretung der dänisch redenden Theile Nord=
schleswigs gewilligt. Die von dem Oesterreichischen General=
stabe in seinem Werke über den Krieg von 1866 begangenen
Indiskretionen schienen den besonderen Zweck zu haben, eine
Erschwerung der aus jener Abtretung in Nordschleswig hervor=
gegangenen Verhältnisse herbeizuführen. So unangenehm der
König von diesen Böswilligkeiten in Wien berührt wurde,
so beweist doch der folgende Vorgang, daß er selbst auch nur
Aehnliches in Preußen nicht gestattete.

Als ich in meiner militärischen Biographie des Königs

an das Eintreffen jener telegraphiſchen Depeſche des Kaiſers
Napoleon in Horitz kam, glaubte ich mir den Abdruck derſelben
erlauben zu können, da das Werk des Preußiſchen General=
ſtabes unterdeſſen bereits den Inhalt, allerdings aber nicht
den Wortlaut mitgetheilt hatte. Seiner Zeit habe ich erzählt,
durch welchen Zufall ich in Horitz Kenntniß von dem Wort=
laute dieſer Depeſche bekam. Der König machte, als ich die
Korrekturbogen zur Genehmigung vorlegte, ein Fragezeichen
bei dieſer Stelle und legte folgenden Zettel bei:

„„Da ich nicht gehört habe, daß das famoſe
Télégram Napoléons jemals gedruckt erſchienen
iſt, Sie es aber durch jenen Zufall kennen lernten, ſo
will ich dies erſt aufgeklärt ſehen, bevor ich den Druck
genehmige.

W. 3. 4. 69.

Was fehlt Ihnen denn?"" *)

Ich antwortete, daß der Inhalt jener Depeſche in dem
Werke des Preußiſchen Generalſtabes gedruckt ſei, und ich
daher geglaubt habe, keine Indiskretion durch die wörtliche
Mittheilung derſelben zu begehen; da gerade durch die
Kenntniß des Wortlautes der Entſchluß des Königs, das
Hauptquartier bald nach Empfang der Depeſche vier Meilen
weiter vor, nach Pardubitz zu verlegen, für die Geſchichte
erſt in das rechte Licht geſtellt werde. Der König ſchrieb an
den Rand dieſer Antwort:

„„Ich habe zwar das Werk nicht zur Hand; wenn
das Télégram ſich aber wörtlich in demſelben befindet,

---

*) Ich war nämlich damals krank. L. S.

so können Sie es natürlich auch wörtlich drucken lassen; aber doch nur mit der Bemerkung: siehe Seite? des Preußischen Generalstabs-Werkes.""

So mußte denn der Abdruck unterbleiben und zwar gerade in einer Zeit, wo von der anderen Seite keinerlei Diskretion beobachtet wurde. Von solchen Dingen erfährt das Publikum gewöhnlich nur wenig, und auch in diesen Auf= zeichnungen hätte ich nichts davon erzählt, wenn die schrift= lichen Beweise dafür nicht vorhanden wären.

Daß der König überhaupt für Alles Zeit und Auf= merksamkeit hatte, bestätigt die von dem Ober=Präsidenten von Schlesien, von Schleinitz, oft erzählte Antwort des Königs im Jahre 1867, wo von Schleinitz sah, wie ich es so oft gesehen, daß nämlich der König, von anstrengenden Truppen= besichtigungen, Vorstellungen, Empfangsfeierlichkeiten, u. s. w. in sein Zimmer zurückkehrend, sich trotz der Ermüdung sofort mit Erbrechung der eingegangenen Briefe beschäftigte und zu arbeiten begann. Als der Präsident einen Berg von Briefen liegen sah und den König bat, er möge sich doch nach den gehabten Anstrengungen schonen, erhielt er die Antwort: „Wozu bin ich denn da?" —

In diesen Worten, die ich nur aus dem Kalender des Pr. Volks=Vereins 1870 S. 51 kenne, — die aber durchaus der Denk= und Handlungsweise des Königs entsprechen, — liegt eigentlich seine ganze Regierungs= ja, seine Lebens= geschichte offen da. — Sie sind der Kommentar zu dem, in Königsberg bei der Krönung mit vollem Manneswillen und fürstlichem Vorsatz gethanen Gelübde.

Die Einweihung des neuen Kriegshafens am Jahde=
Buſen bei Heppens ſtand in Ausſicht und man war neugierig,
mit welchem Namen der König das neue großartige Unter=
nehmen taufen werde? Ich weiß nicht von wem, aber es
wurde der Vorſchlag gemacht, den Kriegshafen: Zollern am
Meer zu nennen. Hier hatte der Name, mit Bezug auf den
alten Wahlſpruch des Hohenzollern'ſchen Fürſtenhauſes „Vom
Fels zum Meer!" eine ſo beſtimmte hiſtoriſch und thatſächlich
richtige Bedeutung, daß ich mir erlaubte zu fragen, ob es
damit ſeine Richtigkeit habe? Der König antwortete mir aber:

„Nein! Ich werde ihn ‚Wilhelmshafen' taufen. Es wird
mir wohl erlaubt ſein, dieſem von meinem Bruder angefangenen
Werke meinen Namen zu geben, der ja auch der ſeinige war."

Damit war ich beſchieden, ergänzte aber in Gedanken,
was der König nicht ſagte und was ich eigentlich hätte vor=
her wiſſen können. Ihm ſind dergleichen poetiſche, zu Kom=
binationen auffordernde, ideelle Dinge nicht ſympathiſch,
namentlich nicht, wenn ſie für die Offentlichkeit beſtimmt
ſind. Dagegen genehmigte der König, daß dasjenige
Aquarellblatt ſeines Erinnerungs=Albums, welches die Ein=
weihungsfeierlichkeit am 17. Juni darſtellt, die Unterſchrift
„Zollern am Meer!" erhielt. Dies Album iſt ja ſein
Privateigenthum, und nicht für die Oeffentlichkeit beſtimmt.
Hier geſtattete er dem Gedanken ſeine Berechtigung und er=
kannte ſeinen hiſtoriſchen Sinn an.

Mit dem 24. Mai war der Tag herangekommen, auf
den der König ſelbſt mich im Jahre 1867 aufmerkſam gemacht,

also ein quasi 50 jähriges Jubiläum des Tages, an welchem
er im Schloffe von Monbijou zum erften Male mit mir
gesprochen. Blickte ich auf die seltsamen Wechsel und Er=
fahrungen in meinem Leben seit jener Zeit zurück, so hatte
ich wohl Ursache, mich des Tages zu freuen, und feierte
ihn im Kreise meiner Familie. Ich hatte mir das Musik=
korps des 1. Garde=Regiments zu Fuß bestellt und ließ
mir nach dem Chorale: Nun danket Alle Gott!, nur solche
Musikstücke vorspielen, welche irgend eine erhebende Er=
innerung wachriefen. So den „Marsch König Friedrich
Wilhelms III." — „Ich bin ein Preuße!" — „Gott sei
des Zaren Schutz!" — „O Danneboom!" — den „Golde'schen
Armee=Marsch," u. f. w. Im Laufe des Tages erhielt ich
von Befreundeten mancherlei Beweise ihrer Theilnahme. Die
größte, ja wahrhaft überwältigende Freude war mir aber spät
Abends vorbehalten, wo eine Ordonnanz vom Schloffe Babels=
berg eine lebensgroße Photographie des Königs mit der
Unterschrift:

„Wilhelm am 24. Mai 1869 nach 50 Jahren!"
und den folgenden Brief überbrachte:

„„Schloß Babelsberg 24/5. 69.
Es sind heute 50 Jahre, daß ich Sie, wissentlich,
zum 1. Male agirend auftreten sah und daher von jeher
meine Aufmerksamkeit auf sich gezogen haben. Vor
Allem aber haben Sie mir seit 1848 und vorzüglich
seit 1858 unausgesetzt mit der größten Sorgfalt und
Hingebung die Dienste erwiesen, die ich von Ihnen in
Anspruch nahm, und dennoch haben Sie consequent

jebe pecuniaire Belohnung von der Hand gewiesen!
Daher kann ich auch heute bei diesem quasi 50 jährigen
Jubiläum nicht mit einer derartigen Anerkennung auf=
treten.   Dagegen sende ich Ihnen meine Photographie
grandeur naturelle, welche Ihnen die Züge dessen ver=
gegenwärtigen soll, der stets dankbar Ihnen verpflichtet
bleiben wird, um so mehr als uninteressirte Dienst=
leistungen sehr selten sind! —

Ihr

wohl affectionirter König

W.'''' *)

Besonders wichtig ist dieser Brief des Königs für mich,
weil er diesen Aufzeichnungen aus seinem Leben auch indirekt
den Stempel der Wahrheit und der Zuverlässigkeit aufdrückt.
Außerdem liegt ja Jedem der Gedanke so nahe, daß bei dem
Biographen eines Fürsten das Urtheil durch reichlich erhaltene
Gnadenbeweise materiellster Art befangen und beeinflußt
werden kann, daß ein so spontanes und liebevolles Testi=
monium über meine Uneigennützigkeit als Diener des Königs
überaus schätzbar ist.

Im Juni durfte ich die Reise über Hannover, Bremen
und Oldenburg, nach Wilhelmshaven und über Emden und
Osnabrück zurück, mitmachen, und konnte mich durch tele=
graphische und schriftliche Berichterstattung für den Staats=

---

*) Das eigenhändig adressirte Couvert war mit einem außergewöhnlich
langschwänzigen L verziert.   L. S.

Anzeiger und die Zeitungen nützlich machen. Bei der Auf=
merksamkeit, welche ganz Europa auf diese Reise zu richten
schien, war es doppelt wichtig, daß die Berichte genau und
die vom Könige gesprochenen Worte richtig wiedergegeben
waren. Das wurde erreicht; freilich nur durch die stets
gleich bleibende Freundlichkeit des Königs, der mich oft in
spätester Abendstunde noch vorließ, um eine gehaltene Rede,
eine gegebene Antwort in meiner Aufzeichnung zu prüfen
und mit seinem fiat zu versehen. Ohne diese stete Freund=
lichkeit wäre es gar nicht möglich gewesen, dieses fiat für die
so fieberhaft eilig geworbene Oeffentlichkeit zu erlangen. —
Wie peinlich war es mir, den König schon früh Morgens in
der einzigen Viertelstunde, wo er beim Kaffeetrinken allein
war, belästigen zu müssen, und doch war es nothwendig, denn
den ganzen Tag über wäre keine Möglichkeit gewesen, sich
ihm zu nähern; und wie oft habe ich mich gefragt: sollst Du
noch in später Abendstunde den König, ermüdet nach Hause
gekommen, mit Deinen Anfragen und Redaktionsbedenken
belästigen? und hätte Jemand die — hoffentlich Scherz=
worte, — gehört, mit denen ich oft bei solchen Gelegenheiten
empfangen wurde, so würde er mich für sofortige Entlassung
aus dem Königlichen Dienste reif gehalten haben. Da ich
mir bewußt war, in der That zudringlich zu sein, so erschrak
ich oft vor diesen Begrüßungsworten, die zwar der Situation
ganz angemessen waren, aber einen mit Papier und Bleistift
Eintretenden doch perplex machen konnten. Waren diese
durchaus aufrichtigen, in keiner Weise mißverständlichen
Apostrophen heraus, so folgte ihnen auch sofort der bekannte

freundliche Ausdruck des Auges; der König setzte sich und
hörte meinem Vortrage aufmerksam zu. Die dabei fallenden
Bemerkungen waren oft wichtiger, als das für die Oeffent=
lichkeit Bestimmte. So sagte mir der König früh Morgens
in Oldenburg, vor der Abfahrt nach Heppens: „Daß Sie
mir in dem Berichte über die heutige Feier nur nicht ver=
gessen meinen Bruder zu erwähnen. Er ist doch der eigent=
liche Gründer des ganzen Werkes," und als ich nach der
Rückkehr in Berlin, am 21. Juni das Concept der Rede
vorlegte, die der König am Tage vorher zu Osnabrück in
demselben Saale gehalten, in welchem der Westfälische
Friede geschlossen worden war, äußerte der König Wichtiges
bei den mit Sternen bezeichneten Stellen. Um ihre Be=
deutung zu verstehen, muß aber die Rede selbst gelesen werden,
wie die Zeitungen sie später brachten.

(Zum Bürgermeister Miquel): „Sie haben sich in
Ihrer Ansprache auf so wichtige geschichtliche Momente be=
zogen, daß sie namentlich in diesen Räumen und in diesem
Augenblicke von besonderer Bedeutung sind. Zwischen damals
und heut liegen schöne, aber auch trübe Zeiten und Ereignisse.
Die Allerletzten, welche Uns zusammengeführt haben, sind
durch die Macht der Verhältnisse weiter gegangen*, als be=
rechnet werden konnte, und die Wahrheit der Worte, welche
wir heute von der Kanzel hörten: ‚Gottes Wege sind nicht
unsere Wege!' haben sich an uns aufs Neue deutlich ge=
zeigt.** Durch gegenseitiges Vertrauen gehen wir, — so hoffe
ich — einer zufriedenstellenden Zukunft entgegen. Wir wollen
aber auch nie vergessen, daß alle Uebergangszeiten schwierig

sind. Der Empfang hier in Osnabrück hätte mich freilich
das beinahe vergessen lassen. Er hat einen so freundlichen
Eindruck auf .mich gemacht, daß ich die Anwesenden auf-
fordere, — — " u. s. w.

Bei * fügte der König hinzu: „Das ist gewiß wahr.
Schon als Prinz von Preußen habe ich Hannover und
Hessen wiederholt gewarnt, wohin ihr Verhalten gegen
Preußen nothwendig führen müsse, wenn es einmal zu einem
Konflikte käme. Ueber meine Anschauungen in solchem Falle
und über meine Pflicht, konnten sie wenigstens keinen Augen-
blick im Zweifel sein."

Und bei ** fiel der König ein: „Das habe ich gesagt,
damit nicht wieder Alles auf Bismarck kommt, und nicht
wieder Alles im Voraus berechnet gewesen ist."

Besonders die letzte Aeußerung machte einen tiefen Eindruck auf mich, weil sie so ganz meinem Gefühl, meinen
Beobachtungen, ja meinem, wenigstens in einzelnen Fällen
positiven Wissen entsprach. Wie 1814 in London dem Feldmarschall Blücher fast größere Ehren, als den verbündeten
Souveränen erwiesen wurden, so gefällt sich die Neuzeit darin,
die ja unzweifelhaften Verdienste solcher Männer wie Graf
Bismarck, von Moltke, von Roon, als die einzigen, als die
entscheidenden zu preisen. Jeder dieser Männer soll es eigentlich allein gemacht haben! Alle ihre Rathschläge waren unfehlbar, alle Erfolge sind nur ihnen zu danken! Das ist
übertrieben und ungerechtfertigt. Wer selbst die Vorgänge
in der Nähe beobachtet, der weiß, daß all dieser Rath, alle
diese Geschicklichkeit erst in der Hand des Königs zusammen-

gefaßt zur entscheidenden That wurde. An vortrefflichem
Rath aller Art hat es dem Könige nicht gefehlt. Herr von
Bethmann=Hollweg hat ihm dringend gerathen, den Herrn
von Bismarck sofort zu entlassen; — der Erzbischof von Cöln
rieth ihm, doch ja mit Oesterreich Friede zu halten, weil die
Rheinischen Landwehrmannschaften tumultuirten. Aber, wer
hat denn den Grafen Bismarck in das Amt berufen? Wer
hat von all' den verschiedenen Plänen des Generals von
Moltke den richtigen, der ganzen Lage entsprechenden gewählt?
Wer hat denn all' die Maßregeln angegeben und bis zur
Erschöpfung durchgesprochen, welche der General von Roon
mit so anerkennenswerther Energie durchgeführt? Auf wem
lag schließlich die meiste Verantwortung? Wen drückte sie am
schwersten? Wer hatte sein Alles einzusetzen bei diesem
politischen, wie militärischen Würfelspiel? —

> „Es ist ein gutes Volk, in seiner Liebe
> Raschlodernd, wie in seinem Zorn."

Das gilt nicht allein für die Franzosen in Schillers
„Jungfrau von Orleans", das gilt für Jedes Volk! Immer
sucht es nach einem leicht erreichbaren, seinem Verständnisse
zugänglichen Objekte für seinen Jubel, und wer darf es ihm
sagen, was ein König in solchen Lagen fühlt, denkt, thut! —
Wie oft hätte ich nicht solch' Geschwätz korrigiren mögen, aber
wahrscheinlich wäre ich gerade beim Könige übel damit an=
gelaufen; und doch weiß er selbst am Besten, unter wie
verschiedenem Rathe er hat wählen, über wie viele wider=
sprechende Zweckmäßigkeiten er allein hat entscheiden müssen.

Diese Reise war reich an den erfreulichsten Eindrücken. Schon in Hannover zeigte sich gegen das vorige Jahr eine wesentliche Aenderung zum Besseren. Der Jubel beim Empfange war so auffallend, daß der König den Ober-präsidenten, Grafen Stolberg, beim Einsteigen in den Wagen lächelnd fragte: „Das ist wohl bestellt?" Das war es aber nicht. Die Parteien hatten sich allerdings noch schroffer ge-schieden, und man konnte die Extreme leicht unterscheiden. In der Masse selbst waren aber die Leidenschaften ruhiger, freilich auch der anfängliche Enthusiasmus kühler geworden. Wo der König persönlich erschien, war der Jubel ehrlich. Ich besuchte während des nur kurzen Aufenthaltes in Hannover das Schloß Herrenhausen und sah vom Garten aus auch in das Zimmer, in welchem ich im Mai 1866 jene merkwürdige Unterredung mit dem Könige Georg gehabt. Ein eigenthüm-liches Zusammentreffen erinnerte mich lebhaft an einen Moment jener Unterhaltung. Neben meinem Zimmer im Hotel Royal wohnte der Major der Gardes du Corps Baron Eller von Ellerstein. Er war dem Großherzoge von Mecklenburg-Schwerin bei dessen Inspektion der V. Armee-Abtheilung als Adjutant beigegeben und zeigte mir den schriftlichen Bericht, welchen der Großherzog beim Könige über seine Inspektion einzureichen hatte. Er war von der Adjutantur verfaßt und einfach mit „Bericht" überschrieben. Als er dem Großherzog zur Vollziehung vorgelegt worden war, hatte dieser die Ueberschrift in „Unterthänigster Bericht" geändert und somit der in der Preußischen Armee gültigen Form — obgleich selbst Souverän — genügt, auch der Unterschrift den

„General der Infanterie" beigefügt. Ein neuer und in
fürstlichen Verhältnissen schlagender Beweis von der Treue
und Freundschaft, welche der Großherzog Friedrich Franz zu
jeder Zeit dem Preußischen Königshause bewahrt, und von
dem militärischen Takt, den er bei allen Gelegenheiten gezeigt hat. Als ich daher vom Garten aus in jenes Zimmer
des Herrenhäuser Schlosses blickte und Alles an meinem Geiste
vorüberging, was seit jener Unterhaltung geschehen war, kam
mir auch ein Theil derselben in Erinnerung, den der Großherzog von Mecklenburg gerade heut so treffend illustrirt
hatte. König Georg war nämlich damals im Gespräch mit
mir auf die feindselige Stimmung gekommen, welche nach
feiner Meinung in Preußen gegen Hannover herrsche und
welche in der stets wiederkehrenden Aeußerung: Preußen
müsse Hannover verschlucken, ihren Ausdruck fände. König
Georg hatte ganz Recht; dergleichen konnte man in Berlin
in jeder politisirenden Bierstube hören. Da ich nicht recht
wußte, was ich darauf antworten sollte, so erlaubte ich mir
die Frage:

„Haben Eure Majestät je gehört, daß man in Preußen
sagt: Mecklenburg müsse verschluckt werden?"

„Nein, in der That! Wie kommen Sie darauf?"

„Es liegt das vielleicht darin, daß sowohl der Großherzog Paul, wie der jetzt regierende Großherzog, sich stets
wie zur Familie des Preußischen Königshauses gehörig betrachtet haben. Man besucht sich gegenseitig bei Familien-
festen, Manövern, Jagden, und da die beiderseitigen
Staatsbehörden dieses Freundschaftsverhältniß zwischen den

Fürstenhäusern lehnen, so hüten sie sich, bei Eisenbahnen,
Telegraphenleitungen, Grenzverkehr u. s. w. Schwierigkeiten
hervorzurufen, so daß Preußen und Mecklenburger sich ge=
wöhnt haben, gute Freunde und Nachbarn zu sein; — und
gute Freunde und Nachbarn verschluckt man nicht." —

Da König Georg das Gespräch sofort auf einen anderen
Gegenstand lenkte, hatte er sehr wohl verstanden, was ich mit
dieser Antwort gemeint hatte, und die bald darauf eintretenden
Ereignisse haben bewiesen, wie zutreffend sie gewesen. —

In Bremen war der Empfang des Königs in hohem
Grade enthusiastisch, wie überhaupt auf der ganzen Reise.
Auch die wärmsten Berichte der Zeitungen sagten nicht zuviel,
ja, sie erreichten kaum das Thatsächliche. Es war ein
Triumphzug, nicht allein durch eroberte Länder, sondern auch
durch eroberte Herzen; aber es gehörte auch die wunderbare
Rüstigkeit des Königs dazu, um die Anstrengung zu ertragen.
Der Tag des 17. Juni war in dieser Beziehung mein be=
sonderes Wunder.

Früh 7 Uhr in Oldenburg ließ der König mich vor
und sagte mir, worauf ich besonders mein Augenmerk zu
richten hätte; danach den Hofmarschall, um die Befehle
für den ganzen Tag in Heppens, Jever und Aurich zu
empfangen; dann Bestimmung der Ordensverleihungen und
Geschenke am Großherzoglichen Hofe und bei den Truppen.
Darauf Abschiedsvisiten bei den Damen der Großherzoglichen
Familie und Fahrt auf der Eisenbahn nach Heppens. Aus=

steigen bei strömendem Regen und heftigem Winde; Be=
sichtigung der auf dem Perron aufgestellten See=Artillerie=
Kompagnie, Vorstellung der Bau=, Hafen= und Territorial=
Behörden; Fahrt nach dem Molenkopfe und Vornahme
der feierlichen Namensgebung. Sodann zu Fuß auf weitem
Umwege nach dem Einschiffungsplatze; Fahrt auf bewegter
See zu dem englischen Kriegsschiffe „Minotaur"; Besichtigung
und Klarmachung desselben zum Gefecht; Rückfahrt auf der
„Grille", und dann eine zweistündige Wanderung über das
ganze Baufeld zu Fuß und bei starkem Winde. Dabei ging
es in die siebzig Stufen tiefen Trocken=Docks hinunter und
wieder hinauf, durch endlose Schuppen, in denen künftig
einmal irgend etwas liegen sollte, durch halbfertige Gebäude,
ganz fertige, aber leere Magazine, bis endlich ein Frühstück
diese Wanderung, wenigstens auf kurze Zeit, unterbrach.
Kaum war der Imbiß in aller Geschwindigkeit abgemacht,
als man auch schon zur Grundsteinlegung der Kirche schritt,
bei welcher der König, während eines großen Theils der
gottesdienstlichen Handlung, mit entblößtem Haupte dastand,
so daß ihm die Haare vom Winde umhergeweht wurden.
Der Prediger wies besonders darauf hin, wie diese Hafen=
anlage dem Vaterlande schon viele Menschenleben gekostet
habe, denn die Zahl der an Sumpffiebern und Cholera ge=
storbenen Arbeiter sei entsetzlich! Eben noch habe er einige
solche Opfer begraben. Nun erfolgte die Abfahrt per Wagen
über Jever nach Aurich; und unterwegs überall feierlicher
und jubelnder Empfang, also auch ein freundliches Gesicht
und gnädige Worte. Zum Schluß ein spätes Souper im

Ständehause zu Aurich und die Gewißheit, daß es morgen und übermorgen ganz ebenso anstrengend hergehen werde. Um dem Ganzen die Krone aufzusetzen, stand ich dann noch auf irgend einer Treppenbiegung, in irgend einem Winkel des Vorzimmers, mit dem mahnenden Papierblatt und dem nur zu bereitwilligen Bleistifte; — das heißt, ich stand eigentlich nur in dem Augenblicke, wo der König kam; — denn, da ich das Alles auch hatte mitmachen müssen und todtmüde war, erlaubte ich mir, die Pausen sitzend auszunutzen, schlief auch wohl gelegentlich ein und wurde dann vom Unteroffizierposten geweckt, wenn spät in der Nacht der König endlich kam.

Schon bei der Krönung in Königsberg, oder vielmehr später durch die Feldzüge von 1864 und 1866 hatte ich erfahren, wie wenig auf ein sogenanntes böses Omen, und wäre es das effektvollste, zu geben war; denn dem gleichzeitigen Umfallen sämmtlicher Fahnen und Standarten der Armee folgten ja die Siege von Düppel und Königgrätz. Hier in Wilhelmshaven, beim Besuche des Englischen Kriegsschiffes „Minotaur", gab es ein ähnliches Omen. Als das auf seinem Hintertheile mit einem Baldachin versehene Boot des Königs bei dem Schiffe anlegte, gab dasselbe einen Royal Salute aus den schweren Geschützen, nicht allein auf der entgegengesetzten Seite des Schiffes, sondern auch dicht über das anlegende Boot hinweg, welches der König glücklicherweise schon verlassen hatte. Der Luftdruck war so stark, daß der Baldachin zerriß, die Fahnenstange zerbrach und so

die Preußische Königsflagge in die See faul. Die Boots=
mannschaft war betäubt, und der ganze Vorgang so unan=
genehm, daß die Rückfahrt vom „Minotaur" ans Land auf
dem Preußischen Dampfboote „Grille" erfolgte. In der
That könnte man kein effektvolleres böses Omen für unsere
junge Marine erfinden, als es hier der Zufall gestaltet hatte!
Als nachher die Offiziere und Kadetten des englischen Schiffes
an dem Dejeuner am Lande Theil nahmen, hörte ich eine
interessante Unterhaltung zwischen einem englischen **Midship=**
man und einem Preußischen Seekadetten, die an Deutlich=
keit nichts zu wünschen übrig ließ. Unser Seekadett be=
hauptete: Jede Marine müsse wissen, daß ein Salut nicht
über ein anlegendes Boot hinweg, sondern auf der entgegen=
gesetzten Seite gegeben werde. Die Kontroverse fing eben
an warm zu werden, als aufgebrochen wurde, und die
Streitenden sich leider trennen mußten.

⸻

In Emden, wo der König beim Konsul Burns wohnte,
fand ich ihn vor dem Kamine sitzend; er sagte: „Wissen Sie,
was das für ein Stuhl ist, auf dem ich sitze? Derselbe, auf
dem in diesem Hause König Friedrich II. gesessen, als er
Emden besuchte. Man hat ihn aufbewahrt und für mich
wieder hinstellen lassen." — Ich mußte unwillkürlich dabei
der Aeußerung des verstorbenen Generals von Gerlach von
den „vorausgesteckten Grenzpfählen" gedenken, mit welcher
er die Besorgniß beantwortete, Preußen dehne sich wohl, ohne
Verbindung mit dem Mutterlande, zu weit aus, z. B. Hohen-

zollern, Neuschatel, Mainz, Jahdebusen. Damals schien mir
die Aeußerung gewagt; aber die gestrige Taufe in Heppens
und der Stuhl in Ostfriesland waren nichtsdestoweniger
Wahrheit.

Auf dieser, an angenehmen und erhebenden Erinnerungen
so reichen Königsreise, hatte ich nicht viel Freude durch meine
Berichte an den Staats-Anzeiger. Obgleich ich mich so
objektiv wie möglich hielt, schien der Staats-Anzeiger meine
Schilderungen zuweilen doch für zu warm oder zu kolorirt
gehalten zu haben, denn der mir unbekannte Redakteur strich
nach Herzenslust. Dagegen kann ein bezahlter Mitarbeiter
nicht wohl remonstriren und muß sich die redaktionelle raison
d'état gefallen lassen. Wer aber für einen ganz bestimmten
Zweck schreibt, ist nicht geneigt, sich aus irgend einer raison
etwas streichen zu lassen. Einem anderen Blatte würde ich
sofort meine Berichterstattung entzogen haben. Den Inhalt
des Staats-Anzeigers konnte aber jede Zeitung nachdrucken,
und nur wenn die Reiseberichte in demselben vollständig und
interessant waren, wurden sie nachgedruckt, — und darauf
kam es mir eben an. Ich mußte mir daher eine solche
Censur vom Halse schaffen. — Welcher Art diese Rothstift-
handhabung war, mag aus dem Beispiele erhellen, daß in
meinem Berichte über die Reise von Emden nach Osnabrück
der folgende Satz gestrichen wurde: „In Salzungen wurde
Seine Majestät von dem Fürsten von Bentheim-Steinfurt
empfangen, dessen beide Söhne, die Prinzen Alexis und Carl,
welche im Königshusaren-Regiment (1. Rheinisches) Nr. 7

stehen, von Bonn gekommen waren, um den Durchlauchtigsten
Chef ihres Regiments zu begrüßen." Wenn ein demokratisches
Blatt dergleichen striche, so würde man sich nicht darüber
wundern; bei dem Staats=Anzeiger fehlte mir aber jedes Ver=
ständniß dafür. Ich erlaubte mir daher, dem Könige Alles
mitzutheilen und erhielt den folgenden Brief:

„„Woher kommt es, daß der Staatsanzeiger
die Berichte über meine letzte Reise nicht in der Aus=
führlichkeit, das heißt verstümmelt, mittheilt, gegen
dieselben Berichte in anderen Zeitungen?

Babelsberg 1/7. 69.

Wilhelm."„

Natürlich sandte ich dies Königliche Handschreiben mit
einer gleichen, aber excessiv höflichen Anfrage an die Redaktion
und erhielt folgende Antwort, die eben nichts weiter sagte,
als was ich längst gewußt.

„Wie Ew. Hochwohlgeboren sich überzeugt halten
wollen, ist es für die Redaktion eine schmerzliche und
schwierige Aufgabe, Berichte, welche aus einer so be=
währten Feder, wie der Ihrigen fließen, zu kürzen und
abzuändern. Namentlich ist dies in Beziehung auf die
von Ihnen gütigst gelieferten werthvollen Mittheilungen
über die jüngste Reise Seiner Majestät des Königs der
Fall gewesen. —

Hinsichts der Aufnahme von dergleichen Berichten
in dem Königlichen Staats=Anzeiger ist die Redaktion
indessen stets und wiederholentlich mit der bestimmten An=
weisung versehen worden, mit Rücksicht auf die Stellung

des Blattes, als amtlichen Organs der Königlichen
Staatsregierung, für alle Vorgänge ohne Ausnahme
eine thatsächliche, regiſtrirende Haltung, mit Aus=
ſchluß aller warmen und perſönlichen Färbung zu be=
obachten u. ſ. w."

Natürlich ſandte ich dieſe Antwort an den König und
erhielt ſie mit der folgenden Randbemerkung zurück:

„„Dann würde es ja beſſer ſein, dem Staats=
Anzeiger dergleichen Mittheilungen gar nicht mehr zu
machen, oder ſie in nüchternem Styl zu ſchreiben.
Die bemerkten Kürzungen beziehen ſich aber nicht blos
auf warmen Anſtrich, ſondern auch auf Auslaſſung
von Facten.
Babelsberg 14/7. 69.

Wilhelm.""

Daß auch dieſe Randbemerkung an ihre eigentliche Adreſſe
gelangte, braucht wohl nicht beſonders erwähnt zu werden.
Dieſe hübſche, kleine Korreſpondenz hatte zur Folge, daß die
Berichte, welche auf der Reiſe zur Königs=Revue in die
Provinzen Pommern und Preußen meiner „bewährten Feder"
entfloſſen, ſämmtlich unverkürzt aufgenommen wurden. Hatte
ich Reden und Anſprachen des Königs mitzutheilen, ſo brauchte
ich, ſeit den in Kiel 1868 gemachten Erfahrungen, die Vor=
ſicht, das genehmigte Konzept vom Könige unterzeichnen zu
laſſen; und meine Bitte darum wurde auch jedesmal gewährt.

Die nächſte Reiſe war wieder eine ſehr anſtrengende für
mich, denn außer dem Könige ſelbſt, war bei ſolchen Manöver=
reiſen wohl keine Perſon ſo unaufhörlich beſchäftigt, wie ich.
Früh Morgens, jedenfalls früher, als die meiſten anderen
Herren aufſtanden, mußte ich ſchou Toilette gemacht haben,
um zu rechter Zeit in der Wohnung des Königs zu ſein,
was bei den oft weitentlegenen Quartieren, bei ſchlechtem
Wetter und Wagenmangel keine leichte Aufgabe war. Der
König ließ mich dann gewöhnlich ſchon während des Kaffees
herein und gab mir ſeine Befehle. Dann ging's zum Tele=
graphenamt, häufig unglaublich weit entfernt; und nachdem
die Ordres de Bataille, die Manöver=Dispoſitionen, — oft
unter den ſchwierigſten, noch öfter unter den ungefälligſten
Verhältniſſen — zuſammengeſucht waren, mußte ich zu den
Truppen, Alles überſehen, Notizen ſammeln und, kaum nach
Hauſe gekommen, die Berichte für die Zeitungen ſchreiben.
Bei Vorſtellungen der Behörden, oder wo ſich erwarten ließ,
daß der König ſprechen würde, was weitere Kreiſe inter=
eſſiren könnte, mußte ich auf irgend eine Weiſe zugegen ſein
und vor allen Dingen das Talent haben, mich unſichtbar zu
machen. Während alle Anderen aßen, ſchrieb ich, und während
Andere ſpazieren gingen, ſtudirte ich „Zugführerzettel" und
„Frontrapporte"; meine Mahlzeiten richteten ſich nach dem
Abgange und der Ankunft der Poſt, und auf Erholung
mußte ich warten, bis ich nach Hauſe kam.

Bis auf den Unglücksfall auf der Brücke des Schloß=
teiches in Königsberg, durch welchen einige dreißig Menſchen
ums Leben kamen, ereignete ſich auf der ganzen Reiſe durch

Pommern und Preußen nichts, was die frohe Stimmung
des Königs gestört hätte. Vielmehr vereinigte sich Alles,
um sie hervorzurufen und zu erhalten. Mit besonderem Vergnügen schien der König die endlosen, um das Schloß versammelten Menschenmassen zu betrachten und sich der allgemeinen Erregung zu freuen. Einmal geschah es dreiviertel
Stunden lang, vom Publikum ganz unbemerkt, aus einem
Fenster seines Arbeitszimmers, und zwar zu meiner besonderen
Besorgniß, weil er gleich nach dem Galadiner, ohne Kopf-
bedeckung und mit offenem Ueberrock, bei naßwindigem Wetter
dastand. Ich mußte mich melden lassen, scheute mich aber,
den König zu stören und beschloß zu warten, bis die Bedienung gerufen wurde. Es verging eine gute Viertelstunde, —
nichts ließ sich hören; da öffnete ich ein Fenster des schwarzen
Adlerzimmers, welches dicht neben und in gleicher Front mit
dem Königlichen Wohnzimmer lag, sah vorsichtig um den
Pfeiler und überzeugte mich, daß der König noch immer im
Fenster lag und auf das Wogen der Massen herabsah, während
der heftige Zugwind ihm durch die Haare fuhr. So mußte
ich volle dreiviertel Stunden warten, bis der König sich an
den Arbeitstisch setzte, und ich nun glaubte, eintreten zu
dürfen.

Es galt das Diktat der Erwiederung, welche der König
auf die Anrede des Oberpräsidenten der Provinz, von Horn,
gegeben hatte, und als ich niederschrieb, machte der König
eine Korrektur, deren eigentliche Bedeutung ich mir auch jetzt
noch nicht erklären kann. Die Worte des Königs lauteten:

„Sie wissen, meine Herren, daß ich nur in be=
sonderen Lagen meines Lebens, und daher jedesmal
auch mit bewegteren Gefühlen in dieser Stadt erschienen
bin. Auf die schwere Zeit, die ich mit meinen König=
lichen Eltern hier verlebt, in welcher dann gleichzeitig
auch die Regeneration des Staats begann, folgten die
Großthaten der Befreiungskriege, an denen diese Provinz
einen so hervorragenden Antheil genommen. Im Gegen=
satze zu diesen ernsten und schweren Tagen, die ich
damals hier verlebt, sollte dann ein Akt meines Lebens
folgen, der die höchsten und bedeutungsvollsten Symbole
irdischen Regiments in meine Hand legte; so daß ich
die Krone vom Altare des Herrn nehmen und sie als
Zeichen, daß eine Krone, aus Gottes Gnade stammend,
zum Segen des Volkes zu werden bestimmt ist, mir
auf das Haupt setzen konnte. Die Gesinnungen, die
Sie mir im Namen der hier Versammelten ausge=
sprochen, sind meinem Herzen um so theurer, als ich
sie ja schon vielfach bewährt gefunden habe. Bei Er=
wähnung des Nothstandes in dieser Provinz, mit dem
die letzten Jahre heimgesucht worden, gedachten Sie
auch Meiner. Ich habe aber Nichts gethan, als was
meine Königliche Pflicht mir auferlegte und meine leb=
haften Mitgefühle verlangten. Somit kann ich mich
nur freuen, meine Herren, daß meine Aufgabe, einen
Theil meiner ruhmreichen Armee zu sehen, mich wieder
in Ihre Mitte geführt hat." — So die Rede.
Als ich an den Satz kam: „eine Krone, aus Gottes

Gnade stammend," schrieb ich mechanisch und wiederholte, um zu bezeichnen, daß ich niedergeschrieben: „Eine Krone von Gottes Gnaden —"

„Aus Gottes Gnade" — verbesserte der König. Nun stutzte ich, da ich wußte, mit welcher Ueberzeugungstreue der König die althergebrachte, von den Widersachern aller Obrigkeit auf Erden so gern beseitigte und darum stets angegriffene Formel ehrte, und sah ihn erstaunt und fragend an.

Statt aller Erklärung wiederholte der König mit noch stärkerer Accentuirung: „Aus Gottes Gnade!" dabei nahm sein Gesicht einen Ausdruck an, der jede weitere Frage verbot. So schrieb ich einfach nieder und mußte es auch so drucken lassen. (Siehe Nene Preußische Zeitung Nr. 217. — 17. September 1869.)

Wie gesagt fehlt mir auch heute noch der Kommentar dazu. Ich habe mich wenigstens nie unterstanden, danach zu fragen.

———

Das Zimmer, in welchem dies geschah, war mir auch sonst noch mannigfach aus dem Jahre 1861 in der Erinnerung. Hier hatte ich am Tage nach der Krönung den Kronenorden aus der Hand des Königs erhalten. Hier hatte der König eine Kommunalangelegenheit der Stadt Potsdam, die ich ihm, da Gefahr im Verzuge war, als Stadtverordneter derselben, vorzutragen wagte, erledigt; und von hier aus hatte man über einem tiefer liegenden Hanse eine schwarz-roth-goldene Fahne wehen sehen, die ein „Gesinnungstüchtiger", gerade dem Fenster des Königs gegenüber, aufgezogen, — eine un=

gemein geistreiche Demonstration, die selbst der sonst so durch=
greifende Polizeipräsident Maurach nicht verhindern kounte.

Bei der großen Parade des 1. Armee=Korps zwischen
Heiligenbeil und Schirten wurde der König an einer Ehren=
pforte von 12 jungen Damen mit einem Gedicht begrüßt.
Freundlich hörte er es an und erwiederte dann die Anrede
eines dortigen Superintendenten mit inhaltsschweren Worten.
Als der König später die Treffenfronten des Korps abritt,
sah ich, wie diese jungen Damen über den freigelassenen
Theil des ausgedehnten Feldes nach dem Platze geführt
wurden, von wo aus sie dem Vorbeimarsche zusehen sollten.
Natürlich mußte die Wanderung dieser anmuthigen Gestalten,
in einer Fußbekleidung, die gewiß nicht für schweren Sturz=
acker berechnet war, und in leichten weißen, durchaus nicht
auf starken Windgang eingerichteten Kleidern, die allgemeine
Aufmerksamkeit der in weitem Abstande ferngehaltenen Zu=
schauer auf sich ziehen, und rief eine sehr heitere Stimmung
unter denselben hervor. Da auch ich mich jenem bevorzugten
Platze näherte, so benutzte ich die Gelegenheit, mir das Ge=
dicht zu erbitten, welches die Sprecherin an der Ehrenpforte
recitirt, erhielt es, und machte zu gleichem Zwecke auch die
Bekanntschaft des Superintendenten. Vier Wochen nachher
erhielt ich eine Zuschrift aus Schirten, in welcher der dortige
Ortsvorstand, Premierlieutenant a. D. Gutsbesitzer Wolff,
mich an diese Begegnung erinnerte und mir den Wunsch der
jungen Damen mittheilte, irgend eine Erinnerung an jenen

Tag aus den Händen Seiner Majestät — etwa Photographieen seines Porträts zu besitzen. Ich unterstand mich diese Bitte vorzutragen. Der König erinnerte sich noch sehr wohl jener vom Winde in seltsamer Weise erschwerten Sturzackerpartie der jungen Damen und bewilligte sofort die bescheidene Bitte durch das Marginale: „Soll geschehen!" Der Empfang der Bilder hat denn auch große Freude dort bereitet. —

Ende September reiste der König zur Taufe nach Schwerin. Bald nachher brachten die Zeitungen folgende Mittheilung: (N. Pr. Z. 235. 3. Okt. 1869.)

„Bei der letzten Anwesenheit Sr. Majestät des Königs von Preußen in Ludwigslust hatte unter vielen Anderen, auch der verdiente Alterthumsforscher, Geheimer Archivrath Lisch, die Ehre vorgestellt zu werden. Der Großherzog that dies mit den Worten: ‚Dies ist mein Humboldt,' — worauf der König an den Vorgestellten die Worte richtete: ‚Da will ich Ihnen wünschen, daß, wenn man Ihnen einmal nach Ihrem Tode ein Denkmal setzt, nicht so viel Unzutreffendes dabei geredet werden möge, als kürzlich bei der Monumentirung meines Humboldt in Berlin geschehen.'"

Es war denn auch wirklich Unglaubliches an Phrasen bei dieser Gelegenheit in Berlin geleistet worden. Mir fiel in der Zeitungsnachricht der so außerordentlich vorsichtige Ausdruck „Unzutreffendes" auf, und um zu erfahren, ob die ganze Sache wahr sei, glaubte ich das beste Mittel zu wählen, indem ich die Geschicklichkeit lobte, mit welcher grade dieser

Ausdruck den künstlich heraufgeschraubten Enthusiasmus charakterisirte; erhielt aber die Antwort:

„Der Vorgang war wohl ungefähr so; aber das Wort ‚Unzutreffendes‘, das Sie so sehr loben, habe ich nicht gesagt, sondern ich habe ‚Verrücktes‘ gesagt.“

Wieder war der 3. November, das St. Hubertus=Hof= jagdfest, und mit ihm die in jedem Jahre schwerer werdende Aufgabe für mich gekommen, gegen Ende des Jagddiners das humoristische Jagdprotokoll zu lesen. An anderer Stelle habe ich schon ausgesprochen, mit welcher Sorge und Be= fangenheit ich stets an die Aufgabe ging, witzig sein zu sollen, besonders aber hier mit der angenehmen Bedingung, weder den Tadel der Damen des Allerhöchsten Hofes noch der sehr aufgeregten Gesellschaft der Jäger durch irgend Etwas auf mich zu ziehen. Obgleich ich jedes Mal mein Manuskript dem hohen Präses der Parforcejagden, Prinzen Carl von Preußen, zur Genehmigung vorlegte, so war ich doch nach= gerade so ängstlich geworden, daß ich auch den König bat, ihm dasselbe vorlesen zu dürfen, namentlich seit 1866, wo es nahe gelegen hatte, auch seine Person zu erwähnen, ich das aber doch nicht ohne seine Erlaubniß thun wollte. So las ich ihm auch das zur diesmaligen Hubertusjagd Ge= schriebene vor. Der König lächelte, schien zufrieden und änderte Nichts. Am Festtage selbst war ich schon im Jagd= schlosse Grunewald, als der Ober=Haus= und Hofmarschall Graf von Pückler, ehe zu Holz gezogen wurde, mich rufen ließ und mir das folgende Handbillet des Königs einhändigte:

„„Nach Ueberlegung wünsche ich, daß Sie in dem heutigen vorzulesenden Protokoll diejenigen zwei Stellen modificiren, oder ganz unterdrücken, in denen Anspielungen auf die échauffirten Herren gemacht werden, welche nach Tische und beim Zu Hausereiten starke Spuren der Wein=Erregtheit auf der Chaussée zeigten. Einmal ist es nicht gut, daß dergleichen Ungehörigkeiten überhaupt bei einem Königlichen Feste und gar bei der Königlichen Tafel zur Sprache kommen, die man sonst zu cachiren sucht. — Dann aber, sogar solche Unziemlichkeiten spaßhaft zu machen, statt sie zu ignoriren. — Es könnte Dies doch einige Betheiligte sogar dahin veranlassen, Ihnen zu Leibe zu gehen, bemerkend, daß sie sich dergleichen verbäten. — Ich wollte Ihnen dies mündlich sagen, muß aber schreiben, da ich, seit einigen Tagen unwohl, heute leider nicht erscheinen kann.　　　Wilhelm.““

Die Stelle meines Protokolls, auf welche sich dieses Bedenken bezieht, lautete: „Vielen erschien sogar bei der Heimfahrt, obgleich es regnete, der Himmel sternenvoll; — wie das Kostüm, waren auch die Köpfe roth geworben, die Nüchternheit war in die Brüche gegangen, die Chaussee= geld=Einnehmer waren der ungewöhnlich starken Einnahme wegen zu enthusiastischen Verehrern des edlen Waidwerks geworben, und die Parforce=Jungen zählten ihre Trinkgelder, — kurz — alle Welt war zufrieden." —

Selbst diese mäßigen, harmlosen Scherze waren dem Könige — nach Ueberlegung! — bedenklich erschienen. Die

Sorge für den Anstand bei einem Königlichen Feste, selbst
die Sorge für mich, hatten das Handbillet diftirt. Es hätte
nur eines Wortes an den Grafen Pückler bedurft, so wäre
gewiß die strengste Censur geübt worden; dennoch schrieb der
König selbst, schrieb, obgleich er unwohl war! Dergleichen
bedarf keines weiteren Kommentars; dieses Handbillet ist
jedenfalls höchst charakteristisch für den König. —

Anfang Dezember ließ Prinz Albrecht mich fragen, ob
ich Lust hätte, ihn auf einer Reise nach St. Petersburg zu
begleiten, wohin er sich zur Beiwohnung des Festes der St.
Georgen-Ritter begeben werde. Er bot mir von der Grenze
ab einen Platz in dem Kaiserlichen Extrazuge an und stellte
mir die Möglichkeit in Aussicht, den dort im glänzendsten
Maßstabe vorbereiteten Festlichkeiten beiwohnen zu dürfen.
Bei meiner Vorliebe für Rußland und meiner Verehrung
für die Kaiserliche Familie, — namentlich derjenigen Mitglieder derselben, welche die Traditionen des Kaisers Nicolaus
in dankbarem Andenken bewahrten, und weil ich überzeugt
war, durch meine Kenntniß der Russischen Sprache und durch
meine dortigen Bekanntschaften und Verbindungen dem
Prinzen, vielleicht sogar selbst meinem Könige nützen zu
können, bedachte ich mich keinen Augenblick. Ich stellte nur
die Bitte, daß ich innerhalb Preußen alle Reisekosten selbst
bezahlen und in Petersburg wohnen dürfe, wo ich wolle;
vorzüglich aber, daß ich nicht offiziell zum Prinzlichen Gefolge ge-
rechnet werden, sondern während der ganzen Reise meine Un-

abhängigkeit bewahren ſollte. Da der mir perſönlich ſtets wohlwollende Prinz meine Eigenheiten in dieſer Beziehung ſchon kannte, ſo wurde Alles gewährt, und ich konnte nun den König um Erlaubniß zu dieſer Reiſe bitten. Ich fürchtete, wie im Jahre 1860 bei der Reiſe zum Begräbniß der Kaiſerin Alexandra Feodorowna, die Bemerkung: „Ja! aber auf Ihre Koſten!‟ Diesmal wurde jedoch die Erlaub= niß in beſonders freundlicher Weiſe und ohne Bemerkung ertheilt.

Da ich in den Zimmern des Prinzen Albrecht täglich Gelegenheit hatte, den Kaiſer Alexander II. zu ſehen, da derſelbe mich ſogar dreimal in ſeinem Arbeitszimmer empfing, ich mit vielen hochſtehenden Perſonen verkehrte und alle Schriftſtücke mir zugingen, ſo habe ich mich in der That nach mehreren Richtungen hin nützlich machen können. Wie ſich dies zugetragen, erklärt Folgendes.

Obgleich eine Wohnung für mich im Winterpalais bereit gehalten war, ſo wohnte ich doch bei meinem langjährigen Freunde, dem Generallieutenant Jaſykoff, in der Kaiſer= lichen Rechtsſchule, begab mich aber jeden Morgen um 8 Uhr zum Prinzen, um ſeine Befehle zu empfangen, und ihm alle Stadtneuigkeiten zu erzählen. Gleich am erſten Tage hatte der Prinz die ausführlichen Programme und Ceremonial= vorſchriften für die ganze Reihe der Feſte erhalten. Ich überſetzte ſofort aus dem Ruſſiſchen das, was den König intereſſiren konnte, und ſchickte es nach Berlin, ebenſo den Frontrapport für die große Parade und den Rapport des Großfürſten über den Stärkeſtand ſämmtlicher Truppen des

St. Petersburger Militärbezirks, auf den ich wegen ſeiner Ausführlichkeit zwei Nächte verwenden mußte. Alle Briefe und Telegramme aus Berlin an den Prinzen gingen durch meine Hand und ich durfte mir Abſchriften davon nehmen. Ich arbeitete in einem zwiſchen dem Wohnzimmer des Prinzen und dem Empfangsſalon belegenen Zimmer, welches der Kaiſer jedesmal auf dem Wege zum Prinzen paſſiren mußte; dieſem glücklichen Zufall dankte ich beſonders das viele Erfreuliche, was mir dort begegnet iſt. Schon am erſten Tage, als der Prinz durch mein Zimmer ging, um ſeinen Beſuch beim Kaiſer abzuſtatten, ſaß ich dort bei der Arbeit und war nicht wenig erſtaunt, als kaum zehn Minuten nachher der Kammerdiener (Salomon) die Thür aufriß, und mir zurief: „Raſch! Raſch! Herr Geheimer Rath, Sie ſollen zum Kaiſer kommen.“ Ich hatte wohl gehofft, den Kaiſer einmal zu Geſicht zu bekommen, aber daß ich ſchon am erſten Tage in ſein Kabinet gerufen wurde, war ein eben ſolches Glück wie im Jahre 1847, wo ich, (auch durch ein ungewöhnliches Zuſammentreffen günſtiger Umſtände,) anderthalb Stunden nach meiner Ankunft in Petersburg, im Zimmer des Kaiſers Nicolaus ſtand. Wie raſch ich von meinem Schreibtiſche in das Vorzimmer, zugleich Fahnenzimmer des Kaiſers gekommen bin, kann man ſich denken. Dort fand ich den Prinzen eben im Begriff ſich vom Kaiſer zu verabſchieden und freute mich noch nachträglich über mein ſchnelles Erſcheinen, ohne welches mir Manches in den folgenden Tagen nicht möglich geweſen wäre.

Mit feiner bekannten herzgewinnenden Freundlichkeit gab
mir der Kaiser die Hand.

„Ich habe mich sehr gefreut, als Albrecht mir sagte,
daß Sie mitgekommen wären, und werde Ihnen nicht ver=
gessen, daß Sie das letzte Mal bei so trauriger Veranlassung
die weite Reise nicht gescheut haben. Was mir mein Vater
oft gesagt, bestätigt sich auch an mir. — Sie sind uns
immer ein treuer Freund gewesen, und sind in ihren Schrif=
ten immer wohlwollend für Rußland und meine Armee ge=
blieben. An Dem“ — (zum Prinzen gewendet) — „hat
Dein Vater und Deine beiden Brüder einen treuen Diener
gehabt!“ (zu mir:) „Ich habe bereits Befehl gegeben, daß
Sie den besten Platz zum Zusehen bei allen unseren Festen
haben sollen. Gewiß bekommen wir wieder Etwas davon
zu lesen. Ich freue mich schon im Voraus darauf. Albrecht
sagt mir, daß Sie schon fleißig an den König berichten.
Wenn wir nur gutes Wetter zur Parade haben; aber frei=
lich in Mänteln sollte man überhaupt keine Parade halten!
— Kommen Sie mit in mein Kabinet. Eben habe ich das
Prachtwerk über die Geschichte des Georgen=Ordens erhalten.
Das wird Sie als ‚Soldatenfreund‘ interessiren.“

Und nun trat ich nach dem Prinzen in das Kabinet
ein, von dessen Wänden überall Preußische Erinnerungen
herabsahen, an denen, als der Kaiser bemerkte, daß meine
Augen sich auf sie richteten, er mich selbst umherführte und
bei jedem Einzelnen erklärte, woher das Porträt, das Sou=
venir u. s. w. stammte. Auch an den Kaiser Nicolaus und
die Kaiserin Alexandra Feodorowna erinnerte Vieles, so an

Ersteren die mächtige Kosackenmütze mit dem Reiherbusche, welche er getragen. In der Anordnung und Ueberfüllung mit Papieren, Büchern, Plänen, Nippes aller Art, ähnelte das Kabinet des Kaisers dem Arbeitszimmer des Königs. Der Kaiser war unermüdlich dem Prinzen und mir Gegenstände zu zeigen, die an Preußen und seine Verbindung mit Rußland erinnerten, bis endlich eine Viertelstunde vorüber war, und der Prinz sich empfahl. Beim Herausbegleiten und Abschiednehmen traf es sich, daß ich gerade vor das Krüger'sche Bild der großen Berliner Parade zu stehen kam, welches hinter den Fahnenständern an der Ausgangsthür im Vorzimmer hing, und auf welchem der Maler auch mich in jüngeren Jahren, in einer Gruppe mit den Schauspielern Gern und Rüthling verewigt hatte. So war ich also diesen Räumen, wenigstens in effigie, nicht fremd gewesen.

Am Tage darauf, am 8. Dezember, als dem eigentlichen Festtage, erhielt ich schon früh durch einen Kaiserlichen Adjutanten die Weisung, mich in dem berühmten St. Georgensaale neben dem Throne einzufinden, weil ich von da aus Alles am Besten würde übersehen können. Kaum dort aufgestellt und ganz in meine Notizen über das imposante Arrangement der Fahnen und Armee-Deputationen vertieft, hörte ich laut einen der vier beschäftigten Ceremonienmeister rufen: „Der Königlich Preußische Geheime Hofrath Schneider!" Als ich mich bemerklich machte — was gerade nicht schwer war, da ich an diesem Tage im Winterpalais unter Tausenden von Uniformirten als einziger im Civilfrack glänzte — sagte mir der Ceremonienmeister: „Der Kaiser hat befohlen, Sie

möchten ihn in dem Alexandrinischen Saale erwarten; Sie
sollen mit ihm an der Front der Truppen herunter gehen.
Ich werde Sie führen!" und fort ging es aus dem Georgen=
saal durch die Generalsgallerie, den Wappensaal und den
Vorsaal zur Kirche, in den Alexandrinischen Saal, an dessen
Wänden nur die kolossalen Schlachtenbilder aus den Jahren
1813 und 1814 hängen; dort ließ der Ceremonienmeister
mich stehen, bis der Kaiser kommen würde. Vereinsamt in
dem ungeheuren Raume, wartete ich ungefähr eine halbe
Stunde und ging mit mir zu Rathe, wie ich der Ehre aus=
weichen könne, im Gefolge des Kaisers an der Front der in
allen Sälen aufgestellten Truppen entlang zu gehen. Mein
solitärer Frack mußte dabei ja die allgemeine Aufmerksamkeit
auf sich ziehen und mich fast gewaltsam aus meiner glück=
lichen und nützlichen Unbemerktheit herausdrängen. Als ich
noch mit diesen, keineswegs besonders angenehmen Gedanken
beschäftigt war, kam der Großfürst Nicolaus Nicolaiewitsch
— Bruder des Kaisers und Kommandirender General des
Garde=Korps und der sämmtlichen Truppen des Petersburger
Militär=Bezirks — durch den Saal, um sich zu den Truppen
zu begeben. Erstaunt mich hier zu sehen, stand er mit seiner
ganzen Suite still, zog mich zu sich, umarmte mich in con=
spectu omnium, und stellte mich seinen Offizieren mit den
Worten vor: „Sehen Sie, meine Herren, das ist Einer von
den Wenigen, welche die alte Zeit nicht vergessen haben und
unter allen Umständen dieselben geblieben sind! — Ich wußte
garnicht, daß Sie hier waren; aber freilich, wo die Preußische
oder die Russische Armee einen Ehrentag feiert, dürfen Sie

nicht fehlen. Sie sind ja auch schon bei Kalisch gewesen.
Oberst Herschelmann! stellen Sie Herrn Schneider gleich
meinen beiden Söhnen vor — sie stehen an dem heutigen
Ehrentage schon in der Front — und sagen Sie ihnen, das
wäre ein alter und lieber Freund ihres Vaters und Groß=
vaters. Adien! wir sehen uns hoffentlich bald wieder! Essen
Sie bei mir! Wenn Sie irgend einen militärischen Nachweis
haben wollen, soll Ihnen Herschelmann Alles geben. Sie
haben sich übrigens hier gerade den richtigen Platz gewählt,
unter dem Bilde von Arcis-sur-Aube, wo Ihr hochseliger
König mit dem Kaiser Alexander, dem vorigen Könige und
dem König Wilhelm abgebildet sind. Da gehören Sie hin.
Adieu! Ich muß zu den Truppen. Der Kaiser kommt bald!"

Der glänzende Strom rauschte vorüber. Oberst Herschel=
mann nahm mich sofort unter den Arm und führte mich,
obgleich ich ihm mittheilte, der Kaiser habe mein Verbleiben
im Alexandrinischen Saale befohlen, wieder in den Wappen=
saal zurück, wo die Armee=Deputationen aufgestellt waren.
Beim Garde=Sappeur=Bataillon stand der noch nicht sechs=
jährige Großfürst Peter, mitten unter den bärtigen Georgen=
Rittern der Garde=Sappeure und schien durchaus keinen Ge=
danken daran zu knüpfen oder einen besonderen Eindruck
davon zu empfangen, daß ihm ein Preußischer Geheimer
Hofrath vorgestellt wurde. Mechanisch gab er mir die Hand
und trat sofort wieder in das Glied zurück. Dann ging es
zum Litthauischen Leib=Garde=Regiment, am anderen Ende des
Saales, wo dieselbe Prozedur mit dem Großfürsten Nico=
laus dreizehn Jahr alt, vorgenommen wurde, welcher mich

erst erstaunt ansah, dann aber, als er die Worte seines
Vaters gehört, mit ungemeiner Grazie aus dem Gliede trat
und mir ebenfalls die Hand reichte. Nun eilte ich aber in
den Alexandrinischen Saal zurück, wo dann auch bald der
Kaiser mit einem nur kleinen Gefolge erschien. Prinz Albrecht
von Preußen, Prinz Alexander von Hessen, Prinz Peter
von Oldenburg, der Prinz von Mecklenburg-Strelitz, der
General-Adjutant und Flügel-Adjutant vom Dienst und einige
hohe Generale, die ich noch nicht kannte, bildeten dasselbe.
Im Vorübergehen rief mir der Kaiser zu: „Ah, da sind Sie
ja auf dem richtigen Posten! Nun kommen Sie mit, dann
sollen Sie Alles ganz genau sehen.“ Damit war das
glänzende Meteor vorüber. Ich blieb aber stehen und konnte
ja möglicherweise den Zuruf überhört haben, während ich
aus meinem endlosen Komplimente wieder auftauchte,
sollte mich aber dieser angenehmen Excuse nicht lange erfreuen, denn sofort kam Graf Adlerberg zurück und rief:
„Eh bien, Mr. Schneider! Vous avez entendu! Sa Majesté vous a dit de suivre; suivez, suivez!“ So gab es
also keine Rettung! — In den Vorsaal zur Kirche, wo die
Palast-Grenadiere und in die Porträt-Gallerie, wo die Georgs-
Ritter der Hofdienerschaft, der Ministerien u. s. w. standen,
hielt ich aus, dem Kaiser zu folgen; beim Eintritt in den
Wappensaal ließ ich mich aber geschickt abdrängen und ver-
schwand hinter einigen Kaukasischen Pelzmützen. Der Kaiser
setzte seinen Umgang durch die Säle fort, und ich schlängelte
mich wieder in den St. Georgensaal zurück, wo dann die
überwältigend großartige Ceremonie stattfand.

Während der Hof nach der Ceremonie bei Tafel ſaß, hatte ich mich in das ſchon erwähnte Zimmer zurückgezogen, um ſofort an den König zu berichten und die Berliner Zeitungen zu verſorgen. Hier wurden mir nun die Telegramme bekannt, welche in Folge der geſchehenen Verleihung der 1. Klaſſe des St. Georgen=Ordens an den König, die nach der Truppenbeſichtigung, kurz vor der Ceremonie im St. Georgenſaale erfolgt war, zwiſchen Petersburg und Berlin gewechſelt wurden und die ſämmtlich durch meine Hand gingen.

Das erſte Telegramm aus Berlin traf gegen 5 Uhr Nachmittags ein.

Berlin, 8. Décembre 4 heures Après-midi. Sa Majesté l'Empereur de toutes les Russies.

„„Je Vous présente mes félicitations pour la belle fête d'aujourd'hui, que j'ai suivi en idée, d'heure en heure. Le Colonel Werder vient de m'annoncer l'insigne honneur, dont Vous l'avez trouvé digne et je Vous en remercie du fond de mon coeur. Guillaume.““

Der für Petersburg neuernannte Militär=Bevollmächtigte, Flügel=Adjutant, Oberſt von Werder, hatte nämlich ſchon Vormittags den Georgen=Orden 4. Klaſſe erhalten und dies ſofort dem Könige telegraphiſch gemeldet. — Um dieſelbe Zeit, als dieſer Dank des Königs in Petersburg eintraf, hatte er ſelbſt das folgende Telegramm Kaiſer Alexanders in Händen, welches ſchon vor der Ceremonie abgeſchickt worden war:

Pétersbourg.   Roi de Prusse.   Berlin.

„En Vous remerciant de coeur pour Votre lettre amicale par Albert, et au moment d'aller à la solennité militaire, permettez de Vous offrir, au nom de tous les chevaliers de Saint George, le grand Cordon de cet ordre, qui Vous revient de droit. Nous serons tous fiers de Vous voir décoré. Puissiez-Vous y voir une nouvelle preuve de l'amitié, qui Nous lie, basée sur les souvenirs d'une époque à jamais mémorable, où nos deux armées combattaient pour la même sainte cause. Je me suis permis de donner la croix, quatrième classe, à Votre Aide de Camp Werder.

Alexandre."

Spät Abends traf die folgende Antwort des Königs ein:

Berlin, 8. Décember 6½ heures soir A Sa Majesté l'Empereur Alexandre à Pétersbourg.

„„Profondément ému, les larmes aux yeux je Vous embrasse pour Vous remercier d'un honneur auquel je n'osais m'attendre. Mais ce qui me rend doublement heureux, c'est la manière, dont Vous me l'annoncez. Certes, j'y vois une nouvelle preuve de Votre amitié et le souvenir de la grande époque, où Nos deux armées combattaient pour la même sainte cause. Par cette même amitié et par ce même souvenir, j'ose Vous prier d'accepter mon

ordre ‚pour le mérite‘.　Mon armée sera fière de
Vous voir porter cet ordre.　Que dieu Vous garde!

Guillaume."“

Gleichzeitig kam auch das folgende Telegramm an den
Prinzen Albrecht an:

Berlin 8. Dezember 6½ Uhr Abends.

Dem Prinzen Albrecht von Preußen.

„„Nein welche Ehre ist mir widerfahren!　Ich bin
überglücklich, aber vollständig erschüttert!　Ich re-
vanchire mich, indem ich dem Kaiser den pour le
mérite offerire.　Hast Du zwei Kreuze, so biete es
ihm an.

Wilhelm."“

Als dieses Telegramm eintraf, befand sich Prinz Albrecht
in der Gala=Vorstellung der Kaiserlichen Oper, aus welcher
er gleichzeitig mit dem Kaiser in das Winter=Palais zurück=
kehrte.　Während er beim Ausziehen war, kam plötzlich der
Kaiser durch den Empfangssalon und mein Zimmer, stürzte
in das Schlafzimmer des Prinzen, der sich in einer un=
beschreiblichen Toilette befand, und theilte ihm das Telegramm
aus Berlin mit, durch welches ihm der Orden pour le mérite
verliehen worden.　Erst als der Kaiser sich wieder entfernt
hatte, konnte der Prinz auch das für ihn eingetroffene Tele=
gramm des Königs lesen, zog nun die volle Russische Generals=
uniform an und brachte selbst das **Mérite-Kreuz** zum Kaiser
hinüber.

Ein Brief des Königs an seinen Bruder vom 14. Dezember, also sechs Tage nach der Ordensverleihung geschrieben, schildert am Besten die Eindrücke, welche dieselbe in Berlin hervorgebracht; er lautete:

„„Dein eben erhaltener Brief vom 12./30. mahnt mich, daß ich Dir noch garnicht, trotz der vielen Telegramme, geschrieben habe, und doch· drängte es mich nach allem Schönen, Großen und Unerwarteten so sehr, mich gegen Dich auszusprechen und Dir den Moment zu schildern, als ich das Telegramm des Kaisers las und zu den Worten der Verleihung des großen Georgen=Ordens kam. Ich ließ vor Ueberraschung das Blatt geradezu fallen, und Thränen der Erinnerung vergangener, schöner Tage und des Dankes für diese gegenwärtige enorm ehrenvolle Auszeichnung erfüllten meine Augen, je mehr ich die schönen Worte und Gefühle des Kaisers weiter lesen konnte. Dies war der völlige Anklang der Traditionen seines theuren Vaters, auf diesen von Kaiser Alexander I. vererbt. Erst nachdem ich mehrere Male dieses schöne Telegramm durchgelesen, um mich immer mehr von der Wahrheit der mir widerfahrenen Auszeichnung zu überzeugen, konnte ich zum Antworts=Telegramm an den theuren Kaiser schreiten und ihm sofort den Orden p. l. mérite anbieten. Wie ich von Neuem aus Deinem eben erhaltenen Briefe ersehe, ist wirklich die Freude und Genugthuung auf beiden Seiten eine so große, daß es schwer zu unterscheiden ist, wer voraussteht? Indessen

scheint mir denn doch meine Empfindung einer solchen
Auszeichnung, die in diesem Momente einzig ist, am
Gerechtfertigsten und am Höchsten zu stehen. Und
hierzu tritt das Gefühl der Auszeichnung, die meiner
herrlichen Armee dadurch zu Theil geworden ist, denn
die Worte des Kaisers: — „cet ordre, qui Vous
revient de droit," — zeigen auf den großen Sieg
und die siegreiche Campagne hin, die meine Armee
mir erfochten mit ihrem Leben und Blut! Das Alles
stand in jenem Momente vor meinen Augen, als ich
die Worte des Kaisers las: „Permettez de Vous
offrir, au nom de tous les chevaliers de St. George,
le grand Cordon de cet ordre," und daher meine nicht
zu schildernde émotion. Die Theilnahme hier für mich
ist sehr allgemein, und ich freue mich, ein Gleiches durch
Dich von dort zu hören, was eigentlich noch mehr
sagen will, da diese einzige Auszeichnung einen Fremden
traf, und 1866 unsere Siege dort nicht allgemein gern
gesehen wurden, mit Ausnahme in der Armee. Ich
bin fast neidisch, daß Du die magnifique Parade sehen
konntest. Sehr gern würde ich noch Einmal in guter
Jahreszeit diese Reise unternehmen, namentlich nach
diesem Kaiserlichen Gnaden-Akte, um an dem Grabe
Charlottens zu beten, und alle theuren Orte wiederzusehen und die Armee! — Nachdem wir Wochenlang
glaubten, die Sonne sei abgeschafft, haben wir einen
herrlichen Sonnentag mit 1° Frost, so daß der Thier-
garten énorm peuplirt ist. Nun lebe wohl! Tausend

Liebes dem Kaiser und der ganzen Familie, surtout
Großfürstin Hélène! Dein treuer Bruder

Wilhelm.""

Am Tage nach jenem Telegrammwechsel saß ich schon
früh wieder im Winter=Palais an der Arbeit, als um 9 Uhr
plötzlich der Kaiser hereintrat, mir zeigte, daß er bereits den
pour le mérite am Halse trug und dabei rief: „Was sagen
Sie nur, Schneider, daß mir der König den pour le mérite
verliehen! Freuen Sie sich mit mir!" In der That hat
der Kaiser auch bis zur Abreise des Prinzen sowohl öffentlich
bei Paraden, als in seiner Häuslichkeit, wie ich wiederholt
beobachten konnte, den Orden getragen. Bei der großen
Parade wurde mir vielfach Gelegenheit geboten, mich im
Gespräch mit Offizieren und im Publikum von dem Eindruck
zu unterrichten, den die Ordensverleihung an den König ge=
macht hatte, welcher ja auch die der vierten Klasse an den
Kronprinzen und an den Prinzen Carl gefolgt war. Bei dem
außerordentlichen Ansehen, in welchem der Georgen=Orden in
der Russischen Armee stand, und bei dem Faktum, daß kein
Russischer General lebte, der nach den überaus strengen Be=
dingungen des Statuts Anspruch auf die erste Klasse machen
konnte, — hatte doch der Kaiser selbst erklärt, daß er das
große Band nur anzulegen wage, weil er durch Erbrecht
Großmeister des Ordens geworden sei, — gab sich allerdings
kund, daß der Vorgang einen sehr verschiedenen Eindruck
gemacht hatte; der Eine dachte an die wahrscheinliche Ver=
stimmung in Wien, der Andere fürchtete, Napoleon und die

französische Armee möchten die Erinnerung an die „sainte cause" der Feldzüge 1812—1815, von beiden Monarchen übereinstimmend betont, übelnehmen. Viele begriffen nicht, weshalb ein Preußischer Oberst mitten im Frieden das Georgenkreuz erhalten hatte. Dagegen waren alle über die vollkommene Gerechtigkeit und Berechtigung der Verleihung an den König Wilhelm einig, wenn es den Russen auch nicht besonders angenehm war, daß gerade ein Fremder der Einzige sein sollte, dem sie eine vollständige Berechtigung zugestehen mußten. Viele erkundigten sich angelegentlich bei mir, welchen Rang und wie viele Klassen der Orden pour le mérite habe und schienen höchlich erstaunt, daß der jüngste Offizier ganz dieselbe Insignie erhalte wie der älteste General. Was der König selbst sofort in seinem Antworts= telegramm ausgesprochen, — das Außergewöhnliche des ganzen Vorganges war das Thema, um welches die Gespräche sich drehten, und allgemein machte sich die Neigung bemerkbar, der Sache eine weittragende politische Bedeutung zu geben.

Am Abende dieses Tages war ich zum Thee bei der Gräfin Versen, geborenen Elise von Rauch, Tochter eines Mannes, dem ich viel verdankte. Sie war auch in ihren dortigen glänzenden Verhältnissen eine gute Preußin geblieben und hing mit rührender Treue und Verehrung am Königs= hause. Auch sie hatte dergleichen Meinungen und Bedenken den Tag über in den vornehmen Russischen Kreisen gehört, zog mich auf die Seite und fragte mich, ob ich nicht ver= anlassen könne, daß in Berlin irgend Etwas geschehe, was der Russischen Armee den Beweis liefere, daß die Verleihung

des Georgen-Ordens 1. Klasse wirklich auch in Preußen einen
eben so tiefen Eindruck gemacht, wie in Rußland; etwa eine
Parade in allen Garnisonen oder eine Proklamation an die
Armee u. s. w. Auch die Herren der Preußischen Gesandtschaft, mit denen ich spät Abends noch zusammentraf, meinten
Aehnliches, fühlten sich aber außer Stande, ein Mittel an-
zugeben, wie das wohl zu erreichen sei.

Ich hielt mich verpflichtet, dem Prinzen Albrecht zu berichten, was ich gehört und fand, daß das Mitgetheilte mit
seinen eigenen Wahrnehmungen übereinstimmte. Eine Berathung mit dem Königlichen Gesandten ergab dann eine
Depesche in Chiffern an den König, welche am 10. abging
und vom Könige, ebenfalls telegraphisch, am 12. durch die
Mittheilung des Toastes beantwortet wurde, welcher an diesem
Tage in Berlin bei einem, besonders zur Feier der Ordensverleihung gegebenen Gala-Diner ausgebracht worden war.
Die Depesche enthielt auch die Worte: „So daß Dein
Telegramm auf diese Art erfüllt ist." Da dem Prinzen
daran lag, den Toast sofort dem Kaiser mitzutheilen, so
mußte ich rasch eine Abschrift desselben machen, in welcher
natürlich diese letzte Stelle wegblieb. So erfolgte die Ueber-
reichung meiner Abschrift an den Kaiser.

Als ich sie zurückbekam, unterstand ich mich, dem Prinzen
vorzuschlagen, ob er diesen Toast des Königs mit einer Beschreibung des Diners nicht in einer Russischen Zeitung
drucken lassen wolle, ehe die Berliner Zeitungen denselben
nach Petersburg brächten? Der Prinz trug aber Bedenken,
so Etwas in einem fremden Lande und ohne Vorwissen und

Genehmigung des Kaisers zu thun. Er glaubte zwar, daß
der Kaiser wohl zufrieden damit sein werde; da er aber eben
erst bei ihm gewesen, so könne er ihn doch nicht gleich wieder
beläftigen. Aber Eile war freilich nöthig, wenn die Sache
ihre rechte Wirkung thun sollte, namentlich so lange die aus
allen Theilen des ungeheuren Reiches nach Petersburg ge=
kommenen St. Georgen=Ritter noch hier versammelt waren.
So beschloß ich denn auf eigene Hand zu handeln, nahm die
Abschrift des Telegramms mit und ging in das Vorzimmer
des Kaisers, um zu versuchen, wie ich wohl die Genehmigung
desselben zum Druck erhalten könnte. Dieses Vorzimmer
lag zwischen dem Kabinet des Kaisers und der Bibliothek, in
welcher er gewöhnlich frühstückte. Ich sagte dem Kammer=
diener, er möge mich nur hier stehen lassen, bis der Kaiser
nach dem Frühstück in sein Kabinet gehe, denn da er mich
persönlich kenne, so werde er es nicht übelnehmen, wenn ich
auf diese Weise im Vorübergehen eine Bestellung des Prinzen
Albrecht auszurichten versuche. Da der Kammerdiener mich
aus Potsdam her kannte, so machte er keine Schwierigkeiten;
wußte er doch, daß der Kaiser mich jedesmal sprach, wenn
er nach Berlin oder Potsdam kam. Das Glück war mir
denn auch wieder günstig, denn kaum öffnete sich die Thüre
des Bibliothekzimmers, als der Kaiser heraustrat, mich sah
und fragte: „Wollen Sie mich besuchen, Schneider? Kommen
Sie!" — und mich zum Erstaunen aller Anwesenden mit
in sein Kabinet nahm. Möglichst kurz brachte ich mein An=
liegen vor, erhielt sofort die Erlaubniß, erbat aber auch eine
schriftliche Bestätigung, mit welcher ich mich legitimiren könne,

worauf er lächelnd das Verlangte auf das Original schrieb
und sagte: „Warten Sie hier ein wenig, ich will das
Telegramm doch erst der Kaiserin zeigen!" Er ging wieder
in das Bibliothekzimmer zurück und ich blieb allein in
seinem Kabinet, öffnete aber die Thüre nach dem Vorzimmer,
so daß die dort Versammelten sehen konnten, daß ich mich
nicht von der Stelle rührte. Als der Kaiser dann zurückkam
und mir das Papier zur Besorgung übergab, unterhielt er
sich über eine halbe Stunde mit mir. Die mir für mein
ganzes Leben merkwürdige Unterhaltung gehört nicht hierher,
eine Aeußerung ausgenommen, welche mich vorzüglich frappirte:

„Man giebt sich von den verschiedensten Seiten her
alle mögliche Mühe, um Rußland von Preußen zu trennen
und Mißtrauen zu säen, aber so lange ich lebe wird es nicht
gelingen! Meine Gesinnungen ändern sich weder gegen den
König, noch gegen Preußen!"

Ich meldete nun dem Prinzen den Erfolg und eilte
dann zum General=Lieutenant Menkoff, Redakteur des
„Russischen Invaliden", weil ich glaubte, daß die Ver=
öffentlichung gerade in dem für die Armee bestimmten
Blatte am wirksamsten sein werde. Gleichzeitig ergriff ich
diese Gelegenheit, um dem General Menkoff einen Artikel
über die Schlacht bei Bar-sur-Aube und die Veranlassung
zu der damaligen Verleihung der 4. Klasse des St. Georgen=
Ordens zu schreiben, welcher denn auch noch während meiner
Anwesenheit in Petersburg und mit meiner Namensunter=
schrift gedruckt wurde.

Die Aeußerung des Kaisers, daß man sich bemühe, Preußen und Rußland zu trennen, hatte ich oft genug Gelegenheit, bestätigt zu finden. Ich bewegte mich in den verschiedenartigsten Sphären und konnte jedenfalls mehr sehen und hören, als irgend Jemand in dem offiziellen Gefolge des Prinzen. Hülfreich waren mir dazu meine vielen alten Bekanntschaften mit bedeutenden Personen und auch solche, die ich erst bei dem diesmaligen Besuche Petersburgs gemacht hatte. Gleich am zweiten Tage begegnete ich dem Reichskanzler Fürsten Gortschakoff, den ich schon in Potsdam kennen gelernt, was ich eigentlich seinem 50 jährigen Dienstjubiläum verdankte. Sein besonderer Verehrer, mein langjähriger Freund, Jasykoff, hatte mich nämlich gebeten, eine Beschreibung seines Jubiläums in einer gelesenen deutschen Zeitung zu geben und mir dazu das Portrait des Fürsten und Photographieen der erhaltenen reichen Geschenke gesandt. Ich schrieb eine Biographie und ließ sie in der illustrirten Zeitung „Ueber Land und Meer" drucken. Sie machte in Rußland Aufsehen, wurde nachgedruckt, und als der Fürst in Begleitung des Kaisers durch Potsdam kam, bedankte er sich für die ihm ganz unbekannter Weise erwiesene Artigkeit. So mochte er wohl dazu veranlaßt worden sein, mich zu sich einzuladen, als er mich im Winterpalais, gewissermaßen in Funktion beim Prinzen, wiedersah.

Als ich ihm nun meine Visite machte, fand ich ihn in einer sehr aufgeregten Stimmung, in welcher eine überraschende Lustigkeit ziemlich durchsichtig eine große Gereiztheit verdeckte. Ueberaus freundlich empfangen, fragte mich der

Fürst gleich, ob ich denn schou den boshaft-feindlichen Artikel
gelesen, den die Wiener „Freie Presse" vor einigen Tagen
gegen ihn gebracht und als ich dies verneinte, gab er mir
das Blatt, bat mich auch, es gleich in seiner Gegenwart
durchzulesen. Es war in der That ein schlimmer
Artikel und dabei innerlich so durchaus unwahr und un=
wissend, daß eben nur böse Absicht und Lust am Beleidigen
ihn diktirt haben kounte. Ich bat den Fürsten, mir das
Zeitungsblatt zu erlauben, ich wollte einmal versuchen, ob
man diesen Wiener Journalisten nicht ad absurdum führen
könne. Das wurde mit ganz besonderer Freude gestattet.
Der Fürst sagte mir, daß er alle meine Schriften über den
König Wilhelm mit Verguügen gelesen, da er eine unbegrenzte
Verehrung für ihn habe und ich in seiner Charakteristik nur
Wahres gesagt.

Er erführe es auch meistens, wenn ich mit meinem
Petersburger Freunde korrespondire, und habe sich überzeugt,
daß ich das einzig richtige Verhältniß zwischen Preußen und
Rußland erkannt. Die Ereignisse hätten meinen Anschauungen
bis jetzt Recht gegeben, und er freue sich jedesmal, etwas
von mir zu lesen, weil allerdings seit dem Tode des Kaisers
Nikolaus sich viele Leute ein Geschäft daraus machten, über
Preußen hinweg mit Frankreich zu kokettiren. Noch kurz
vor der Ankunft des Prinzen Albrecht sei von allen Seiten
Sturm gegen ihn gelaufen worden, sowohl wegen der Nord=
Schleswigschen Grenzdistrikte, als wegen der unangenehmen
Bewegungen in den Russischen Ostseeprovinzen. Dazu käme
die Besorgniß, daß irgend ein unvorhergesehenes Ereigniß

Preußen zwingen könne, über den Main zu gehen, und dies
sei ein Punkt, den Rußland bei aller Freundschaft für Preußen
nie zugeben werde. Er wolle zwar gerne glauben, daß ein
solcher Schritt eben so wenig in der Absicht des Grafen Bismarck
liege, als die Ostsee-Edelleute Ursache hätten, sich auf die
Sympathieen des Grafen zu berufen; aber er müsse doch auch
sagen, daß er diese Dinge in seiner Stellung als Kanzler
des Kaiserreiches nicht gleichgültig betrachten könne.

Die Unterhaltung hatte somit eine sehr ernste Wendung
genommen und der Fürst wurde so lebhaft und kam so in
Fluß, daß ich es für gerathener hielt, einfach zuzuhören und
nur ab und zu ein Wort einzuschalten. Sie wurde aber
durch die Anmeldung des Feldmarschalls Grafen Berg,
Statthalters von Polen, unterbrochen, der mich nicht wenig
erstaunt ansah, als der Fürst bei seinem Eintritt aufstand,
sich, — da er gerade an der Gicht litt, — auf meinen Arm
stützte und zu ihm sagte: „Pardon, mon cher Maréchal!
Il faut, que je montre à Monsieur Schneider le portrait
de Son Souverain, avant qu'il me quitte. N'est ce pas,
Vous m'attendrez dans mon cabinet? ce ne sera qu'un
moment. Venez cher Conseiller!" und so ging der Reichskanzler mit mir durch eine Reihe von Sälen bis zu einem
lebensgroßen Bildniß des Königs, plauderte auch noch so
lange mit mir, daß mir wegen des wartenden Feldmarschalls
angst und bange wurde, der doch schwerlich begriffen hat,
warum einem Preußischen Geheimen Hofrathe vom Fürsten
persönlich ein Bild gezeigt oder warum er erst durch alle
möglichen Säle herumgeführt werden mußte. Obgleich ich

7*

den Grafen Berg von Wiesbaden her kannte und vier Wochen
lang täglich neben ihm an der Table d'hôte in der „Rose"
gegessen, so hütete ich mich doch, nach dieser Scene in Petersburg in seine Nähe zu kommen.

———

Da ich den Tag über Anderes zu arbeiten hatte, wandte
ich die Nacht daran, um eine geharnischte Erwiederung auf
jenen Artikel der Wiener „Freien Presse" zu schreiben, mit
welchem bewaffnet, ich am nächsten Vormittage meine Visite
beim Fürsten Gortschakoff wiederholte. Als mir gesagt wurde,
der Fürst ließe sich gerade Vortrag halten, trug ich dem
Diener auf, er möge nur das Zeitungsblatt zurückgeben und
war schon unten angelangt, als ich wieder heraufgeholt
wurde, da der Fürst mich trotz des Vortrages empfangen
wolle. Ich fand seinen vertrautesten Sekretär Hamburger
und einen anderen Herrn, wohl dessen Gehülfen, den Geheimen Rath Westmann, bei ihm. Hamburger saß dem
Fürsten gegenüber an dem Bureautische und hatte ersichtlich
eben Vortrag gehalten; er mußte mir seinen Platz einräumen
und blieb mit dem andern Herren während der ganzen, über
ein Stunde dauernden Unterredung zugegen. Beide sprachen
aber kein Wort.

Ich führte mich damit ein, daß ich jenes Zeitungsblatt
mit dem Schmähartikel selbst habe zurückbringen wollen, daß
ich eine Erwiederung auch schon beendet und dieselbe nach
meiner Rückkehr in einer Berliner Zeitung erscheinen lassen
würde. Sofort fragte mich der Fürst, ob ich ihm nicht mit-

theilen wolle, was ich über ihn geschrieben? Ich antwortete, daß ich allerdings das Manuskript bei mir habe, warf aber einen bedeutungsvollen Blick auf die beiden anwesenden Herren. „O, da müssen Sie mir den Artikel vorlesen, die Herren können Alles hören, denn sie kennen auch den Artikel jenes Wiener Blattes." — Ich war frappirt, las aber und sah die wachsende Zufriedenheit des Fürsten mit der drastischen Art dieser Abfertigung. Ein Bravo! über das andere; am Schlusse aber auch gleich die Frage: „Aber wo werden Sie das drucken lassen?"

„Als Leitartikel in der Neuen Preußischen Zeitung."

„O, diese Zeitung nimmt nicht auf, was mir oder Rußland günstig ist. Ich habe sie schon verschiedene Male ersuchen lassen, offizielle Entgegnungen aufzunehmen, wenn wir ungerecht angegriffen wurden. Sie hat es nie gethan."

„Dann ist sie mit der Entgegnung nicht einverstanden gewesen. Dieser Artikel dagegen beruht auf vollkommener Wahrheit und Unparteilichkeit und ich glaube annehmen zu können, daß sie ihn druckt."

„Nun, da bin ich sehr neugierig. Allerdings ist Ihr Artikel bei aller Schärfe sehr unparteiisch und unabhängig. Noch Niemand hat mir in meinem Kabinet und in Gegenwart meiner ersten Beamten ins Gesicht gesagt, was Sie da über mein Verhältniß zu Preußen geschrieben. Sie sagen: ‚Wir Preußen haben keine besondere Ursache, uns für den Fürsten Gortschakoff zu erhitzen. Glücklicherweise hat er noch keine Veranlassung gehabt, irgend eine Vorliebe für uns zu zeigen oder unsere Interessen zu fördern, wo diese nicht mit den Interessen seines Landes zusammenfielen.' — Wie meinen Sie das?"

„Ich schreibe nie für Lohn oder auf Bestellung, Eure Durchlaucht, sondern stets nur nach meiner Meinung. Daß ich es Ihnen ins Gesicht vorgelesen, haben Sie selbst gewünscht. — Würde mein Artikel irgend einen Werth haben, wenn er nicht selbständig wäre und ich ihn, den zufällig günstigen Umständen zu Liebe, gegen meine Ueberzeugung geschrieben hätte?" —

„Aber ich habe mich doch nie unfreundlich gegen Preußen bewiesen?"

„Doch Eure Durchlaucht! Es mag nicht in Ihrer Absicht gelegen haben, aber empfunden habe ich es so."

„Da wäre ich doch neugierig!"

„Glücklicherweise ist Preußen jetzt so stark und den anderen Großmächten so vollkommen gleich geworden, daß man von solchen Eindrücken ungenirt reden kann, und das ehrende Zutrauen, welches Eure Durchlaucht mir gestern bewiesen durch Mittheilung der Mühe, die man sich giebt, Preußen mit Rußland zu entzweien, darf mich ja wohl ermuthigen, auch meine Meinung zu sagen. Als die letzte polnische Insurrektion ausbrach, kam Preußen seinen Nachbarn und Verbündeten sofort auf das Bereitwilligste entgegen, besetzte die Grenzen, machte Truppen mobil, und mußte doch erfahren, wie das hier in Petersburg sehr kühl, ja fast abweisend aufgenommen wurde, als ob man sich wunderte, daß das kleine Preußen seinem großen Nachbar zu Hülfe kommen wollte."

„Sie irren ſich; hier in dieſem Zimmer, auf jenem Tiſche habe ich mit Ihrem General von Alvensleben das Uebereinkommen unterzeichnet. Wir glaubten damals allerdings nicht, daß der Unfug in Warſchau ſo lange dauern würde.“

„Er hat aber jedenfalls länger gedauert, als unſer Feldzug gegen Oeſterreich, von dem man hier auch eine Niederlage für Preußen erwartete. Ich werde nie das Gefühl vergeſſen, welches ich in Horitz hatte, als ich das Telegramm aus Petersburg las, welches den König für den Sieg bei Königgrätz beglückwünſchen ſollte und mit den Worten ſchloß: ‚J’espère que Votre Majesté sera gracieux envers le vaincu.‘ — Dieſer ‚vaincu‘ war derſelbe Fürſt, deſſen Undank den Kaiſer Nikolaus getödtet, und einen ſolchen Rath mußte ſich der König am zweiten Tage nach einer ſiegreichen Schlacht geben laſſen!“

„Du tout! du tout! Je me rappelle très-bien. C’était le pluriel: envers les vaincus! le Hanovre, le Hesse, etc.“

„Pardon, c’était le vaincu. Je l’ai lu moi-même, car Sa Majesté m’avait montré le télégramme. Je ne savais pas, qu’une diplomatie habile sait tirer profit même d’un pluriel.“

In dieſem Tone ging die Unterhaltung noch lange fort und ich gab mir Mühe, geographiſch, politiſch, geſchichtlich, ja auch hinſichtlich der revolutionären Strömung der Zeit zu beweiſen, daß die beiden Nachbarländer nichts beſſeres thun könnten, als gute Freundſchaft mit einander halten, denn Preußen ſei jetzt etwas Anderes geworden als das, wofür man es in Rußland bisher angeſehen. Das Geſpräch

wurde fogar animirter, als ich wünschte, denn als der Fürst
unter Anderem sagte:

„Das ist Alles sehr schön und gut, aber wir werden
doch nie zugeben können, daß Preußen seine Herrschaft über
ganz Deutschland ausdehnt," war ich so vorlaut zu erwiedern:

„So viel ich weiß, fällt das Niemandem in Preußen
ein. Wenn aber 40 Millionen Deutsche auf die Idee
kommen sollten, sich nach ihrem Wunsche zu konstituiren, so
werden sie zuverlässig weder Rußland noch irgend ein Land
der Welt um Erlaubniß bitten."

Trotz mehrerer solcher scharf zugespitzten Bemerkungen ent=
ließ mich der Fürst mit außerordentlicher Freundlichkeit und
schenkte mir sogar sein mit seinem Autogramm versehenes
Porträt. Der erwähnte Artikel erschien übrigens in Nr. 301
der N. Pr. Zeitung vom 24. Dezember, und eine Ueber=
setzung desselben wurde auf Anordnung des Fürsten in
sämmtlichen Petersburger Zeitungen abgedruckt. Auch in
deutschen Zeitungen wurde er vielfach besprochen und kom=
mentirt.

Im Ganzen war die Reise des Prinzen Albrecht eine
durchaus gelungene. Der Kaiser erschöpfte sich in Rück=
sichten und Freundlichkeiten für die Preußischen Gäste. Ich
hatte fast jeden Tag die Freude ihn zu sehen, und jedes Mal
hatte er einige freundliche Worte für mich. Gewöhnlich be=
gegnete ich ihm schon gegen 9 Uhr Morgens, wenn ich in
das Winterpalais kam und er seinen gewohnten Spazier=

gang machte. Bei dem feierlichen Raswodd (Wachtparade) in der Michailoff'schen Reitbahn mußte ich auf seinen Befehl auch gegenwärtig sein; wieder der einzige Frack unter all den glänzenden Uniformen! —

Von Petersburg zurückgekehrt, schrieb ich eine ausführliche Darstellung des Erlebten für den „Soldatenfreund", welche der König die Gnade hatte durchzusehen und mit einigen mir unbekannten Daten zu vervollständigen.

Dieselbe Gnade ließ er auch dem um diese Zeit von mir verfaßten „Illustrirten Instruktionsbuch" für den Infanteristen" und den ersten Bogen des „Buches vom schwarzen Adlerorden" angedeihen.

Das Jahr 1869 endete in erfreulichster Weise. In imposanter Ruhe konsolidirten sich die größer geworbenen Verhältnisse des Vaterlandes. Alles gerieth dem Könige, weil er auch nichts unterließ, was zum Gelingen nöthig; kurz, es war ein ungetrübt glückliches Jahr.

1870.

Desto unruhiger und bewegter sollte aber das Jahr 1870 werden. Schon nach den ungeahnten und überraschenden Erfolgen des Jahres 1866 hatte man ein Recht zu glauben, daß der Gipfelpunkt im Leben des Königs erreicht und daß mit dem absolut größten Siege, den Preußen ohne mächtige Bundesgenossen bis dahin jemals erfochten, seine Regierungsperiode, seine Regentenlaufbahn abgeschlossen sei; nichts ließ

vermuthen, daß in diesem Jahre noch ungleich Größeres ge=
schehen würde. Weder die allgemeinen politischen Verhält=
nisse, noch die eigenen Strebungen und Thätigkeiten des
Königs ließen die wunderbare Entwicklung erwarten, welche
mit dem beispiellosen Tage von Sedan eintrat. Allerdings
war noch Vieles unfertig, der Norddeutsche Bund zeigte sich
mannigfach ungenügend, nicht allein für spezielle Wünsche,
sondern auch für staatliche Realitäten, und doch that der
König Nichts, um ihn zu einem wirklichen, allgemeinen
deutschen Bunde zu erweitern; das wußten und behaupteten
namentlich Diejenigen, welche für diese Erweiterung wirkten
und denen es nicht rasch genug damit ging. König Wilhelm
wußte recht gut, daß ein so großes Ziel sich ohne Kampf
nicht erreichen lassen würde; aber er wollte keinen Kampf
mehr, sondern nur die Befestigung des bis dahin Erworbenen.
Selbst die Reorganisation der Armee war noch unfertig, da
die Kavallerie=Regimenter noch nicht zu der beabsichtigten Zahl
vermehrt worden waren.

Als ich am 1. Jannar, wie gewöhnlich, gratulirt hatte,
befahl mir der König Mittags wiederzukommen, weil er in
der Antwort, welche er auf die Gratulation der Generale
geben werde, erklären wolle, wie er den Ausdruck: „qui
Vous revient de droit" in dem Telegramme Kaiser
Alexanders II. verstanden wissen wollte, durch welches die
Verleihung des St. Georgen=Großkreuzes kurz vorher ge=
schehen war. Um diese Antwort veröffentlichen zu können,
bedurfte ich der Anrede des Feldmarschalls Grafen Wrangel,

welche derselbe herkömmlich bei der Neujahrsgratulation für
die gesammte Generalität zu halten pflegte. Ich begab mich
daher zu ihm und wurde wie gewöhnlich — war ich doch
der Verfasser seiner Biographie im Soldatenfreunde — mit
überschwänglicher Freundlichkeit empfangen. Meinem Wunsche
gegenüber befand sich der Feldmarschall in einiger Verlegen=
heit, denn er hatte eben erst einen zweiten Entwurf zu seiner
bevorstehenden Rede vollendet, weil ihm der König den schon
am Tage vorher zur Kenntnißnahme vorgelegten ersten durch
eine Korrektur unmöglich gemacht hatte. Graf Wrangel hatte
nämlich den Ausdruck „Vater der Armee" gebraucht, weil
die Zeitungen aus Rußland gemeldet, daß dort Kaiser
Alexander bei Gelegenheit des Festes der Georgenritter so
genannt worden sei. Diesen Ausdruck hatte der König ein=
fach gestrichen, dadurch aber auch die ganze Rede umgeworfen,
die sich wiederholt auf denselben bezog. Sehr zum Bedauern
des Feldmarschalls mußte sie also bei Seite gelegt und zu
dem neuen Entwurf gegriffen werden. Er gab mir keine
von den beiden Reden, dagegen das Versprechen, die zu
haltende selbst einzusenden. Da ich wußte, daß der König
sich nie auf Antworten vorbereitet, sondern immer an einen
hervorragenden Gedanken der Anrede anknüpft, so erwähnte
ich nichts von dem Wegfallen jenes Ausdrucks, als ich mich
Mittags in der Bibliothek einfand, um die Antwort aufzu=
schreiben. Sie bezog sich besonders darauf, daß er jenes
„de droit" nicht für sich persönlich anerkennen könne, wenn
es sich auf die Siege des Jahres 1866 beziehen solle, sondern
daß er diese Auszeichnung der Verleihung des St. Georgen=

Großkreuzes allen Generalen seiner Armee verdanke, und
zwar nicht allein Denen, welche gesiegt, sondern auch Denen,
welche so lange Friedensjahre hindurch die Armee für diese
Erfolge ausgebildet und vorbereitet hätten.   Von einer Erwiederung auf den Ausdruck: „Vater der Armee" war in
dieser Antwort natürlich keine Spur, mein Erstaunen also
groß, als ich am Tage darauf in allen Zeitungen doch diese
Bezeichnung las.   Wie das im Gegensatze zu jener Aeußerung des Feldmarschalls gegen mich hatte geschehen können,
habe ich nicht erfahren, wollte auch nicht danach fragen.

In den ersten Tagen des Januar wurde der König,
wie fast jedes Jahr um diese Zeit, von einem Unwohlsein
befallen: einer Grippe in Folge einer Erkältung.   Sie war
diesmal besonders hartnäckig und die Kräfte wollten sich
lange nicht wieder einfinden.   Daß solche Erkältungen hin
und wieder eintraten, konnte mich nicht wundern, denn so-
bald draußen nur erträglich mildes Wetter und in den
Zimmern vielleicht eine Kleinigkeit zu stark geheizt war, habe
ich oft erlebt, daß der König die Glasthür, welche von der
Bibliothek auf die Veranda führt, öffnete und im stärksten
Zugwinde stand.   Wenn ich es dann wagte, meine Besorgniß darüber auszusprechen, hätte ich mir das eben so gut
jedesmal ersparen können, denn es wurde nicht darauf ge-
achtet und das Gespräch ruhig fortgesetzt.

Als er später in Versailles war, öffnete der König auch
eines Morgens das Fenster, um die für einen Wintertag

allerdings ungewöhnlich milde Luft in das Zimmer zu laffen und blieb ganz behaglich mit aufgeknöpftem Rock vor dem offenen Fenster sitzen, während ich aus einer Parifer Zeitung vorlas. Ich fühlte deutlich den eintretenden Temperatur= wechsel und unterstand mich zu sagen: „Eure Majestät werden fich aber an dem offenen Fenster erkälten." Die Antwort war: „Wenn Sie das Bischen frische Luft nicht vertragen können, dann will ich das Fenster gleich zu= machen," und dabei erhob fich der König auch schon von feinem Sessel. Natürlich war ich sofort zur Ruhe verwiesen, muß aber doch registriren, daß fich am Tage darauf beim Könige ein Hexenschuß einstellte, während deffen Dauer die Fenster wenigstens nicht mehr geöffnet wurden. —

Das diesmalige Unwohlsein dauerte doch länger als gewöhnlich; selbst dem Krönungs= und Ordensfeste wohnte der König nur eine kurze Zeit bei, denn die Kräfte wollten nicht wiederkommen. Wenn ich nach dem Vortrage fortging, fragte ich gewöhnlich: „Haben Eure Majestät sonst noch Etwas zu befehlen?" Am 13. Februar antwortete er mir darauf: „O ja! schaffen Sie mir meine alten Kräfte wieder!" So sehr mich diese Aeußerung im ersten Augen= blicke betrübte, fo oft habe ich später während des Verlaufs des Feldzuges in Frankreich daran denken müffen, wenn ich an Tagen wie nach Gravelotte oder Sedan, zum Könige kam und erfuhr, was er alles durchgemacht und ohne be= merkbare Ermüdung ertragen hatte. — Die endlich nach 6 Wochen eintretende Genefung brachte manches Erfreuliche; befonders einen Befuch der geliebten Tochter, Großherzogin

Luise von Baden, mit welcher der König täglich spazieren
fuhr, so daß Jedermann sich seines väterlichen Glückes er=
freuen konnte; und die Durchreise des Kaisers Alexander II.
von Rußland, bei welcher der König ausnahmsweise das
große Band des St. Georgen=Ordens anlegte, was nach den
Statuten eigentlich nur am Ordensstiftungstage geschehen
darf. Der König hielt aber Etwas darauf, dem Kaiser seine
Freude und seinen Dank für diese, damals noch einzige Ver=
leihung zu erkennen zu geben, und dies war überhaupt das
einzige Mal, wo ich den König mit diesem großen Bande
über dem Waffenrock gesehen habe.

Gleich zu Anfang des Jahres reichte ich das in diesen
Blättern für das Jahr 1869 Aufgezeichnete dem Könige
ein und erhielt diesmal die Bogen sehr spät, aber ohne jede
Korrektur oder Randbemerkung zurück; dagegen mit folgender
Erklärung für den Vorgang während der Königsrevüe in
Königsberg, wo der König beim Diktiren das „Von Gottes
Gnaden" in „Aus Gottes Gnade" verwandelt hatte. Diese
Erklärung lautete:

　　„„Weil gerade die Worte: ‚Von Gottes Gnaden'
als eine Phrase ohne Sinn von der Umsturzparthei
geschildert und darum verlästert werden, wollte ich
durch die Worte: ‚Aus Gottes Gnade' den Menschen
einmal bemerklich machen, was jene geschmähten Worte
denn doch eigentlich bedeuten und welch tiefer demuths=
voller Sinn in denselben ruhet!

Dies ist die einzige Bemerkung zu dem auf der Reise hierher Gelesenen.

Ems 20. 6. Wilhelm""

Es war also kein Nachgeben gegen die prinzipielle Feindlichkeit der Demokratie, wie ich im ersten Augenblicke geglaubt hatte, sondern im Gegentheil ein noch festeres Auftreten gegen die Irrlehre, welche so gern die Einsetzung jeder Obrigkeit auf Erben durch Gott leugnet, weil der Gedanke, auch gegen göttliches Gesetz zu handeln, die Revolutionslustigen genirt. Aus Gottes Gnade geschieht Alles auf Erben, und die Redefertigkeit eines Oppositionsmannes hat denselben Ursprung wie die angeborene Regierungspflicht eines Fürsten. „Von Gottes Gnaden" ist nur die alterthümlich hergebrachte Formel für die vieltausendjährige Wahrheit, daß eben Alles: „Aus Gottes Gnade" vorhanden und wirksam ist. Für sich selbst nimmt auch der überzeugteste Demokrat jede ihm geworbene Gottesgabe in vollen Anspruch und betrachtet sie als sein Eigenthum und Recht, will aber nicht zugestehen, daß auch die Gewalt, die über ihn gesetzt ist, von Gott stammt! Hätte ich damals schon diese Erklärung des Königs gekannt, so würde ich es mir nicht haben nehmen lassen, in der Presse für das rechte Verständniß der vom Könige gewählten Ausdrucksweise zu sorgen. Möge sie wenigstens hier zur Erkenntniß seiner wahrhaft „königlichen Gedanken" aufbewahrt bleiben.

Der mir befreundete Kaiserlich Russische Beamte der Privatkanzlei des Kaisers, A. von Schulz, war nach der Schweiz gesandt worden, um dort die Auslieferung des Meuchelmörders Netschajeff zu bewirken, der sich an hoch= verrätherischen Unternehmungen gegen den Kaiser betheiligt hatte. Auf seiner Rückreise erzählte mir von Schulz, daß er auf besonderen Befehl eine ausführliche Denkschrift zu= sammengestellt habe, welche dem Preußischen Gesandten in Petersburg für den König von Preußen zugestellt worden sei, weil der Kaiser gewünscht habe, seinen Onkel von der Lage der Dinge unterrichtet zu wissen, was um so wichtiger war, als vor einiger Zeit in Genf der sozialdemokratische Kongreß abgehalten worden, an dessen Schluß der Präsident gesagt hatte: die nächste Versammlung werde im Mai des folgenden Jahres in Paris abgehalten, weil dann in Frank= reich die Republik bereits erklärt sein würde. — Der Mann hat sich nur um einige Monate geirrt, und Mai statt Sep= tember angegeben! — Zu diesem Kongresse hatte nun auch Netschajeff sich in Genf einfinden sollen; deshalb die Sendung jenes Russischen Beamten dorthin.

Da nun von Schulz mir mitgetheilt, daß seine Denk= schrift in die Hände des Königs gelangt sein müßte, so er= zählte ich, daß derselbe jetzt in Berlin angekommen sei. Der König wußte aber gar nichts von der ganzen Angelegen= heit, hatte keine Denkschrift erhalten und kannte überhaupt die in derselben geschilderten Vorgänge in Rußland nicht. Wie es hatte geschehen können, daß eine amtliche, für die Person des Königs bestimmte, den offiziellen Weg durchlaufende

Denkschrift nicht in die Hände des Königs gelangt war, war
mir unerklärlich.   Allerdings war es möglich, daß man ihm
nur den unangenehmen Eindruck hatte ersparen wollen, denn
es handelte sich in dieser ganzen Angelegenheit um plan=
mäßigen Fürstenmord.   Wie wenig kannte man dann aber
das Pflichtbewußtsein des Königs, der auch Unangenehmes
zu ertragen mußte und es nie von sich wies.

Am 4. Mai feierte ich mein 50 jähriges Dienstjubiläum,
da ich an diesem Tage im Jahre 1820 zum ersten Male
als weissagender Knabe Elamir in der Oper Axur auf dem
Schauspielzettel gedruckt gestanden.   Die mir von den ver=
schiedensten Seiten erwiesenen Freundlichkeiten gaben ein
Bild meines seltsam kontrastvollen Lebenslaufes.   Das könig=
liche und viele andere deutsche Theater, die den Schauspieler
und Theaterdichter nicht vergessen hatten, gelehrte und
belletristische Gesellschaften, die ich entweder gestiftet oder
denen ich als thätiges Mitglied angehört, die städtischen
Behörden von Potsdam, für welche ich als Stadtverordneter
gewirkt, die Loge, die Redaktionen aller Deutschen und
Russischen Militär=Zeitschriften, so wie der politischen Zeitungen,
an denen ich mitgearbeitet, die sämmtlichen Regimenter der
Potsdamer Garnison, welche sich freuten, daß ihr „Soldaten=
freund" noch immer nicht alt werden wollte, — sie Alle
beglückwünschten mich; und die Gedichte, Kränze, Geschenke,
Musik, Reden, Festgaben u. s. w. waren mir um so über=

raschender, als ich nicht davon gesprochen hatte und die
mannigfachen Vorbereitungen vor mir geheim gehalten worden
waren. —

Nur vom Könige wurde mir keinerlei Zeichen von
Theilnahme an meinem Ehrentage, und gerade danach fragten
mich Alle, so daß ich nicht wußte, was ich antworten sollte,
da doch der König das quasi fünfzigjährige Jubiläum im
vorigen Jahre durch ein so überaus gnädiges Handschreiben
geehrt. Allerdings hatte ich die Sache auf keine Weise
erwähnt; aber viele Personen aus der Umgebung des
Königs wußten davon, und der Geheime Kabinetsrath von
Wilmowski hatte schriftlich im Allerhöchsten Auftrage bei
mir angefragt, ob es seine Richtigkeit habe, daß mein
Name auf einem von dem Generalintendanten der König=
lichen Schauspiele von Hülsen eingereichten Theaterzettel
vom 4. Mai 1820 gedruckt stehe. So mußte ich den
König wenigstens davon unterrichtet glauben. Der Tag
ging aber mit all' seinem festlichen Geräusch vorüber, ohne
daß ich die ohne Unterlaß an mich gerichteten Fragen hätte
beantworten können, ebenso der 5. Mai; am 6. aber erhielt
ich durch einen Leibgensdarmen aus Babelsberg das folgende
Königliche Handschreiben:

„„Durch eine Datums=Verwechselung sende ich Ihnen
erst heute mein Angebinde zu Ihrer 50jährigen Jubel=
feier, nachdem Sie Dreien Königen mit Treue und
Ausdauer dienten.

B. 5/5. 70.   Wilhelm.
Hierbei die 2. Klasse des Kronen=Ordens.““

Die Insignie trug nicht die Zahl 50, wie dies bei Ver=
leihungen für Dienst=Jubiläen gebräuchlich; der König hatte mir
also diese Auszeichnung nicht dafür verliehen, daß ich 50 Jahre
erlebt, sondern weil ich in dieser Zeit nach den Worten des
Handschreibens „mit Treue und Ausdauer" gedient, und zwar
dreien Königen.   So gewann gerade diese Auszeichnung eine
doppelte Bedeutung, um so mehr, als es die letzte war, die
ich überhaupt nach meiner bürgerlichen Stellung erhalten
konnte.

Der König beschäftigte sich um diese Zeit viel und mit
Vorliebe mit den Vorbereitungen und Anordnungen zu der
für den 3. August beabsichtigten Nationalfeier, der Enthüllung
des Denkmals für König Friedrich Wilhelm III., in welcher
er die ganze Liebe und Dankbarkeit des Sohnes, die ganze
Anerkennung und Bewunderung des Nachfolgers an der Krone
aussprechen wollte.   Was davon verlautete, versprach Groß=
artiges, der gewonnenen Stellung Preußens Würdiges.   Auch
von anderer Seite her wurde dafür vorgearbeitet; so beab=
sichtigten die Senioren die Stiftung einer Kopie des Denkmals
im Kleinen zum Geschenk für den König und zu Ehren
der Stiftung des Eisernen Kreuzes.

Der Zufall führte mich in der Komitésitzung der Elisabeth=
stiftung mit dem Kommerzienrath Vollgold zusammen, der
für diese Idee wirkte und gerade mit dem Direktor der Kunst=
kammer darüber verhandelte, wie man den in derselben auf=

S*

bewahrten goldenen Stern des Fürsten Blücher kopiren
könne, um ihn an hervorragender Stelle auf diesem Denkmal
anzubringen, da er ja ein Unikum sei, und ein Denkmal für
das Eiserne Kreuz diesen bedeutsamen Schmuck nicht ent=
behren dürfe.

Mir kam die Sache bedenklich vor, da ich hörte, daß
auch die Originalkreuze Friedrich Wilhelms III. und IV.,
sowie König Wilhelms darauf angebracht werden sollten.
Ich bat daher den Kommerzienrath Vollgold, mit Ausführung
seiner Idee noch so lange zu warten, bis ich dem Könige
dieselbe mitgetheilt, dessen Bewilligung dafür doch wohl
nöthig sei. So geschah es am nächsten Sonnabend, und
wie ich erwartet hatte, sprach der König ebenfalls sein Be=
denken aus: „Wenn man mir an dem Fest=Gedenktage meines
Vaters eine Freude machen will, so muß sich das Denkmal
darauf beschränken, meinen verewigten Vater allein zu ver=
herrlichen. Das wohlverdiente eiserne Kreuz des Fürsten
Blücher im goldenen Stern würde aber durch seine große
und auffallende Form alle anderen Embleme und Zierden
des Denkmals überragen und nothwendig zum Mittelpunkte
des Ganzen werden, und wenn das Eiserne Kreuz meines
Bruders und das meinige mit dem meines hochseligen Vaters
zusammen angebracht würden, so wäre das unpassend, weil
wir seine Söhne sind und unser Verdienst nur ein be=
scheidenes ist. Sollte das Denkmal dem Eisernen Kreuze
gelten, so wäre die Sache anders und der goldene Stern
des Fürsten Blücher wohl angebracht; es soll ja aber meinem
Vater an seinem Geburtstage und der Nationalfeier gelten.

So wird es doch wohl gut sein, wenn mir die Zeichnung noch einmal vorgelegt wird."

Ich theilte diesen Ausspruch des Königs dem Kommerzien=rath Vollgold mit. Die bald nachher eintretenden Ereignisse ließen aber die Feier überhaupt aufschieben, und die damit in Verbindung stehende Erneuerung des Eisernen Kreuzes für den Feldzug gegen Frankreich gestaltete etwas ganz Anderes aus jener ursprünglichen Idee.

Am Schlusse des Jahres 1868 habe ich in diesen Auf=zeichnungen den Brief des Generals von Manteuffel an mich mitgetheilt, in welchem von den ersten Grundzügen zur Reorganisation der Armee als dem Beweise gesprochen wird, daß dieselbe das eigenste Werk des Königs und von ihm in wenigen großen Zügen schon im Jahre 1859 bei der Demobilmachung fest vorgezeichnet worden sei. Ich theilte diesen Brief des Generals dem Könige mit und bat, ob ich jenen Entwurf nicht zur Kenntnißnahme erhalten könne, weil er sonst, in den Akten vergraben, vielleicht in Vergessenheit kommen würde. Nach dem Urtheil des Generals von Man=teuffel sei dieses Schriftstück aber ein so bedeutendes Material für die Geschichte des Heeres, daß es doch zu bedauern wäre, wenn es unbekannt bliebe. Der König erinnerte sich sehr wohl, einen solchen Demobilmachungs=Entwurf im Sommer 1859 niedergeschrieben zu haben, schien aber ganz überrascht, daß der General von Manteuffel demselben eine so große Wichtigkeit beilegte und hatte nichts dagegen, als ich mir die Erlaubniß erbat, nach dem Verbleib dieses Akten= stückes forschen zu dürfen. Leider waren meine Bemühungen vergeblich. Weder im Kriegsministerium, noch im Militär= kabinet erfuhr ich etwas darüber, und als ich dies meldete, wiederholte der König, daß er kaum glaube, jener Schrift eine solche Bedentung beilegen zu können; da ich aber den bescheidenen Sinn des Königs längst kannte, wiederholte ich auch meine Bitte, um vielleicht durch seine Vermittlung in den Besitz derselben zu gelangen. Ein ganzes Jahr sollte indessen vergehen, ehe ich wieder davon hörte. Da, am 19. Juni 1870, kurz vor der an diesem Tage erfolgten Ab= reise des Königs nach Ems erhielt ich mit folgenden Zeilen:

> „„Für den Fall, daß Sie die bewußte Einlage noch nicht kennen, sende ich sie zu Ihrer Kenntnißnahme.
>
> Wilhelm.““

das fragliche Schriftstück und mit ihm die Erklärung der Leistungen unserer Armee in den Jahren 1864, 1866 und 1870, so weit diese sich aus ihrer gegenwärtigen Organisation ergeben. Die Schrift ist in einem Gusse hingeworfen, nur zwei redaktionelle Korrekturen und einige eingeschaltete Frage= zeichen befinden sich darin, und so bestätigt sich Alles, was General von Manteuffel von derselben gesagt hatte.

Da in den Zeilen des Königs „zu Ihrer Kenntniß= nahme“ unterstrichen war, so wagte ich es auch nicht, einen anderweitigen Gebrauch davon zu machen, allerdings sehr gegen meinen Wunsch und gegen meine Ueberzeugung von dem Interesse, welches die Armee an diesem Zeugniß ihrer

Wiedergeburt nehmen würde. Möge es wenigstens in der folgenden Abschrift nicht verloren sein, obgleich es nur von Sachverständigen ganz gewürdigt werden kann:

Formation der Armee während eines Jahres vom 1. August 1859.

Infanterie. Garde- und Provinzial-Landwehr.

1. Sämmtliche Landwehr-Bataillone werden bis auf die Stamm-Mannschaften entlassen. Ueber die Offiziere wird wie nachstehend verfügt.

2. Sämmtliche Linien-Infanterie-Bataillone setzen sich auf den Friedens-Etat von 686 Köpfen, indem sie:
   a) die älteste Klasse der Reserve-Mannschaften entlassen,
   b) die jüngste Klasse derselben dagegen an die Land-wehr-Stämme abgeben.

3. Die Stamm-Mannschaften der kombinirten Reserve-Bataillone, welche die Stämme des Ersatz-Bataillons jetzt bilden, treten zu gleichen Theilen zu den Stamm-Mannschaften ihrer gleichnamigen Landwehr-Regimenter über.

4. Die zum 1. August ausgeschriebenen Rekruten werden den Landwehr-Stämmen überwiesen und mit den gleich-falls dahin überwiesenen Abgaben der Linien-Regi-menter 2c. (s. oben ad 2b und ad 3) in 4 Kom-pagnien eingetheilt, um ausgebildet zu werden.

5. Die Landwehr-Kompagnieführer und Landwehr-Offiziere bleiben bei ihren Landwehr-Bataillonen, jedoch außer

dem Kompagnieführer 1 Premier= und 1 Sekonde=
Lieutenant per Compagnie.

6. Jede Kompagnie eines Infanterie=Regiments giebt
1 Unteroffizier zu den neuformirten Landwehr=Stamm=
bataillonen ab. Wünschen Landwehr=Unteroffiziere im
Dienste zu bleiben, so werden so viele Unteroffiziere
weniger vom Linien=Regimente abgegeben.

7. Die gleichnamigen Linien= und Landwehr=Regimenter
geben die Bekleidung für die Landwehr Stamm=
Bataillone.

8. Am 1. Oktober erfolgt die gewöhnliche Rekrutirung
der Linien=Infanterie, und zwar aus den noch vor=
handenen Dienstpflichtigen aller Jahrgänge von 20 bis
25 Jahr. Wenn ein Stamm=Landwehr=Bataillon jetzt
nicht sofort 200 Rekruten erhält, so würde ihm am
1. Oktober aus dieser nachträglichen Rekrutirung die
benöthigte Anzahl gestellt.

9. Die Ersatz=Kommissionen haben sofort die nachträgliche
Aushebung zu bewirken, aber zugleich ihre Revision
auf die Altersklasse pro 1860 auszudehnen, um die
Leute zu designiren, welche etwa ihrer Körperstärke nach,
schon im Winter oder Frühjahr einstellungsfähig sind.

10. Die Landwehr=Regiments=Kommandeure verbleiben in
ihrer Stellung (jedoch nur mit der halben Gehalts=
zulage).

Kavallerie:

Garbe und Linien=Regimenter verbleiben auf
Kriegsstärke.

Landwehr-Regimenter:

1. Sie entlassen die Mannschaften bis auf 160 Mann und 300 Pferde, welche in vier Abtheilungen getheilt werden, über welche die Eskadronführer, sowie der Landwehr-Regiments-Kommandeur über das Stamm-Regiment das Kommando fortführen.

2. Außerdem verbleibt 1 Landwehr-Offizier per Stamm-Abtheilung bei demselben.

3. Jede Eskadron eines Linien-Regiments giebt 2 Unteroffiziere an jede Stamm-Abtheilung ab.

(Landwehr-Unteroffiziere siehe Infanterie ad 6.)

4. Am 1. Oktober treten die ausgedienten Mannschaften der Linien-Kavallerie-Regimenter zu dem Landwehr-Stamm-Regiment über, wogegen diese die Landwehrleute entlassen.

Sollte dadurch die Zahl von 160 Mann nicht komplett bleiben, so werden die Manquements durch Rekruten ersetzt.

5. Am 1. Oktober erfolgt die gewöhnliche Rekrutirung der Linien-Regimenter, incl. der ad 4 bezeichneten Quote für die Landwehr-Stamm-Regimenter. — (Sollte die Infanterie Rekrutirung zum 1. August auch auf die Kavallerie Anwendung finden, so treten an diesem Tage die Augmentations-Mannschaften der Linien-Kavallerie-Regimenter zu den Stamm-Regimentern über, und diese entlassen eben so viele Landwehrleute.)

6. Die Linien-Kavallerie-Regimenter dürfen bei Auflösung

der Landwehr-Kavallerie-Regimenter und der Kolonnen sich Pferde von diesen eintauschen.

Artillerie: bleibt auf der vollen Kriegsstärke. Nur die Kolonnen werden aufgelöst. Austausch der Pferde ist dabei der Artillerie und Kavallerie gestattet. Es werden am 1. August so viele Mannschaften der ältesten Jahrgänge entlassen, als an diesem Tage Rekruten eingestellt werden.

Die Jäger-Bataillone: setzen sich auf die Friedensstärke. Die Ersatz-Abtheilungen stellen die jüngsten Altersklassen der von den Bataillonen zu entlassenden Mannschaften bei sich ein, entlassen dagegen ihre anwesenden Jäger in die Heimath und erhalten außerdem am 1. Oktober 50 Rekruten, während die Bataillone am 1. August ihre vorschriftsmäßige Quote empfangen.

Pioniere: Sie bleiben auf 5 Kompagnien per Abtheilung formirt, setzen sich auf die Friedensstärke, geben den jüngsten Jahrgang an die Ersatz-Abtheilung; diese entläßt dagegen alle Landwehr-Mannschaften, wogegen sie am 1. Oktober keine Rekruten einstellt, während die Abtheilung selbst ihre jährliche Quote am 1. August empfängt. Die Ponton-Trains bleiben zur Hälfte bespannt.

Alle Formationen der nicht in Reih und Glied stehenden Mobilmachungs-Körper werden aufgelöst (?).

Die Kriegsformation der Armee-Korps in drei

Divisionen wird vorläufig beibehalten. (Die Divisions-
Führer erhalten nur die halbe Zulage?)
                Babelsberg den 15. Juli 1859.
                    Wilhelm, Prinz von Preußen
                        Regent.

Das ist allerdings noch nicht die ganze Reorganisation
der Armee, aber es ist die mit sicherer Hand geplante Ueber-
führung in dieselbe. Sie mußte erst den Umweg über diese
Landwehr=Stamm=Truppentheile und über die kombinirten
Regimenter nehmen, um zu der später eintretenden Ver-
doppelung der Linientruppen zu werben. Ich weiß allerdings nicht, ob damals schon die ganze Form der neuen
Schöpfung fertig vor dem Geiste des Prinz=Regenten gestanden; jedenfalls wäre aber bei den übrigen staatlichen
und politischen Verhältnissen jener Zeit die Reorganisation
auf ihren jetzigen Etat nicht möglich gewesen, so daß eine
solche Hinüberleitung stattfinden mußte. Es läßt sich daher
fast annehmen, daß diese Ordre in ihrer decibirten Kürze
und Sachlichkeit schon das später zu erreichende Ziel im Auge
hatte, obgleich nur Wenige damals verstanden haben mögen,
welche bedeutende Veränderung durch dieselbe eingeleitet wurde,
und daß sie in der That eines der merkwürdigsten und folgen-
reichsten Aktenstücke zur Geschichte der Armee und, durch sie,
zur Geschichte des Vaterlandes war. —

—————

Zum ersten Male erhielt ich in diesem Jahre vom
Könige Eingereichtes ohne Korrektur oder Bemerkung zurück,

und es ist merkwürdig genug, daß ich es in einer solchen
Zeit überhaupt mit gewohnter Pünktlichkeit zurückerhielt.
Ich hatte nämlich kurz vor dem Ausbruche des Krieges mein
Werk über den schwarzen Adlerorden vollendet, und sandte
unterm 11. Juli aus Wiesbaden die letzten Bogen an den
König, der sich in Ems befand. Meine Sendung traf gerade
in die Tage, wo sich der französische Kaiser durch seinen Bot=
schafter Benedetti in die Angelegenheit der Thronbesetzung
in Spanien durch einen Hohenzollernschen Prinzen in brüsker
Weise eindrängte. Nach dem Poststempel aus Ems wurden
sogar meine Probebogen am Tage vor der Abreise des Königs
an mich expedirt, und die gleich darauf folgenden Ereignisse
erklärten hinreichend, weshalb sich diesmal keine Korrekturen
auf denselben befanden. Obgleich der König selbst bei der
Abreise aus Ems noch nicht an den ganzen Ernst der Lage
glaubte, — hatte er doch beim Abschiede auf dem Bahnhofe
dem Botschafter Benedetti ganz freundlich die Hand gegeben,
also keineswegs in der Aufdringlichkeit desselben eine Ver=
letzung seiner Würde erkannt, wie ganz Deutschland, in Zorn
aufflammend, sie empfunden, — so war doch wenigstens keine
Zeit mehr zu prüfender Durchsicht eines trockenen Ordens=
werkes. Die Umstände aber, unter denen die Rücksendung
erfolgte, zeigten, wie der König inmitten großartiger An=
forderungen auch des Kleinen nicht vergaß.

Ehe ich indessen zu den weitaus wichtigsten Begeben=
heiten dieses Jahres komme, muß ich wieder Vorhergegangenes
nachtragen. Die wohlthätigen Einwirkungen des Krieges von
1866 auf die inneren Verhältnisse waren schon abgeschwächt.
Hätte der Parlamentarismus an der Armee rütteln dürfen,
und wäre der Norddeutsche Reichstag nicht an seine Be=
willigung für fünf Jahre gebunden gewesen, so würde sich
die Opposition schon längst wieder auf ihr dankbarstes Thema,
das Armeebudget, nagend und zerbröckelnd geworfen haben.
Bei jeder nur irgend sich darbietenden Gelegenheit züngelte
die Lust dazu hervor, und was im Reichstage nicht besprochen
werden durfte, das wurde in den Konventen der immer
lauter werdenden Sozialdemokratie desto eifriger und radikaler
traktirt, besonders bei der von Frankreich auf das Tapet
gebrachten Abrüstungsfrage. Ich suchte durch mehrere Artikel
in Zeitschriften zu beweisen, daß eine sogenannte Abrüstung
oder Verminderung des stehenden Heeres in Preußen gar=
nicht möglich wäre, wenn nicht das ganze Grundgesetz seiner
Wehrkraft umgestürzt würde. Dergleichen einfache Wahrheiten
wollten die Gegner aber nicht hören und halfen sich damit,
daß sie sich in gar keine Diskussion einließen, sondern fort=
fuhren, das Stichwort „Abrüstung" auszuschreien. Wohin
wäre es wohl gekommen, wenn die Opposition gerade in
diesem Jahre ihren Willen erreicht hätte!

———

Dagegen suchte man auf einem anderen Wege an der
Königlichen Macht zu rütteln, und zwar durch Abschaffung

der Todesstrafe auch für Hochverrath. Ich folgte den Debatten
im Reichstage mit großer Bewegung, weil ich fühlte, wie
dem Könige bei diesem Anbringen zu Muthe sein mußte;
denn ich hatte bei der Krönung 1861 gesehen, wie er das
von dem Oberburggrafen dargereichte Reichsschwert ergriffen,
und es in voller Durchdrungenheit und festem Entschluß in
die Höhe gehalten, als der Geistliche ihm die Worte zurief:

„Gott, der Euch das Schwert anvertraut hat zum Schutze
der Frommen und Rechtschaffenen, zur Strafe der Ungerechten,
der Verächter des Gesetzes und Eurer Person oder derer, die
das Land ins Verderben bringen wollen, gebe Euch seine
heilige Gnade, daß Ihr allezeit getrost und männlich streitet
und Euren Auftrag zur Ehre Gottes, zum Frieden Eures
Gewissens und zur Wohlfahrt Eurer Unterthanen ausrichten
möget durch Jesum Christum, unsern Herrn!" —

Daß der König keines dieser gewaltigen Worte vergessen
hatte, dafür lag seine ganze bisherige Regierung als Beweis
vor, und wer sich selbst nur durch das Auge von dem festen
Willen und den unerschütterlichen Vorsätzen des Königs bei
diesem Eingreifen des Reichsschwertes überzeugen will, der
sehe das Menzel'sche Krönungsbild, welches gerade diesen
Moment darstellt. — So mußte ich denn, daß der König
diesem Vorschlage gegenüber, nach welchem die „Verächter des
Gesetzes wie seiner eigenen Person und Alle, die das Land
ins Verderben bringen wollen", von der Todesstrafe befreit
werden sollten, gewiß einen schweren Seelenkampf durchzu-
kämpfen hatte und erhielt die Bestätigung dafür aus seinem
eigenen Munde. Der Zufall führte mich nämlich mit meinem

Jugendfreunde Friedberg, Geheimen Oberjustizrath und vortragenden Rath im Justizministerium, zusammen, welcher das juristische Gutachten in dieser Frage für den König bearbeitet hatte, das sich für die Abschaffung der Todesstrafe auf Hochverrath aussprach. Friedberg sagte mir, daß der König ungemein treffende und bedeutende Randbemerkungen auf dieses Gutachten geschrieben, welche bewiesen, wie schwer es dem Könige werde, hierin mit der Strömung der Zeit zu gehen; es sei dies um so merkwürdiger, als die außerordentliche Abneigung des Königs, ein Todesurtheil zu unterschreiben, ja bekannt sei, in diesen Randbemerkungen sich aber die feste Ueberzeugung ausspreche, die Aufhebung der Todesstrafe für Hochverrath nicht mit seiner Regentenpflicht vereinigen zu können. Bei meinem Wunsche, dergleichen Schriftstücke des Königs zu sammeln, lag der Gedanke sehr nahe, dieses Gutachten kennen zu lernen und steigerte sich noch, als sowohl der Justizminister Leonhard, wie Graf Bismarck plötzlich für die Ansicht des Königs, — also gegen ihre eigenen früheren Reden und Vota, — eintraten. Da ich keine Hoffnung hatte, das fragliche Aktenstück aus dem Justizministerium zu erhalten, wagte ich am 21. Mai den König selbst danach zu fragen und zu bitten, ob mir jene Randbemerkungen nicht zugänglich gemacht werden könnten? — Der König wunderte sich, daß ich davon wußte, schien von der ganzen Angelegenheit schmerzlich bewegt und sagte mir:

„Die letzten acht Tage sind seit der Zeit des Konflikts wegen der Armee-Reorganisation, die schwersten meiner Regierung gewesen. Zum ersten Male befand ich mich einer Opposition

seitens meines Ministeriums gegenüber, der sich auch mein
Sohn anschließt. Roon, Mühler und Selchow sind mit
mir, alle Anderen gegen mich, besonders Bismarck und Eulen=
burg. Ich habe Alle einzeln sprechen lassen, sie dann ent=
lassen und ihnen gesagt: „Ich werde nun mit Dem zu Rathe
gehen, der mir 1866 vor dem Ausbruche des Krieges mit
seinem Rathe beigestanden.‘“

Damit brach aber der König auch das Gespräch ab und
erwähnte jener Randbemerkungen sowie meines Wunsches nicht
weiter. Von welcher Wichtigkeit die Sache überhaupt war,
dafür liegt eine gewiß unverdächtige Bestätigung in einem
Leitartikel der Volkszeitung Nr. 121 vom 26. Mai vor. Ich
hatte nämlich in der Kreuz=Zeitung auf jene Worte des
Geistlichen bei der Krönung aufmerksam gemacht, weil ich
hoffte, dadurch den eigentlichen Kern der hochwichtigen Sache
den Zweiflern und Unentschiedenen wenigstens zum Bewußt=
sein zu bringen. Wie selbstverständlich, fiel die Volkszeitung
mit besonderer Heftigkeit über diesen Artikel her, sprach von
„Fanatismus contra Vernunft“, von „Henkerbeil“ statt des
Schwertes, welches die fanatische Kreuz=Zeitung zum „Nach=
richterwerkzeug“ machen möchte, leugnete die Macht des
Königs und die Bedeutung der Worte eines Geistlichen
u. s. w. u. s. w. Ich hatte also den Nagel auf den Kopf
getroffen. Der König mußte übrigens von meinem Artikel
in der Kreuz=Zeitung nichts. Ich war nur dem eigenen
Drange gefolgt. Schwerlich würde er mir auch die Er=
laubniß dazu gegeben haben, seine Gedanken öffentlich zu
kommentiren; und wie der König das eigentliche Wesen der

Sache ganz richtig herausgefühlt, beweist wohl die freche,
von seinem sozialdemokratischen Standpunkte freilich nur
aufrichtige Bemerkung des Abgeordneten Liebknecht bei Ge=
legenheit der Debatte darüber im Reichstage: „Allerdings
kommt es darauf an, die Fürstengewalt zu brechen!" Denn
an die Stelle der Fortschrittspartei war jetzt schon die sozial=
demokratische oder die sogenannte Arbeiterbewegung getreten,
welche überhaupt um diese Zeit eine große Ausdehnung ge=
wann. Strikes, Associationen und Meetings aller Art fanden
statt. Bis jetzt hatte diese Erscheinung unsere leitenden
Staatsmänner ziemlich kalt gelassen, ja, man schien sich der=
selben zur Einschüchterung für die Fortschrittspartei bedient
zu haben, nach welcher Richtung hin sie auch immerhin gut
gewirkt haben mag. Nun fing die Sache aber doch an, den
Protektoren über den Kopf zu wachsen.

Am deutlichsten sprachen sich die Führer dieser Bewegung
in Süddeutschland aus, wo sie sich an die Bauern wandten,
indem sie als ihren Zweck hinstellten, allen Grund und Boden
für Staats= oder Volkseigenthum in Anspruch zu nehmen
und dann so zu vertheilen, daß jeder Bauer mehr erhielte.
Dem Könige entging die Bedeutung dieser gefährlichen Doktrin
nicht, denn er äußerte Anfang Juni gegen mich: „Damit
wollen sie den Ersatz für die Armee vergiften. Was soll
wohl daraus werden, wenn die jungen Leute schon solche
Ansichten aus ihrem Vaterhause mitbringen!" Aber auch
neben dieser Erscheinung hatte der König Ursache zu Be=
sorgnissen, denn von allen Seiten begann wieder das Sturm=
laufen und Agitiren gegen die dreijährige Dienstzeit, gegen

den Präsenzstand im Frieden und gegen die Militär=Justiz.
Der Journalistentag in Frankfurt a./M., die Zusammenkunft
der National=Liberalen und die Presse schienen sich für die
1871 zu erwartenden Debatten vorzubereiten, dagegen dachte
bis zum Juni kein Mensch an die Möglichkeit eines noch in
diesem Jahre ausbrechenden Krieges. Um so überraschter,
aber auch empörter war alle Welt, als er urplötzlich da war.
Der König hat später öfter davon gesprochen, daß er selbst
bei seiner Rückkehr aus Ems noch nicht an den wirklichen
und so nahen Krieg geglaubt, aber schon auf der Fahrt nach
Berlin die Ueberzeugung gewonnen habe, daß die deutsche
Nation entschlossen sei, den so frevelhaft hingeworfenen Fehde=
handschuh aufzunehmen. Fast mit jeder Station wuchs der
Jubel, der Zuruf, die Zustimmung, ja, die Anfeuerung der
Massen. Das war derselbe Aufschwung, dieselbe Begeisterung
wie im Jahre 1813! Aber wie anders stand jetzt Preußen
dem wieder drohenden Erbfeinde gegenüber!

Auf die Nachricht hin, daß der König seine Kur unter=
brochen hatte und nach Berlin zurückgekehrt war, verließ ich
Wiesbaden und meldete mich schon am 17. Juli Morgens
mit der Anfrage, welche Karten ich heraussuchen solle?
„„Baden, Württemberg, das ganze Rheinland!"" lautete
die Antwort. „Und von Frankreich?" — „„Bis zur Linie
Paris=Orleans!"" Das klang anders, als im Jahre 1866,
wo nur von der Linie Prag=Pardubitz die Rede gewesen war,

bis wohin auch nur die vom Generalstabe ausgegebenen Karten
gereicht. Ich hatte meine Herzensfreude über das so bestimmte
Aussprechen eines Zieles, nach welchem die Gedanken sich schon
beim Ausbruche des Krieges richteten. „„Vor der Hand
legen Sie mir die große Generalstabskarte von Baden heraus,
denn dort werden wohl die ersten Zusammenstöße stattfinden.““
Diese Meinung hat der König auch noch bis zur Abreise ins
Hauptquartier festgehalten und jedenfalls ein rascheres Ein=
fallen der Franzosen in die Rheinpfalz und Baden erwartet.
Mit wahrem Vergnügen legte ich die Rheinlauf=Sektionen
der Karte des Großherzogthums nebeneinander, und zwar
auf eine vortreffliche Unterlage, nämlich auf den großen
Reliefplan der Schlacht bei Königgrätz, welcher schon seit 1867
im Vortragszimmer stand und eine der Fensteröffnungen ganz
ausfüllte. Noch besser hätten allerdings die Sektionen Metz
und Sedan auf diese Unterlage gepaßt. Wer hätte das freilich
damals ahnen können! —

Die Frage, ob ich mitgenommen werden würde, war
diesmal sehr viel leichter abgethan, als im Jahre 1866; ich
fragte auch wohl zuversichtlicher, jedenfalls entschied sich der
König rascher. Diesmal nahm ich, da ich vier Jahre älter
geworden, einen Trainsoldaten zur Bedienung in Anspruch
und begann sofort meine Thätigkeit.

Zunächst lebte der Feld=Soldatenfreund wieder auf, für
welchen ich vor allen Dingen die Postbehörden gewinnen
mußte, denn seit 1866 waren alle Portofreiheiten aufgehoben

9*

worden, und die Versendung an die im Felbe stehenden
Truppen war daher außerordentlich kostspielig. Des Zweckes
wegen und weil der „Feld-Soldatenfreund" im Jahre 1866
gut gewirkt, kam mir der General=Postdirektor Stephan
freundlich entgegen, und eifrig wurde nun zur Ausführung
geschritten. Jede Kompagnie, Eskadron, Batterie, jedes
Lazareth u. s. w. sollte 2 Exemplare erhalten, und die
Feldpostanstalten verlangten dazu 6000 Exemplare, welche
auch für sämmtliche 25 Nummern, also mit 150,000 Bogen
pünktlich abgeliefert und vertheilt wurden. Für die den
Soldaten so willkommenen Bilder in Holzschnitt reichten
indessen die Mittel nicht aus. Ich wandte mich an ver=
schiedene Buchhändler und Herausgeber von Illustrirten Zeit=
schriften, wegen unentgeltlicher Ueberlassung von Holzschnitten
militärischer Gegenstände, fand aber nur bei dem Geheimen
Ober=Hof=Buchdrucker von Decker und dem Redakteur der
„Militärischen Blätter" von Glasenapp bereitwillige Ge=
währung. Andere schienen nicht zu begreifen, daß man
Etwas umsonst schreiben oder redigiren könne und mochten
wohl glauben, ich hätte Vortheil von dem Unternehmen.

Kaum war die erste Nummer erschienen und hatte auch
einige wirksame Gedichte gebracht, als eine unglaubliche Menge
von Gedichten eingesandt wurde, deren Abdruck nicht allein
allen, sondern den doppelten und dreifachen Raum des Blattes
in Anspruch genommen haben würde. Es war also unmöglich,

dieſen Gedichten einen irgend wie genügenden Raum zu bewilligen. Und doch war, ſowohl unter den eingeſandten, als
unter den ſonſt in allen Theilen Deutſchlands erſcheinenden
Dichtungen, ſo viel nicht allein poetiſch, ſondern auch volks-
thümlich und ſoldatiſch Werthvolles, ja vorausſichtlich höchſt
Wirkſames, daß es mir ſchwer wurde, mich beſchränken zu
müſſen. Wie aber, wenn ein reicher Mann in patriotiſcher
Geſinnung dafür eintreten wollte? Durch Freundesrath auf
den Geheimen Kommerzienrath von Bleichröder hingewieſen,
wandte ich mich an dieſen und fand das freundlichſte Entgegenkommen für meine Idee. Auf ſeine Koſten wurden den
im Felde ſtehenden Soldaten 23 Mal 600 Bogen mit Gedichten in die Hand gegeben und außerdem Tauſende von
Abdrücken in der Heimath vertheilt; und ich habe ſpäter
während des Feldzuges oft Gelegenheit gehabt, in Bivouaks
und Kantonnements die Wirkung zu beobachten, welche dieſe
Gedichtbeilagen auf die Soldaten hervorbrachten, und wie ſie
den vortrefflichen Sinn — nicht erweckten, denn das war
nicht nöthig, — aber ihn belebten und immer neu auffriſchten!

War mir dies verhältnißmäßig leicht gelungen, ſo war
die Aufgabe, einen Redakteur für die Zeit meiner Abweſen-
heit zu finden, deſto ſchwerer. Wenn ich auch die Hoffnung
und den Vorſatz hatte, die Artikel während der Bewegungen
des Hauptquartiers zu ſchreiben, ſo war damit eben nur das
geiſtige Element geſichert. Die ganze Laſt des Zuſammen-

stellens, der Korrektur, des Verkehrs mit der Druckerei, den
Holzschneidern und der Post, endlich die riesige Korrespondenz
mußte Jemand übernehmen, dessen Gesinnung, Geschäfts=
fähigkeit und Treue mir die vollste Garantie bot, und der
mit derselben Uneigennützigkeit der Sache dienen wollte, wie
ich selbst. Wieder war es, wie im Jahre 1866, der Professor
am Kadettenkorps Fr. Holtze, der allen diesen Anforderungen
entsprach, sich aller damit verbundenen Mühewaltung unterzog
und die Durchführung überhaupt ermöglichte. Ich konnte
nach den ersten, noch in Berlin herausgegebenen Nummern
ruhig dem Hauptquartiere folgen, denn die „stellvertretende
Bezirks= und Ersatz=Redaktion" war in den besten Händen.

***

Nächst dem „Feld=Soldatenfreunde" war die erneute
Verbindung mit dem Staats=Anzeiger für Berichte aus dem
Hauptquartier meine erste Sorge. Wie 1866 mußte vor=
zugsweise für dieses amtliche Blatt gesorgt werden, weil alle
Zeitungen, auch die der Opposition, sich berechtigt glaubten, aus
diesem nachdrucken zu dürfen. Es war zu erwarten, daß tüchtige
Korrespondenten auf den Kriegsschauplatz geschickt werden
würden, und das unabhängig Geschriebene ist unter allen
Umständen lesbarer, darum auch willkommener, als die noth=
wendig kühlere, von Rücksichten gefesselte Form der Mit=
theilung in einer amtlichen Zeitung. Nach meiner Ueber=
zeugung mußte der Staats=Anzeiger aber allen anderen
Blättern in der Mittheilung verläßlicher Nachrichten voraus

fein, und ich zögerte deshalb nicht, mich zu einer regel=
mäßigen Korrespondenz zu verpflichten, obgleich ich schon
1866 die Schwierigkeiten einer solchen Berichterstattung keunen
gelernt hatte. Freilich ging ich diese Verpflichtung nur in
der Hoffnung ein, daß der König auch während dieses Krieges
so gnädig sein würbe, mir für wichtige Fälle die Direktive
zu geben. Wie ich die Aufgabe theilweise gelöst und an
welchen Verhältnissen sie theilweise gescheitert, davon werde
ich weiterhin zu erzählen haben. Für den Staats=Anzeiger
arbeitete ich aus Ueberzeugung von der praktischen Nützlich=
keit für die Theilnahme in der Heimat. Für die neue
Preußische Zeitung, welche allein treu blieb, als 1848 Alle
und Alles untreu wurde, genügte ich meiner Neigung und
Anhänglichkeit durch fast tägliche ausführliche Berichte. Hier
durfte ich warm schreiben, wenn es mir warm ums Herz
wurde, hier durfte ich nicht allein Bericht erstatten, sondern
auch erzählen, hier brauchte ich nicht zu fürchten, daß mein
lebhaftes Gefühl in irgend einem Büreau von des Be=
denkens Blässe angekränkelt wurde. Diese Berichte aus dem
Hauptquartier (unter dem Zeichen ***) wurden, obgleich
ausschließliches Eigenthum der Kreuz=Zeitung, ebenfalls von
den meisten Zeitungen nachgedruckt und bilbeten eine zu=
sammenhängende Geschichte der Begebenheiten bis zur Rückkehr
des Königs nach Berlin. Außer dieser regelmäßigen Be=
richterstattung lieferte ich noch größere Arbeiten, wie die
Darstellung der Leistungen der 4. Kavallerie=Division unter
Führung des Prinzen Albrecht und die Theilnahme der
unter dem Oberbefehl des Großherzogs von Mecklenburg=

Schwerin stehenden Truppen an dem Zurückwerfen der Armee
des Generals Chanzy bis hinter le Mans; — sowie Leitartikel über wichtige Fragen des Augenblicks, in denen ich
Aeußerungen des Königs vertrat; und endlich allerlei Ge-
legentliches, z. B. den Unwillen des Königs über das Beklettern des Monuments Friedrichs des Großen beim Eintreffen der Siegesnachrichten in Berlin.

———

Für besonders wichtig hielt ich aber die Verabredungen
mit dem Wolff'schen Telegraphischen Büreau, wegen Zu-
sendung aller Telegramme, die den König interessiren konnten.
Wie 1866 wurde ausgemacht, daß sie an meine Adresse gesandt werden sollten, nicht allein, weil sie oft in der Nacht
eintrafen, und Jemand sie erhalten mußte, der im Stande
war zu beurtheilen, ob der König ihretwegen aus dem Schlafe
zu wecken sei, sondern auch um den König nicht mit Nachrichten zu belästigen, die im Hauptquartiere auf anderen
Wegen schon bekannt geworden. In Busancy, vor dem Gefechte bei Beaumont am 30. August, wurde ich nicht weniger
als siebzehn Mal in einer Nacht geweckt, weil die Telegramme sich durch die Schwenkung der beiden Kronprinzen-
Armeen von Bar le Duc nach den Argonnen aufgehäuft
hatten. Kamen Telegramme während des Tages, so brachte
ich sie sofort in das Quartier des Königs und ließ sie durch
die Dienerschaft übergeben; kamen sie während der Nacht
und hatten keine Eile, so brachte ich sie Morgens zum Kaffee

selbst und las sie vor. Da ich diese letzteren geöffnet über=
gab, so blieben die Couverts in meinen Händen, und ich
kam in der letzten Hälfte des Aufenthaltes in Versailles auf
die Idee, sie zu sammeln; für die Monate Dezember 1870,
Januar und Februar 1871 waren es allein 147. Sie trugen
sämmtlich die Adresse: An den Geheimen Hofrath L. Schneider
für des Königs (zuletzt Kaisers) Majestät. Die Gesammtzahl
aller durch mich übermittelten Telegramme überstieg für die
ganze Dauer des Feldzuges bei Weitem Tausend.

Die Erlaubniß, vor dem König täglich, sogar Morgens
früh beim Kaffee, erscheinen zu dürfen, die Nachrichten, welche
ich zu bringen, die Zeitungsnotizen, welche ich vorzulesen
hatte, die Aufträge und Weisungen, welche ich empfing, vor
allen Dingen aber die Aeußerungen, welche der König an
das naturgemäß daraus entstehende Gespräch knüpfte; alles
dies machte jene Zeit für mich zu einer unvergeßlich=glück=
lichen, ja erhebenden, und zu einer reichen Quelle für meine
Studienaufgabe, einen Charakter erkennen zu lernen, der
sich mit und an den mächtigen Begebenheiten immer merk=
würdiger und bedeutender entwickelte. Es war eine überaus
bevorzugte Ausnahmestellung, deren ich mich acht Monate
hindurch erfreute; mit dem Tage der Rückkehr nach Berlin
trat aber sofort wieder das frühere Verhältniß ein, und hätte
ich dies nicht selbst erkannt, und mich nur Sonnabends
melden lassen, so bin ich überzeugt, würde der König es

sogleich befohlen oder mir sehr deutlich zu verstehen gegeben haben. Niemand hatte bei König Wilhelm Anspruch oder Hoffnung darauf, über das Maß seiner zu leistenden Dienste zu seiner Person zugelassen zu werden; dies war überhaupt eine hervorragende Signatur seiner ganzen Regierungsperiode und Regierungsart. Niemand, absolut Niemand wagte sich diesem Herrn gegenüber aus seinen Schranken heraus, und sollte es Jemand auch einmal gewagt haben, so hat er es gewiß nicht zum zweiten Male gethan. Zu einem bloßen Gespräche oder einer Unterhaltung hatte der König begreif= licherweise niemals Zeit. Es mußte dabei immer etwas ge= schehen, etwas gefördert werden, er mußte selbst den Nutzen, die mögliche Frucht eines Gespräches erkennen, um es über= haupt fortzusetzen.

Wenn irgend Etwas mir acht Monate hindurch die Möglichkeit erhalten hat, jeden Morgen vor dem Könige er= scheinen zu dürfen, so war es meine siete Sorge, schon beim Eintritt, zur rechten Zeit — wieder hinaus zu gehen. Ich habe das Glück gehabt, nie vom Könige entlassen zu werden, sondern stets selbst auf die hin und wieder schon vorge= schrittene Zeit aufmerksam gemacht, wenn etwa eine Vor= lesung zu lange dauerte oder, so weit ich Kenntniß davon hatte, Dringliches vorlag. Ist das schon fürstlichen Personen gegenüber eine Regel der Schicklichkeit, so war es beim Könige geradezu eine Nothwendigkeit, denn die Eintheilung seiner Arbeitszeit war eine ungemein knappe, und es machte ihn unruhig, wenn Vorgänge wie Repräsentationen und Visiten ihn in dieser Eintheilung störten, die eingegangenen

Briefe und Berichte sich zu Bergen häuften und nicht in ge=
wohnter Regelmäßigkeit und Folge erledigt werden konnten.
Darin lag es auch wohl, daß der König während des Krieges
meinen Eintritt schon Morgens früh beim Kaffee gestattete,
während welcher Zeit er immer gern allein war, und nur
in äußerst dringenden Fällen Jemand einzutreten wagte.

In den Tagen vom 20. Juli bis zum Ausrücken des
Hauptquartiers am 31. war ich, wegen der Einleitungen
zur Herausgabe des Feld=Soldatenfreundes, in Berlin, und
ging jeden Morgen früh ins Palais, um bei der Hand zu
sein, wenn der König irgend etwas zu befehlen haben sollte.
In meinem Gefühl lag es, diesmal so viele Karten wie
möglich mitzunehmen, namentlich die ganz große Karte von
Frankreich. Meine diesbezüglichen Anstalten wurden dem
Könige aber zuviel, und er meinte lächelnd: „Die Cartons
und Futterale müßten ja einen ganzen Wagen füllen —
das sei viel zu umfangreich — man könne ja im Nothfalle
etwas nachkommen lassen — man müsse nur in Berlin Alles
heraussuchen und zurechtlegen, damit die Nachsendung leicht
erfolgen könne. — Vor der Hand sei überhaupt nur die
Karte von Baden, die Rheinpfalz und der westliche Theil
von Württemberg, sowie Rhein=Hessen nöthig." — Dagegen
blieb es bei dem Keil in Frankreich, dessen Basis der Rhein
von Basel bis Saarlouis bildet, und der sich westlich bis
Paris — Orleans erstreckt. Zu diesen, der Privatbibliothek

des Königs entnommenen Karten lieferte der große Generalstab seine Kopie der französischen Generalstabskarte, deren betreffende Sektionen der König während des Krieges auch täglich im Gebrauch hatte.

Vor Paris dehnte sich übrigens das Kriegstheater derartig aus und zerfiel in so weit auseinander liegende Operationsfelder, daß ich wiederholt immer neue Sektionen heraussuchen mußte. Während der Beschießung fehlte es sogar an einem Plane von Paris, auf welchem die Straßen mit Namen bezeichnet waren und nur zufällig gelangte ich in Versailles durch Kauf in den Besitz eines solchen. — Endlich lagen eine solche Menge von Karten auf dem Tische neben dem Arbeitstische des Königs, daß garnicht mehr durchzukommen war und ein stetes Suchen eintrat. Fast immer traf es sich, daß entscheidende Punkte, wie Sedan, Orleans, le Mans, Belfort am Raube oder in der Ecke einer Kartensektion lagen, so daß die Umgegend auf ein anderes Blatt übergriff und wenigstens zwei, manchmal sogar vier Sektionen neben einander gelegt werden mußten, wozu der Tisch wieder nicht ausreichte. Einmal und zwar nach der Schlacht bei Gravelotte ging das Blatt „Commercy" der Spezialkarte verloren. Vergebens wurde Alles durchsucht. Erst mehrere Tage später fand es sich in der Satteltasche eines Reitknechts, dem der König es bei dem Rekognoszirungsritt am 17. August gegeben.

Hatte ich Gefechtsrelationen, Telegramme über Schlachten und Belagerungen oder Zeitungsberichte vorzulesen, in denen Dörfer und Terrainabschnitte genannt wurden, so nahm der

König entweder gleich selbst die betreffende Sektion zur Hand,
oder ich mußte sie aus den auf dem Tische übereinander
liegenden heraussuchen. Während der König auf der Karte
folgte, wurde jedesmal das Frühstück unterbrochen und erst
fortgesetzt, wenn sämmtliche Orte gefunden und dadurch ein
klares Bild des militärischen Vorganges gewonnen worden
war. Für kleine Schrift wendete der König eine Loupe an,
die stets neben seinem Schreibzeuge lag. War das Zusammen=
halten mehrerer Blätter nöthig, so durfte ich ihm dabei hülf=
reiche Hand leisten. Zweimal hatte ich in Versailles dem
Könige gegen Abend, unmittelbar nach der Tafel, wichtige
Nachrichten zu bringen und fand ihn beide Male vor dem
Kartentische, wo er mit einem Zirkel die Entfernungen
maß, sich Notizen auf einem dabei liegenden Papiere machte
und die augenblickliche Situation studirte. Der König war
daher stets, sowohl bei den Generalsvorträgen, als wenn ihm
von Offizieren Bericht erstattet wurde, die soeben vom Schau=
platz der entfernteren Operationen eingetroffen waren, immer
vorzüglich unterrichtet. Major von Hagen, Adjutant des
Prinzen Albrecht, sagte mir, er sei erstaunt gewesen, den
König so vertraut mit dem Terrain gefunden zu haben, auf
welchem die Gefechte beim zweiten Vormarsch gegen Orleans
stattgefunden, und über welche er mit Bezug auf die Theil=
nahme der 5. Kavallerie=Division hatte berichten müssen. Ich
kann also aus eigener Wahrnehmung mit Bestimmtheit sagen,
daß der König sein Studium der Karten nicht auf die Zeit
der militärischen Vorträge beschränkte, sondern sich sorgfältig
auf diese vorbereitete. Es hängt dies vollständig mit der

Eigenart des Königs zusammen, der es nun einmal nicht
liebte, sich influiren zu lassen, wo die Kenntniß mit eigener
Mühe zu erwerben war, der darum aber auch keine persönliche
Anstrengung zu diesem Zwecke scheute.

Einige Tage vor dem Abgange des Hauptquartiers aus
Berlin sah ich wieder dieselbe große Kiste von unscheinbarem
Aeußern im Bibliothekzimmer stehen, in welche der König
1866 vor dem Beginn des Feldzuges seine wichtigsten Papiere
verpackt hatte, um sie im Falle eines Kriegsunglückes in
Sicherheit bringen zu lassen. Sie stand offen da und ich
konnte daher sehen, daß sie halb gefüllt war. Am Tage
darauf befand sie sich nicht mehr im Bibliothekzimmer, war
also wohl ihrer weiteren Bestimmung übergeben worden.
Gewiß hatte der König nach den Erfolgen von 1864 und 1866
Ursache, wieder mit Vertrauen auf seine Armee und mit Zu=
versicht im Gefühl seiner gerechten Sache in den Krieg zu
gehen; nie hat er aber die furchtbaren Erfahrungen seiner
Eltern in den Jahren 1806—1813 vergessen können. Kriegs=
glück ist wandelbar, und wie konnte man nach einer so voll=
ständig unveranlaßten und übereilten Kriegserklärung anders
vermuthen, als daß die französische Armee in großer Zahl
und vollkommen fertig in den Krieg eintreten würde. Ein
schwerer, langwieriger Kampf war zu erwarten und der König
verschloß sich am wenigsten dem Bewußtsein seiner möglichen
Wechselfälle. Mit den Abmahnungen und wohlwollenden
Rathschlägen lieber nachzugeben, als sich in die Chancen

eines solchen Krieges zu stürzen, scheint es diesmal nicht so reichlich bestellt gewesen zu sein wie im Juni 1866; wenigstens ist mir nichts dergleichen bekannt geworden. An diplomatischem Wohlwollen mag es nicht gefehlt haben; es ist ja auch gewiß im Allgemeinen richtig, daß man besser thut, keinen Krieg zu führen. Der König sah aber, daß nicht allein Preußen, sondern ganz Deutschland zornig geworden war über die unerhörte Anmaßung der Franzosen und fühlte, daß es sich diesmal um die Existenz des glorreichen Werkes aller seiner Vorfahren handelte.

Es wird also den wohlwollenden Rathgebern, wenn sie auch nur verschämt auftraten, nicht an der richtigen Antwort gefehlt haben.

Aus der gedruckten Zusammenstellung des gesammten Personals, aus welchem diesmal das große Hauptquartier bestand, ersah ich, daß der König mir auch in diesem Feldzuge meine ganze Freiheit und Unabhängigkeit lassen wollte, denn ich war keiner bestimmten Branche attachirt oder untergeordnet, sondern zwischen dem Civil- und Militärkabinet ganz allein mit einem Diener aufgeführt. So weit die Eisenbahnen benutzt wurden, fuhr ich in dem Königlichen Extrazuge. In Mainz miethete ich einen kleinen Wagen, den ich während des ganzen Feldzuges behielt, so daß ich mich auch in dieser Beziehung einer vollkommenen Unabhängigkeit erfreute; und da ich überall selbst sehen, mich an Ort und Stelle überzeugen mußte, um zuverlässig berichten zu können, so war die Disposition über ein Fuhrwerk von größter Wichtigkeit für mich. Bei Gelegenheit habe ich auch öfters Verwundete, Marode und Kranke in meinen Wagen nehmen können und bin vielen Offizieren und Beamten nützlich gewesen; z. B. konnte ich am 15. August einen schwerverwundeten Offizier von Borny bis Pange, am 17. zwei Soldaten eines Thüringischen Regiments von la Ferme aux barraques bis Novéant, am 19. einen schon halbtodten Artilleristen von Gorze bis nach Pont à Mousson mitnehmen und am 30. von Busancy aus den Obersten von Eberhardt, welcher bis dahin Kommandant von Cosel gewesen war und jetzt, zum Kommandeur des 46. Infanterie-Regiments ernannt, dieses aufsuchte, bis auf das Schlachtfeld von Beaumont bringen, so daß er noch zu rechter Zeit eintraf, um Sedan mitzumachen.

Die Tage vor dem Abgange des großen Hauptquartiers nach dem Rhein waren wunderbar bewegter Natur. Mit jedem Tage steigerte sich der Enthusiasmus für die kräftige Abwehr des unverantwortlich frivolen französischen Angriffs. All' das, wovon ich so viel aus dem Jahre 1813 gelesen, wuchs wieder neu aus der Erde; ohne Ueberhebung, mit mancher Besorgniß, aber doch mit fester Zuversicht ging das Preußische Volk der harten Prüfung entgegen. Die musterhafte Heeresorganisation bewährte sich auch diesmal bei der Mobilmachung in wahrhaft erstaunenswerther Weise. Das ganze so komplizirte Räderwerk griff wieder glatt und ge=

räuschlos ineinander, und in vierzehn Tagen stand eine Armee vor dem Feinde, wie Preußen sie noch nie gehabt, wie kein König von Preußen sie je kommandirt hatte. — Am 19. Juli, dem Sterbetage seiner unvergeßlichen Mutter, rief der König das „Eiserne Kreuz" wieder ins Leben. Am 24. wohnte er der Taufe seiner jüngsten Enkelin bei, — ein glücklicher Gegensatz zum Jahre 1866, wo er kurz vor dem Ausmarsche seinen damals jüngsten Enkel begraben sehen mußte. Sein Tageskalender weist nach, in wie unausgesetzt anstrengender Arbeit und Bewegung sich der König in diesen Tagen befand. Ueberall war seine leitende Hand, seine persönliche Initiative erkennbar, wie sich denn überhaupt in den letzten Jahren mit den Ansprüchen auch seine Thätigkeit unglaublich gesteigert hatte.

***

Am 23. Juli, wo die Truppenmärsche durch Berlin begannen, war viel von den Warnungen die Rede, welche schon seit einigen Wochen von verschiedenen Seiten ein=gegangen waren und die sich jetzt so plötzlich bestätigt hatten; der König sagte mir darüber:

„Da sieht man, wie recht die Warnungen aus der Schweiz gehabt haben. Ich kann nur jedem Staate rathen, der über lang oder kurz in diesen Strudel hineingezogen werden dürfte, sich bei Zeiten zu rüsten und sich nicht so überraschen und betrügen zu lassen, wie man Preußen be=trügen wollte. Auch Ich habe die mancherlei Symptome

für übertrieben und jedenfalls für verfrüht gehalten und bin
dadurch um acht Tage gegen Frankreich zurück. Wer irgend=
wie helfen will oder wer gezwungen werden könnte, mit in
den Kampf einzutreten, möge sich bei Zeiten fertig machen,
denn die Ereignisse dürften schnell gehen. Jetzt erst lehrt
Napoleon sein wahres Gesicht heraus."

Ich mußte bei dieser Aeußerung des Königs an die
Worte deuken, die er mir während des Feldzuges 1866 in
Böhmen, bei Gelegenheit jener französischen Depesche nach
dem Siege bei Königgrätz über Napoleon III. gesagt: „Ja,
wenn man ihm nur trauen dürfte!" Wie hatte sich jetzt dieses
Urtheil bestätigt! — Da ich die „Warnungen aus der Schweiz"
nicht kannte, so erkundigte ich mich bei dem Feld=Polizeidirektor
Dr. Stieber danach und hörte, daß von unserem Gesandten
in der Schweiz, General von Roeder, eine Warnung nach
Berlin gelangt sei, man möge sich in Acht nehmen, denn im
Monat August stände ein schweres Attentat gegen den König
bevor. Man wußte nicht recht, was man aus dieser Warnung
machen sollte, stellte aber doch Ermittelungen an, welche er=
gaben, daß sie von einem hochstehenden, aber Preußen wohl=
wollenden Ultramontanen herrührte. Als der Krieg plötzlich
hereinbrach und im August wirklich so schwere Schläge gegen
den König beabsichtigt waren, fand diese Warnung erst ihre
Erklärung.

Ein Gegenstand besonderer Besorgniß war die wahr=
scheinlich sehr nachdrücklich Aktion der französischen Flotte

an unseren Küsten. Schon am 29. Juli traf in Berlin die
Nachricht ein, daß eine Division französischer Panzerschiffe
das Vorgebirge Skagen passirt habe und in die Ostsee ein=
gelaufen sei. Ich war zugegen, als das Telegramm gebracht
wurde und mußte es vorlesen. Der König sagte darauf:
„Nun werden wir sie morgen wohl schon vor Kiel haben
und wahrscheinlich wartet Napoleon nur diese Nachricht ab,
um in hellen Haufen über die Grenze zu kommen."

Einige Tage vor dem Abgange des Hauptquartiers aus
Berlin erhielt ich einen Brief des ehemaligen Hannoverschen
Regierungsrathes Oscar Meding aus dem Hotel Royal in
Berlin. Er lud mich zu einer Besprechung ein, in welcher
die Erklärung seiner unter den augenblicklichen Verhältnissen
räthselhaften Erscheinung in Berlin erfolgen solle. Meding
war seinem unglücklichen Könige 1866 nach Wien gefolgt,
hatte ihm treu gedient, auch in sehr geschickter Weise durch
die Presse für ihn agitirt und während eines längeren Auf=
enthaltes in Paris als sein Agent gewirkt. Ich hatte ihn
stets für einen ehrenwerthen Mann gehalten und noch im
Jahre 1866 bei meiner Sendung nach Hannover Beweise
seiner durchaus konservativen Gesinnung gehabt. Daß von
dem Augenblicke an, wo er sich zu einer so leidenschaftlichen
Agitation gegen Preußen gebrauchen ließ, jede Verbindung
zwischen uns aufhörte, versteht sich von selbst; ich gestehe
aber gern, daß es mir leid that, durch die eingetretenen

politischen Verhältnisse dieses Abbrechen unserer Korrespondenz
für nothwendig erachten zu müssen. Meding hatte sich vier
Jahre lang als einer der thätigsten und geschicktesten Gegner
Preußens bewiesen und nun, unmittelbar vor dem Ausbruche
eines Krieges, der möglicherweise die Hoffnungen des Königs
Georg realisiren konnte, lud er mich ein, ihn zu besuchen!

Ich war so wenig orientirt über diesen Vorgang, daß
ich keinen anderen Rath wußte, als den Brief dem Könige
einzusenden und um Verhaltungsbefehle zu bitten, zugleich
bemerkend, daß ich nicht wissen könne, was vorgehe; Meding
sei ein treuer Diener seines Herrn und habe deshalb meine
Sympathieen, unter den gegenwärtigen Verhältnissen müsse
er aber in Preußen als Hochverräther gelten und ich könne
daher nicht begreifen, mit welchen Absichten sich derselbe mir
wieder nähern wolle, noch viel weniger aber, wie er überhaupt in Berlin zu erscheinen wage. Der König antwortete
sogleich: „Erst zu Bismarck gehen und nichts ohne Vorwissen
desselben thun." Ich sah voraus, daß ich in dieser so bewegten Zeit nicht bis zum Minister-Präsidenten gelangen
würde und legte den Sachverhalt dem Feld-Polizeidirektor
Dr. Stieber vor. Dieser wußte von der Anwesenheit Medings
in Berlin, nahm den Brief desselben mit der Randbemerkung
des Königs an sich und rieth mir, mich auf keinerlei Weise
in eben Vorgehendes zu mischen, denn Meding sei mit Vorwissen und auf Veranlassung des Grafen Bismarck in Berlin
und es würde in diesem Augenblicke über wichtige Dinge
mit ihm unterhandelt, jede Einmischung könne leicht Alles
verderben; Dr. Stieber zeigte sich auch sehr unwillig darüber,

daß Meding sich an mich gewandt hatte. Ich lehnte also
die Zusammenkunft ab.

Als ich am Tage darauf zum Könige kam und ihm
Obiges erzählte, erfuhr ich zu meinem nicht geringen Er=
staunen, daß er vor Empfang meines Schreibens weder von
dem Besuche Medings in Berlin noch von den Unterhand=
lungen gewußt hatte, welche Graf Bismarck mit ihm pflegen
ließ. Da an demselben Tage noch die Verlegung des Haupt=
quartiers nach Mainz stattfand, so habe ich nichts Näheres
über diesen auffallenden Vorgang erfahren. Aus dem Ge=
schehenen ersah ich aber aufs Neue, daß der König nie in
die Aktion seiner vertrauten Räthe eingriff, auch da nicht,
wo diese ihm im Anfange nicht von ihrem Verfahren in
Kenntniß gesetzt hatten. Später hörte ich zufällig, daß
dem Minister=Präsidenten meine direkte Anfrage an den
König, ob ich Meding besuchen dürfe, unangenehm gewesen
sei; — wahrscheinlich hatten die Verhandlungen so lange ge=
heim geführt werden sollen, bis ein Resultat erreicht war.
Ich bedauerte das; würde aber in einem ähnlichen Falle
doch wieder ganz ebenso handeln, denn nach meiner An=
schauung muß der König Alles wissen, auch das Unangenehme.

So erfolgte denn am Abend des 31. Juli die Ver=
legung des großen oder Königlichen Hauptquartiers nach
Mainz. Meine persönlichen Erlebnisse während dieses Feld=

zuges find in einem anderen Werke zusammengestellt;*) hier
handelt es sich nur um das, was ich vom Könige sah und
hörte. Noch kein Fürst des Königshauses war in so hohem
Lebensalter in einen großen, voraussichtlich langen und
schweren Krieg gezogen. König Friedrich der II. zählte erst
66 Jahre, als er 1778 noch einmal in den thatenlosen
Bairischen Erbfolgekrieg zog. König Wilhelm war schon 73
und stand einem bis dahin siegreichen Heere gegenüber. In
der spanischen Campagne hatte der Trocadero — in der
belgischen die Citadelle von Antwerpen — in der Krimm
Sebastopol — in Italien Rom, Mailand und Solferino
Zeugniß von der Siegesfähigkeit und Siegeslust dieser Armee
gegeben. Der König hatte selbst seine ersten kriegerischen
Eindrücke von der Zähigkeit und Geschicklichkeit französischer
Truppen, selbst ganz junger Konskribirter, empfangen und
die Berichte unseres Militär=Agenten in Paris, Majors
Grafen von Waldersee, die ich später kennen gelernt, sowie
die aller Preußischen Offiziere, welche das Lager von
Châlons oder überhaupt Frankreich besucht, sprachen überein=
stimmend dem Chassepot=Gewehr eine positive Ueberlegenheit
über unser Zündnadel=Gewehr zu. Die Mitrailleusen, die
für den Rhein bestimmten Kanonenboote, die Flotte in der
Nord= und Ostsee und die außerordentliche Popularität,
welche offenkundig dieser Krieg in ganz Frankreich genoß —
das Alles war wohl geeignet, mit Sorge und Bedenken zu
erfüllen.

***

*) „Aus meinem Leben" Bd. III, S. 249.

Allerdings war auch allüberall in Deutschland eine mächtige Begeisterung aufgeflammt, die Deutschen waren einmal ernstlich zornig geworden, und von einem fast über= schäumenden Enthusiasmus getragen, regte das gesammte Land seine Riesenglieder, nicht in wildem, regellosem Sturm, sondern geschult von Preußischer oder wenigstens nach Preußischer Zucht. Fürsten wissen aber nur zu gut, wie wenig Verlaß auf Enthusiasmus und Freiwilligkeit ist, wenn ihnen die Erfolge nicht zur Seite stehen. Diese herbeizuführen war nun die schwere Aufgabe des Königs, dem es ja an dem vortrefflichsten, aber auch verschiedensten Rathe bewährter Generale und Minister nicht fehlte, der aber doch immer dafür verantwortlich war, den besten unter diesen Rath= schlägen auszuwählen. Dies Bewußtsein muß bei der Be= scheidenheit und bei dem Mißtrauen gegen seine eigene Kraft schwer, ja fast erdrückend auf ihm gelegen haben, erhöhte aber auch seine Thätigkeit und Willensstärke in geradezu staunenerregender Weise. Daß er Vertrauen auf die Tüchtig= keit seiner Armee hatte, zeigte er wohl, aber sonst hatte er nach allen Richtungen hin mehr Bedenken, mehr Sorge und Berechnung, als irgend einer in seiner militärischen oder staatsmännischen Umgebung. Alle Welt, die es gut mit Preußen und möglichst schlecht mit den Franzosen meinte, schien an eine eben so kurze und entscheidende Campagne wie 1866 zu glauben und alle Anreden von Behörden und Korporationen auf dem Wege bis zum Rhein hatten eine hocherfreuliche Zuversicht geathmet. Immer setzte der König durch seine Antworten einen Dämpfer auf die raschen Sieges=

hoffnungen, wiederholte bei jeder Gelegenheit, daß man sich auf einen langen und schweren Krieg vorbereiten möge, denn vor allen Dingen würde Ausdauer nöthig sein. Das klang den Begeisterten damals fremd in ihren Jubel hinein, sollte sich aber bald genug bewähren; — sagte der König doch selbst nach der Schlacht bei Sedan zu mir, als ich von der unbeschreiblichen Freude in der Armee und in der Heimat sprach, darüber, daß auch dieser Krieg fast eben so rasch wie der in Böhmen mit vollständiger Lähmung des Feindes beendet sei: „Warten Sie nur ab, jetzt fängt der Krieg erst an!" Ich habe das nach Sedau eben so wenig verstanden, als jene Bürgermeister, Deputationen, Sängerchöre und Vereine, welche den König auf der Fahrt bis Mainz begrüßten, die Mahnung verstanden haben werben, daß man nicht mit zu großer Zuversicht den Ereignissen entgegensehen möge. In der That war aber auch der Jubel und Kampfesrausch der ganzen Bevölkerung so intensiv, so überwältigend, daß man mit fortgerissen wurde. Wer den Abend des 1. August in Cöln nicht mit erlebt hat, kann sich wirklich keinen Begriff von dieser Aufregung der Massen machen, die Alles überfluthete, was sich ihr ordnend oder gar abwehrend entgegenstellen wollte. Ich wenigstens hatte so Etwas noch nie gesehen. Die ganze Zeit war ja gewiß reich an freudiger Erregung aller Art, aber Scenen, wie an diesem Abende in Cöln spotten jedes Vergleichs, jeder Beschreibung!

Wie der König auf die erste Nachricht von dem Erscheinen der französischen Flotte in der Ostsee sofort eine Aktion derselben gegen Kiel erwartet hatte, so erwartete er auf dieser ersten Fahrt des Hauptquartiers von Station zu Station Nachricht von dem Ueberschreiten der Preußischen, Baierischen oder Badischen Grenze durch ein französisches Korps, denn das Zögern des Feindes, die Campagne mit einem entscheidenden Schritte zu beginnen, wurde je länger, je unerklärlicher. Trotz der wichtigen Telegramme, die von Station zu Station eintrafen, hatte der König doch Zeit und Sinn für fürstliche Courtoisie uud Rücksicht für die überall Empfangenden und Versammelten. So auf der Station Bückeburg und in Düsseldorf, wo die Fürstin von Hohen= zollern und die Erbprinzessin den König erwarteten. Beide hohe Frauen waren ersichtlich von diesem Zusammentreffen tief ergriffen, und als der König der Fürstin den Arm bot, um sie in den Empfangssalon zu führen, wohin die Erbprinzessin folgte, kounte ich mich des Gedankens nicht erwehren, daß der Erbprinz die wenn auch unschuldige Ursache zu diesem Kriegsauszuge des hochbejahrten Königs gewesen.

Die ganze Fahrt bis Mainz ist übrigens eine Art fort= laufenden Kriegsrathes mit den Generalen gewesen, die sich im Königlichen Zuge befanden, da rasch hintereinander wichtige Depeschen von allen Seiten eintrafen. Mit besonderer Auf= merksamkeit, aber auch herzerhebender Freude folgte man vor= züglich den Bewegungen unserer süddeutschen Alliirten, die allen Zweifel, der wohl noch hier und da aufgetaucht war, schlagend widerlegten und nun wenigstens an die Möglichkeit einer Einigung ganz Deutschlands glauben ließen.

Zwischen Cöln und Mainz sah ich den König nicht, auch nicht während des ersten Aufenthaltstages dort, dagegen am 3. August früh, wo die Nachricht von dem am Tage vorher stattgefundenen Gefechte bei Saarbrücken schon einge= troffen war. Der König theilte mir den Inhalt der be= treffenden Depesche mit und schilderte den Vorgang als voll= kommen unbedeutend, die Haltung unserer verschwindend kleinen Zahl von Truppen, mehreren französischen Divisionen gegenüber, aber als vorzüglich. Sowohl im Hauptquartiere als bei den in Mainz stehenden Truppen glaubte man, daß der König an diesem Tage, als dem Geburtstage seines hoch= seligen Vaters, welcher ja, ehe der Krieg dazwischen trat, durch die feierliche Enthüllung der Reiterstatue im Lustgarten zu Berlin zu einem Nationalfeste werden sollte, — irgend eine große kriegerische Maßregel treffen würde. Ich theilte dem Könige diese Vermuthung mit, erhielt aber die Antwort: „Nein! Nichts dergleichen; Ich werde aber wahrscheinlich heute Nachmittag noch nach Alzei gehen." Der bald darauf beginnende Generalsvortrag schien aber diese Absicht des Königs geändert zu haben.

Da die Franzosen unmittelbar nach dem gestrigen Ge= fechte die Saar nicht überschritten hatten, auch von keinem anderen Punkte der Grenze eine Nachricht eingetroffen war, daß sie deutschen Boden betreten, so äußerte der König, daß nun wohl kein Einfall in das Großherzogthum Baden mehr zu befürchten sei, eine Sorge, die ihn bis dahin besonders lebhaft beschäftigt zu haben schien. Es war auch von dem Eindrucke die Rede, welchen das Wiedererwachen alter Melo=

dieen aus den Befreiungskriegen gemacht, und zwar bei der
Serenade der Musikchöre der Mainzer Garnison am gestrigen
Abende. Carl Maria von Webers: „Du Schwert an meiner
Linken", „Lützows wilde, verwegene Jagd" hatten mit der
„Wacht am Rhein" abgewechselt und die alte Zeit zum Mit-
streit in dem neuen Kampfe heraufgerufen. Alles erinnerte
an die Zeit von 1813, in der ich erst sieben Jahre alt war, die
ich also nicht bewußt miterlebt hatte. Desto lebendiger mochte
sie vor der Seele des Königs stehen, freilich mit dem Unterschiede, daß er jetzt selbst der Verantwortliche war. Glücklicherweise fehlte es auch an andern Unterschieden nicht. Das
Eintreffen des Prinzen Luitpold von Baiern und des
Großherzogs von Sachsen im Hauptquartier zeigte, daß der
Krieg diesmal unter anderen Verhältnissen begann, als im
Jahre 1813, wo deutsche Fürsten und ihre Heere noch auf
der Seite Napoleons standen. Der König besichtigte an
diesem Tage die Armirungsarbeiten der Festungswerke und
ein bei Wiesbaden angekommenes Kavallerieregiment und
empfing außerdem eine Deputation der Stadt Mainz, welche
um Beförderung der beabsichtigten Vergrößerung der Stadt bat.

Als der König mich am 4. beim Kaffee empfing, äußerte
er sich erstaunt und erfreut über die Haltung der Mainzer
Bevölkerung, die sich früher bei den verschiedensten Gelegenheiten immer besonders unfreundlich und abgeneigt gegen ihn
gezeigt hatte. Das hatte sich wie durch einen Zauberschlag
geändert. Man merkte es jetzt den Mainzern an, daß sie
erkannt, was der König auch für sie sei und für sie thun
könne. — Die seitdem von der Grenze eingetroffenen Nach-

richten ließen heute schon übersehen, daß die Franzosen wahr=
lich keine Ursache hatten, sich ihres sogenannten Sieges bei
Saarbrücken zu erfreuen und stellten einen Zusammenstoß
der Kronprinzlichen (III.) Armee mit den Franzosen im Elsaß
in Aussicht, der auch in der That, während der König noch
davon sprach, schon begonnen hatte und uns den Sieg bei
Weißenburg bringen sollte. Während ich dann an den Be=
richten für den Staats=Anzeiger und die Neue Preußische
Zeitung schrieb, trieb es mich einmal über das andere in das
Großherzogliche Schloß, um zu hören, ob irgend eine Nach=
richt vom Kriegsschauplatze angelangt sei; so auch, ich weiß
nicht zum wievielten Male, gegen sieben Uhr Abends, wo eben
die Depesche des Kronprinzen aus Weißenburg eingetroffen
war. Obgleich zu ungewöhnlicher Zeit, wagte ich es doch,
mich melden zu lassen und fand den König in freudiger Be=
wegung, eben beschäftigt das Telegramm an Ihre Majestät
die Königin zu schreiben: „Unter Fritzens Augen heute
einen glänzenden, aber blutigen Sieg erfochten, u. s. w." Ich
bat eine Abschrift der Kronprinzlichen Depesche zu sofortiger
Veröffentlichung in Mainz selbst nehmen zu dürfen; der
König diktirte mir aber nach dem Original eine andere
Fassung, und nun wollte ich nach dem Telegraphenbüreau
eilen. Aber kaum aus dem Schloßhofe herausgetreten, konnte
ich meine übersprudelnde Freude nicht zügeln und verkündete,
wie 1866 in Gitschin am Abende des 3. Juli, mit lauter
Stimme einer rasch zusammenlaufenden Menschenmenge den
ersten Sieg. Viel Jubel, aber auch viel Unglauben. Den
Leuten schien der glänzende Erfolg zu rasch und darum un=

wahrscheinlich. Die rechte Siegesfreude stellte sich erst am anderen Tage ein, als aus den 500 schon 800 Gefangene geworden und ein großer Theil derselben in Frankfurt a./M. eintraf. Am 5. früh konnte ich dem Könige nicht weniger als siebzehn Telegramme vorlegen, welche während der Nacht, eins nach dem anderen über Berlin angekommen waren. Aus fast allen Richtungen lauteten sie günstig, und da auch Details über die Schlacht am 4. eingetroffen waren, so fand ich den König in einer sehr frohen Stimmung. Er sagte mir, daß am Tage darauf das Hauptquartier nach Kaisers= lautern verlegt werden würde.

Hinter Saarbrücken mußte die Beförderung mit der Eisenbahn natürlich aufhören; ich hatte mir aber für die Dauer des Feldzuges einen Wagen gemiethet und mußte auf der Landstraße vorausfahren, um nicht hinter dem Haupt= quartier zurückzubleiben. Daher, und weil die Abfahrt des Hauptquartiers von Mainz erst am 7. erfolgte, sah ich den König zwei Tage lang nicht, und konnte erst in Homburg in der Pfalz am 8. bei ihm eintreten. Ich berichtete Manches, was ich auf meiner Fahrt durch das Land gesehen und über= reichte mehrere Depeschen, die sich in Homburg für mich an= gesammelt hatten. Am 6. während meines Aufenthaltes in Kaiserslautern hatten die siegreichen Gefechte bei Reichshofen (Wörth) und auf den Spicheren=Höhen bei Saarbrücken statt= gefunden, über welche der König am 8. früh in Homburg

bereits vollſtändig unterrichtet war und mit eben ſo großer
Freude, wie Anerkennung über die Details ſprach, da er ſo
entſcheidende Erfolge gleich im Anfange wohl kaum erwartet
hatte. In einem ſehr beſchränkten Quartier, bei dauerndem
Regenwetter, in welchem der König aber, ſtundenlang auf
der Straße ſtehend, das ganze XII. Bundes= (K. Sächſiſche)
Armeekorps durchmarſchiren ſah, war der Aufenthalt in
Homburg kein angenehmer. Das Städtchen war in faſt
unglaublicher Weiſe überfüllt und ſo ziemlich an Allem
Mangel. Bis hierher war die Eiſenbahn benutzt worden;
von nun an ſollte es acht Monate dauern, ehe das Haupt=
quartier wieder auf einer Eiſenbahn befördert werden
konnte.

Von Homburg bis Saarbrücken wurde am 9. Nach=
mittags bereits marſchirt und der König begegnete vielen
bivouakirenden und marſchirenden Truppen. Der Weg war
oft ſtundenlang von Truppen eingefaßt, die aus den Bivouaks
auf den naheliegenden Feldern herbeieilten, um den König
zu ſehen, und ihm ihr Hurrah! zujubelten. Die Aufſtellung
dieſer lebendigen Hecke hatte oft etwas ungemein Maleriſches,
namentlich wo die Abhänge der Hügel und Berge bis dicht
an die Chauſſee herantraten. Hier hielten ſich viele Soldaten
mühſam an Bäumen und Gebüſch, um nicht von der ſteilen
Höhe herabzuſtürzen. Es waren Truppen des IX. Armee=
korps, unter ihnen Schleswig=Holſteiner und Lauenburger.
Wieviel Stoff zu Betrachtungen, wenn man an 1864 und
1866 zurückdachte!

Am 10. früh, sogar sehr früh, da der König die Groß=
herzoglich=Hessische Division vom Fenster aus durchmarschiren
sehen wollte, hatte ich die Freude, die über Londou an=
gekommenen Telegramme aus Frankreich vorzulesen, welche
von dem entmuthigenden Eindruck erzählten, den die un=
zweifelhaften Niederlagen der französischen Armee bei Weißen=
burg, Wörth und Forbach in ganz Frankreich gemacht.
Selbst die noch nach Saarbrücken gelangte „Indépendance" war
ganz erstarrt über diese unerwarteten Erfolge der Preußischen
Waffen. Während ich las, spielten die vorbeiziehenden Groß=
herzoglich=Hessischen Regimenter den Golde'schen Armeemarsch,
in welchen bekanntlich die Melodieen zu: „Heil Dir im
Siegerkranz" und: „Ich bin ein Preuße, kennt ihr meine
Farben" eingeflochten sind. Auch eine eigenthümliche Illu=
stration zu dem mannigfachen politischen Wirrsal der letzten
Jahre! Nach dem Generalsvortrage besuchte der König das
Schlachtfeld auf den Spicheren=Höhen und sagte mir am 11.
früh, wenn er es nicht selbst gesehen, würde er es nach der
bloßen Beschreibung nicht geglaubt haben, daß diese Stellung
überhaupt habe genommen werden können. Dagegen schien
der König unzufrieden damit zu sein, daß sich beim Ueber=
schreiten der Saar die Truppen verschiedener Armee=Korps
an den Uebergangspunkten zusammengedrängt hatten, so daß
dadurch kein ganz geregelter Abmarsch stattgefunden. Dabei
äußerte der König: „Schade, daß der Feldzug nicht erst
nach den Divisionsmanövern angefangen hat, die Truppen
wären dann so recht im Zuge gewesen!"

Als ich das Quartier des Königs verließ, brachte mir
der Briefbote der Feldpost unter vielen anderen Briefen aus
Berlin auch einen, welcher auf dem Couvert mit dem Namen
des Absenders: „Capitaine Fix, de l'état major au
Ministère de la guerre à Paris." Ich bekam keinen
kleinen Schreck, daß der Brief gerade hier mitten im Kriege,
kurz vor dem Ueberschreiten der Grenze in meine Hände
kam und sah den Briefboten fragend an, ob er die Adresse
vielleicht vollständig gelesen. Der Vorleser des Königs in
diesem Augenblicke in Korrespondenz mit einem Kapitän des
französischen Generalstabs, — noch obenein auf der Treppe
des Hauses, in welchem der König von Preußen sein Haupt=
quartier aufgeschlagen! Das gleichgültige, nur geschäftliche
Gesicht des Briefboten beruhigte mich zwar, aber konnten
die Beamten der Feldpost die Adresse nicht gelesen und sich
über diese seltsame Korrespondenz gewundert haben? — Die
Sache war mir keineswegs gleichgültig, da ich aus Er=
fahrung wußte, wie leicht im Kriege und in einem Haupt=
quartiere Mißtrauen und Verdacht entstehen kann. Ich hatte
nämlich für die in Leipzig herauskommende Zeitschrift
„Unsere Zeit" einen längeren Artikel über den Südamerika=
nischen Krieg der Triple=Allianz gegen Paraguay geschrieben,
und bald darauf durch den Redakteur derselben das Gesuch
des französischen Generalstabs=Kapitäns Fix erhalten, meine
Arbeit für den „Spectateur militaire" ins Französische über=
setzen zu dürfen. Ich hatte die Erlaubniß dazu gegeben
und die Artikel sind auch in der genannten Pariser Militär=
Zeitschrift erschienen. So kam ich in Korrespondenz mit

jenem französischen Offizier; da die Briefe aber nicht mit
der Post, sondern auf Buchhändlerwege über Leipzig gelangten, so brauchten sie Zeit, um bis in meine Hände zu
kommen. Der Brief nun, welchen ich hier im Hauptquartier erhielt, sprach seinen Dank für meine Gefälligkeit
aus und war lange vor der Kriegserklärung geschrieben.
Um jedem Mißverständnisse vorzubeugen, erzählte ich dem
Könige den Vorgang und seine Veranlassung.

Nachdem der König hier im Laufe des Vormittags die
Lazarethe besucht, erfolgte die Abreise nach St. Avold, dem
ersten Hauptquartier auf französischem Boden. Der Weg
führte über einen bedeutenden Theil des Schlachtfeldes und
vor Forbach über die bisherige französische Grenze, deren
Bezeichnungen indessen bereits umgestürzt waren. Ueberall
begegnete man den Spuren des übereilten Rückzuges der
Franzosen, sah aber auch zum ersten Male die düster und
drohend dreinblickenden Gesichter der feindlichen Einwohner.
Auch in St. Avold erwarteten mich wieder mehrere Telegramme, welche von dem Rückzuge und dem Sammeln
aller bisher nacheinander geschlagenen Armee-Korps bis
nach Châlons sprachen, so daß bis dahin nur noch bei
Metz Widerstand zu erwarten war.

Als der König vor seinem Quartier in St. Avold aus
dem Wagen stieg, fand er die Ehrenwache von der 1. Kom=
pagnie des Leib=Grenadier=Regiments gebildet, welche im
Gefechte auf dem Rothen Berge bei Forbach nicht weniger
als 107 Mann verloren hatte. Der König ließ sie in
Sektionen vorbeimarschiren und sagte dem Führer derselben:

„Ich freue mich, die Kompagnie hier wiederzusehen.
Sie hat meinen Erwartungen nicht allein entsprochen,
sondern sie übertroffen und dem Ruhm des Regiments neue
Ansprüche auf meine Anerkennung hinzugefügt." Um letztere
auch sofort zu bethätigen, wurde der Kompagnie genehmigt,
die Ehrenwache bei der Person des Königlichen Oberfeld=
herrn auch als wirkliche Wache zu thun, während sonst
Ehrenwachen gewöhnlich nach dem Empfange entlassen
werden. Auch die 4. Kompagnie *) desselben Regiments,
welche am 12. die 1. ablöste und sich gleichermaßen im
Kampfe ausgezeichnet hatte, durfte die wirkliche Wache thun.
St. Avold sowohl, wie die Umgegend, waren übrigens ziem=
lich von Truppen entblößt. Theils waren sie schon auf
dem Vormarsche gegen das nur vier Stunden entfernte Metz,
theils war die 14. Division noch nicht bei St. Avold ein=
getroffen, so daß die Stellung des Hauptquartiers eine sehr

---

*) Beide Kompagnieen wurden von ehemaligen Hannöver'schen Offi=
zieren kommandirt. Einer fiel bei Vionville am 18. 8. — Eigen=
händiger Zusatz König Wilhelms.

Es muß bemerkt werden, daß die Korrekturen des Königs besonders
in diesem Bande so zahlreich sind, daß es nicht möglich war, sie im Drucke
besonders hervorzuheben.

exponirte war; dies war um ſo gefährlicher, als man von
Forbach bis St. Avold noch hunderte von franzöſiſchen
Soldaten in den Wäldern oder bei Bauern verſteckt fand
und in dem ſehr coupirten Terrain eine unbemerkte An=
näherung leicht ſtattfinden konnte. Es wurde daher für
die Nacht noch herangezogen, was irgend erreichbar war.
Daß der König ſelbſt nach dem ihm erſtatteten Bericht
einen Ueberfall des Hauptquartiers nicht für unmöglich
hielt, bewies ſein Befehl für den Kammerdiener, die mit
Leder beſetzten Reithoſen herauszulegen, im Falle es während
der Nacht etwas geben ſollte. —

Hier ſchrieb der König die vom 11. datirte Proklama=
tion an die franzöſiſche Nation, welche zum Druck nach
Saarbrücken zurückgeſandt werden mußte, um dann am 12.
in St. Avold angeſchlagen und auf dem weiteren Vor=
marſche verbreitet zu werden, was durch die ungemein
thätige Feldpolizei geſchah. — In St. Avold wurden am
12. und 13. auf die eingehenden Nachrichten von den Vor=
truppen entſcheidende Beſchlüſſe gefaßt. Der König äußerte
wenigſtens gegen mich, bei Metz werde es wohl zunächſt zu
einer großen Schlacht kommen, denn dort ſtänden noch drei
intakte franzöſiſche Korps vor uns, — ſo lauteten wenigſtens
damals die Nachrichten. Er werde daher gleich morgen das
Hauptquartier weiter vor verlegen, um in der Nähe zu
ſein, wenn der Zuſammenſtoß erfolge.

Bei dieser Gelegenheit erzählte mir der König auch, daß er seinem Sohne für Weißenburg das erste Eiserne Kreuz 2. Klasse verliehen, und nie werde ich den Ausdruck väterlicher Freude auf seinem Gesichte vergessen, als er sich dabei des 10. März 1814 erinnerte, an welchem Tage er selbst das Kreuz derselben Klasse von seinem Königlichen Vater in Chaumont erhalten und daß er nun seinem Sohne dieselbe Freude bereiten könne. Diese herzliche, tief empfundene Freude des Vaters an dem Thun des Sohnes ist überhaupt einer der schönsten Charakterzüge des Königs. Schon am Morgen nach der Schlacht bei Königgrätz konnte ich ein Beispiel davon erzählen. Damals handelte es sich um den Orden pour le mérite, hier um das Eiserne Kreuz, ebenfalls pour le mérite für zwei gewonnene Schlachten!

Am 13. ging das große Hauptquartier weiter gegen Metz vor und zwar, wegen Beschränktheit der Oertlichkeiten, in zwei Staffeln; die erste, aus der nächsten Umgebung des Königs bestehende, nach Herny, die zweite mit dem großen Troß der Verwaltungen u. s. w. nach Faulquemont. Auch ich wurde nach dem letzteren Orte instradirt, fuhr aber am 14. schon mit Tagesanbruch nach Herny hinüber, um gleich beim Aufstehen des Königs gegenwärtig zu sein, der dort außerordentlich beschränkt wohnte. Der Kammerdiener mußte auf dem Flure vor der Thür des Königs schlafen, und der ganze Dienst war auf das allergeringste

Maß beschränkt. Der König schien erstaunt, mich wie ge=
wöhnlich schon so früh auf dem Posten zu sehen, da ich
doch in Faulquemont einquartiert gewesen sei; sagte aber,
ich möge jetzt nur in Herny bleiben, da ernste Ereig=
nisse bald, vielleicht noch heute bevorständen, über welche
sofortige richtige Korrespondenz in die Heimat nöthig werden
könnte. Die bisherigen raschen Erfolge hatten einen tiefen
Eindruck in fast allen neutralen Kabinetten Europas hervor=
gerufen und Telegramme wie Zeitungsnachrichten, welche ich
vortrug, machten auf allerlei Bewegungen und Pläne auf=
merksam, die darauf hindeuteten, daß man anfange mit
Besorgniß auf die so unzweifelhaften Siege der deutschen
Waffen zu sehen. Es war hier in Herny so ziemlich die=
selbe Situation wie in Horitz am 5. Juli 1866, wo sich
auch plötzlich Wolken im Rücken der Aktion aufzuthürmen
schienen. Bald nachdem ich das Zimmer des Königs ver=
lassen, kamen denn auch Ordonnanzoffiziere von den Armeen
des Kronprinzen und des Prinzen Friedrich Carl, um über
den Stand der Dinge bei den Truppen vor uns zu berichten.
Lieutenant von Esebeck vom 3. Kürassierregiment meldete, daß
die erste Kavalleriedivision bereits vollständige Fühlung mit
dem Feinde habe und Graf Eulenburg vom 1. Garde=
Dragonerregiment berichtete das Gleiche. — Sämmtliche
Meldungen erhielten ihren Bescheid nach dem Generalvor=
trage, der diesmal entscheidende Beschlüsse des Königs hervor=
gerufen zu haben schien. Prinz Friedrich Carl hatte schon
am 13. Abends anfragen lassen, wie die politische Situation
sei; er müsse das wissen, ehe er sich zu der unmittelbar

bevorstehenden Schlacht engagire. Nach den im Haupt=
quartiere umlaufenden Gerüchten soll die Antwort gewesen
sein: Dem sich zurückziehenden Feinde nicht auf Châlons
zu folgen, sondern einen anderen Weg nach Paris einzu=
schlagen, weil dem Anscheine nach bei Châlons ein besonders
kräftiger Widerstand vorbereitet werde. Jede Schlacht müsse,
wo es auch sei, angenommen, unter den gegenwärtigen Um=
ständen dann aber auch gewonnen werden. Ein tieferer
Fall Napoleons, als zur Demüthigung und Entwaffnung
Frankreichs, sei weder nöthig noch wünschenswerth. Preußen
erstrebe keinen Ländergewinn. Allerdings müsse der Elsaß
und, so weit es deutsch ist, auch Lothringen Frankreich ab=
genommen werden, aber nicht für Preußen, sondern für
Baiern, Baden oder irgend eine andere Kombination, für
welche erst die weitere Entwickelung der Dinge in Paris
abgewartet werden müsse, wo der Zwangscours des Papier=
geldes, der Aufruf zur Bildung von Mobilgarden und mobiler
Nationalgarden, sowie das neue Ministerium nicht ohne
Wirkung auf die allgemeine Lage bleiben könne. Vor der
Hand sei der Sieg in einer rangirten Schlacht, ohne alle
Rücksicht auf anderweitige Verhältnisse, das Nöthigste und
werde Weiteres sich leichter vortheilhaft aus einem solchen
entwickeln lassen, als wenn man jetzt schon die etwa drohen=
den politischen Verhältnisse berücksichtigen wolle. Etwas
wirklich Feindliches sei bisher von den anderen Mächten
noch nicht hervorgetreten; die französische Flotte zeige sich
absolut wirkungslos, der Enthusiasmus sei in Deutschland
noch im Wachsen, die Bundesanleihe gezeichnet, die Armee

zahlreicher und physisch und moralisch besser, als die franzö=
sische. So könne man also den Gang der Dinge ruhig ab=
warten.

Es war Sonntag und seit mehreren Tagen zum ersten
Male wieder schönes Wetter. Alle Kirchenglocken der Um=
gegend läuteten; äußerlich schien Feiertagsruhe zu herrschen,
innerlich war desto größere Erregung. Gegen Mittag hieß
es, der König werde die Vorposten bereiten, es wurde aber
nichts daraus; dagegen erfolgte der Durchmarsch des
IX. Armee=Korps durch Herny, ebenfalls in der Richtung auf
Metz. Obgleich von zwei Uhr Nachmittags an Kanonen=
donner in westlicher Richtung vernommen wurde, der gegen
fünf Uhr sogar sehr heftig zu werden schien, so glaubte doch
Niemand, daß schon heute ein bedeutendes Gefecht stattfinden
könne, da morgen der 15., also der Napoleonstag war, den
sich die französischen Generale gewiß zu einem entscheidenden
Schlage zurecht gelegt hatten. Es wurde auch in der That
nichts Näheres bekannt, bis Abends acht Uhr eine Depesche
des Generals von Steinmetz eintraf, welche meldete, daß die
I. Armee seit Mittag in ein Gefecht eingetreten sei, das immer
größere Dimensionen annehme. Ueber den Ausgang desselben
verlautete am 14. nichts mehr. Dagegen machte die Nachricht
von dem Unfalle, den ein Detachement Kavallerie bei der
Eisenbahnstation Frouard erlitten, einen unangenehmen Ein=
druck, wohl besonders deshalb, weil sie überhaupt die erste
für uns unvortheilhafte war und in Paris zuverlässig zu

unserem Nachtheil ausgebeutet wurde. Der König sprach am 15. früh davon und sagte, es sei eben nur Unachtsamkeit und zu großes Vertrauen auf die bisherigen Siege an dem Verluste schuld.

———

Das Gefecht am 14. zwischen Pange und den Werken im Osten von Metz war viel bedeutender gewesen, als es in Herny den Anschein gehabt, und der König beschloß, sich sofort auf das Schlachtfeld zu begeben, wohin ich nachkommen sollte. Demzufolge wurde bald nach dem Frühstück über Remilly und Bazancourt nach Pange gefahren, wo die Pferde bestiegen und nun bis spät Nachmittags das ganze Schlachtfeld des 14. beritten wurde. Ich war schon voraus= geeilt, konnte also ziemlich gleichzeitig mit dem Könige an den wichtigsten Punkten desselben sein. In Pange selbst sah es wüst aus. — Alle männlichen Einwohner der Ortschaften auf mehrere Meilen um Metz waren zum Schanzenbau in die Festung gezogen worden und die zahlreichen Verwundeten fanden in den leerstehenden Häusern absolut nichts, als was die eigenen Sanitäts= und Verpflegungsbranchen liefern konnten. Es wurde zwar so viel wie irgend möglich nach rückwärts evakuirt, aber der augenblickliche Zustand der Ueberfüllung mit Verwundeten war doch betrübend. Auf seinem Ritte begegnete dem Könige zuerst der kommandirende General des VII. Armee=Korps, von Zastrow, dann der kom. General des I., Freiherr von Manteuffel, und endlich fand sich auch der Oberbefehlshaber der I. Armee, General von Steinmetz ein.

Während der König sich an Ort und Stelle den Gang des Gefechtes berichten ließ, befand ich mich bei den Truppen und war erstaunt, statt der Siegesfreude eine allgemein un= zufriedene Stimmung darüber zu finden, daß gestern Abend, nachdem die Franzosen bis hinter die Wälle ihrer Außen= werke zurückgeworfen waren und unsere Tirailleurs der 13. Division bereits auf den Glacis gestanden, der Befehl gekommen sei, anderthalb Meilen zurück in die vor dem Gefechte eingenommenen Stellungen zu marschiren. Dadurch hätten nicht allein viele Verwundete liegen gelassen werden müssen, sondern die Franzosen würden auch nicht verfehlen, sich den Sieg zuzuschreiben, da nicht wir, sondern sie während der Nacht im Besitze des Schlachtfeldes geblieben wären. Ein Grund für diesen freiwilligen Rückzug war nur in den allerdings besseren Bivouaks und Kantonnements bei und hinter Pange zu finden. Sowohl beim Bereiten des Schlacht= feldes als bei der Rückkehr nach Herny wurde der König von den Truppen, besonders in den Bivouaks des 13. und 73. Regt. bei Ars-les-quenexy, mit außerordentlichem Enthusiasmus begrüßt; ich hörte das Hurrahrufen auf die Entfernung einer halben Meile, wie meine Spezialkarte aus= wies. Nach dem Diner in Herny versammelte der König noch einmal die Generäle zur Berathung, nach welcher der Befehl zur Verlegung des Hauptquartiers am 16. nach Pont à Mousson gegeben wurde.

Von den Gefangenen hatte man erfahren, daß der Kaiser Napoleon nicht mehr die Armee kommandire und der Marschall Bazaine das Oberkommando der bei Metz versammelten, auf 200 000 Mann geschätzten Korps übernommen habe, ja, daß sich bei der ganzen französischen Armee großes Mißtrauen und Abneigung gegen den Kaiser zeige. Als ich am 16. früh das Gehörte durch Brüsseler und Londoner Telegramme bestätigte, sagte der König: „Eigentlich thut mir Napoleon leid, denn er hat Frankreich besser als irgend Einer seiner Vorgänger regiert und erleidet nur die Folgen davon, daß er sich einer parlamentarischen Regierung in die Arme geworfen hat. Am Besten wäre es, wenn wir mit ihm Frieden schließen könnten, denn weder eine Republik, noch die Orléans oder Bourbons werden das Land so gut regieren, als er es regiert hat. Aber freilich, einen gedemüthigten Napoleon wird Frankreich auch nicht ertragen wollen!" Auch später hat sich der König bei verschiedenen Gelegenheiten in ähnlicher Art geäußert und nie der mit so großem Rechte gereizten Stimmung des Augenblicks nachgegeben, welche sich damals in ganz Europa, wenn auch aus sehr verschiedenen Gründen, gegen ihn wendete. — Heut schien auch der König unzufrieden über das Zurückgehen der I. Armee am gestrigen Abende, daß die gewonnenen Stellungen dicht vor Metz nicht behauptet worden waren. Für den weiteren Gang des Krieges, — fügte er hinzu, — sei es freilich gleichgültig, da das gestrige Gefecht der Natur der Sache nach doch nichts entscheiden konnte, im Gegentheil die

eigentliche Entscheidungsschlacht erst jenseits Metz zu er=
warten sei.

Am Mittage des 16. wurde das Hauptquartier von
Herny nach Pont à Mousson verlegt und zwar über Remilly,
wo bereits Pioniere beschäftigt waren, die Eisenbahn zu
traciren, welche die Festung Metz umgehen sollte und später
so wesentliche Dienste leistete. Unterwegs traf der König
mit seinem Bruder, dem Prinzen Carl zusammen, welcher
von Faulquemont mit der zweiten Staffel nach Nomény
fuhr, und begegnete in einem Dorfe hinter Remilly einer
Kolonne französischer freiwilliger Krankenpfleger „l'ambulance
de la Presse de Paris", welche sich auf das Schlachtfeld
vom 14. begeben hatten und nun nach Metz zurückkehren
wollten, von der Feldpolizei aber belehrt wurden, daß dies
nur auf einem Umwege über Holland und Belgien geschehen
könnte und sie ihre Hülfe zunächst den französischen Kriegs=
gefangenen angedeihen lassen möchten, da für die Verwundeten
bei und hinter Metz durch Preußische Militärärzte gesorgt
würde, worüber es allerdings lange Gesichter gab. In
Pont à Mousson erwarteten den König bereits Berichte über
die Schlacht südwestlich Metz bei Mars la Tour, wo Prinz
Friedrich Carl nach seinem Ueberschreiten der Mosel den
Feind angegriffen hatte. Die Berichte brachten aber noch
keine Entscheidung, da Pont à Mousson vier Meilen vom
Schlachtfelde entfernt war.

Der König nahm hier Quartier in einem Privathause
der Rue Militaire, an der Ecke der Rue Raugraf, ein Name,

der für die frühere deutsche Nationalität der Moselgegend zeugte. Während am Abende die Musik des sächsischen Regiments Prinz Georg eine Serenade ausführte, berieth der König mit den Generalen die schon eingegangenen Berichte und befahl, daß am nächsten Morgen der Wagen schon früh um fünf Uhr vorfahren solle, da sich annehmen ließ, daß das heute begonnene Gefecht sich morgen zu einer großen Schlacht entwickeln könne. Pont à Mousson war die erste größere französische Stadt, welche das Hauptquartier seit dem Ueberschreiten der Grenze berührte, und die feindliche Stimmung der Einwohner ließ sich schon daraus erkennen, daß während der Serenade, welche von der sächsischen Militärmusik trefflich ausgeführt wurde, die ganze Rue Militaire menschenleer blieb, so daß nur deutsche Offiziere und Soldaten dem Spiele zuhörten.

Daß übrigens das Gefecht bei Metz größere Dimensionen angenommen haben mußte, als man während des Tages vorausgesetzt, schien aus dem Kanonendonner hervorzugehen, den man bei windstill-werdendem Abend von Nordwest her deutlich hörte. Es herrschte deshalb große Erregung im Hauptquartier, da man sich wohl bewußt war, daß jetzt die entscheidenden Schläge unmittelbar bevorstanden. In der Nacht um zwei Uhr kam denn auch die Meldung des Prinzen Friedrich Carl über den abermals erfochtenen Sieg und die in Folge dessen eingenommenen Stellungen der Armee-Korps, sowie, daß er den übrigen Korps seiner Armee befohlen habe, sich um Mittag des 17. hinter Flavigny zu konzentriren, um die Schlacht zu erneuern. Sofort befahl der König statt um fünf, nun schon um ein halb vier Uhr aufzubrechen, und demgemäß gingen auch die Reitpferde früher nach dem Städtchen Gorze voraus, wo sich das Hauptquartier des Prinzen Friedrich Carl in der Nacht befunden hatte. Ich hatte von diesem veränderten Befehle nichts erfahren, und als ich mich um fünf Uhr den Equipagen anschließen wollte, war der König schon seit anderthalb Stunden fort, so daß ich allein folgen mußte. Der König war über Pagny und Novéant nach Gorze gefahren; als ich aber zwischen Pagny und Novéant Truppen des dort über die Mosel gegangenen VIII. Armee-Korps begegnete, welche auf Gebirgswegen einen angeblich näheren Weg einschlugen, folgte ich einer schweren Batterie und fand hinter Gorze, welches Städtchen von Verwundeten und Fuhrwerk aller Art überfüllt und kaum paſſirbar war, die Königlichen Equipagen bereits verlaſſen, den König aber zu Pferde schon bei Flavigny, im Begriffe das Schlachtfeld von gestern zu bereiten. Er ritt den Romeo, da die Sadowa schon außer Dienst gestellt war.

Auf dem Plateau bei Flavigny erwarteten Prinz Friedrich Carl und General von Alvensleben (kom. Gen. des III Armee-Korps) den König, der sich nun an Ort und Stelle genau Bericht erstatten ließ. Auf dem Ritte begegnete der König nacheinander der 16. Division, so wie Theilen des III. und X. Armee-Korps; die letzteren hatten faſt alle schwere Verluste erlitten, waren aber deſſen ungeachtet in enthusiaſtiſch gehobener Stimmung. Die Truppen glaubten nämlich, nun der König gekommen wäre, müſſe heute noch ſofort der Kampf wieder beginnen. Ein Bataillon des 7. Weſtfäliſchen Infanterie-

Regiments Nr. 56 hatte alle seine Offiziere verloren, so daß ein
Feldwebel es führte. Andere Bataillone waren bis auf die Stärke
einer Kompagnie zusammengeschmolzen. Nachdem der König die
Berichte über das gestern Errungene und die Meldungen über
die Stellung der Franzosen entgegengenommen, verblieb
er auf dem Schlachtfelde, mitten unter Verwundeten und
Leichen! Um ein Uhr meldete Prinz Friedrich Carl, daß
der Anmarsch des Korps sich sehr verzögere und daß der
Kampf heute nicht mehr erneuert werden könne; es erfolgte
also der Befehl, heute nicht weiter anzugreifen, dagegen sich
auf morgen zu einer wahrscheinlich großen Schlacht vorzubereiten. Ungefähr um zehn Uhr war der König vom
Pferde gestiegen, hatte sich auf einen rasch bereiteten Sitz
von französischen Tornistern, mit Zelttheilen bedeckt, niedergelassen und etwas zu essen verlangt. Es war nur vorhanden, was der Reitknecht an kalter Küche in der Satteltasche mitgenommen. — Schon hier an Ort und Stelle
wurden die wichtigsten Dispositionen für die bevorstehende
Schlacht getroffen, von der sich nach der vom Feinde ge-
nommenen Stellung voraussehen ließ, daß sie eine entscheidende werden mußte. Die weiteren Bestimmungen wurden
erst Abends in Pont à Mousson erlassen, wohin der König
zum Diner zurückkehrte und zwar vom Schlachtfelde bis
Gorze zu Pferde und von dort zu Wagen.

Nach dem erst um sieben Uhr beginnenden Diner theilte
mir der König mit, was über die Schlacht vom 16. an den

Staats=Anzeiger berichtet werden sollte. Ich erfuhr bei dieser Gelegenheit, daß auch das Garde=Korps, das XII. (Königlich Sächsische), XI. und II. Armee=Korps die Mosel überschritten, resp. im Begriff wären, dieselbe zu über= schreiten, so daß auch sie in die bevorstehende Schlacht ein= greifen konnten. Bei dem Niederschreiben der Notizen, aus welchen mein Bericht zusammengestellt werden sollte, habe ich entweder nicht recht gehört oder der König war selbst nicht vollständig unterrichtet gewesen; — kurz, ich schrieb: „Die Kaiserliche Garde ist noch immer nicht im Ge= fechte gewesen, man scheint sich dieselbe für eine letzte Nothwendigkeit aufgespart zu haben, zu der es nach der jetzigen Konzentration bald kommen dürfte" (Siehe Nr. 218 des Staats=Anzeigers). Von den Unannehmlichkeiten, die mir diese kurze irrthümliche Notiz im weiteren Verlaufe des Feld= zuges bereitete, werde ich auf dem Wege, den das große Hauptquartier machte, zu erzählen haben.

Geistig und körperlich von den Strapazen des Tages sehr angegriffen, schrieb ich fast die ganze Nacht für den „Feld=Soldatenfreund", den „Staats=Anzeiger" und die „Neue Preußische" und fühlte mich bei Tagesanbruch am 18. plötzlich sehr unwohl. Ich hatte den Wagen um vier Uhr bestellt, um dem Könige zu folgen, der zu dieser frühen Stunde Pont à Mousson verließ, um sich auf das Schlachtfeld zu begeben. Vergebens versuchte ich mich anzu=

kleiden, schließlich warf ich mich auf das Bett und schickte
meinen Trainsoldaten nach einem Arzte. Sonst ist der
ganze Tag des 18. August wie aus meinem Gedächtnisse
weggelöscht. Ich habe die ganze Nacht bis zum Mittag
des 19. fest geschlafen, fühlte mich beim Erwachen voll=
kommen gesund und hatte sofort meine ganze Elastizität
wieder, als ich die Nachricht von dem abermaligen
Siege bei Gravelotte empfing. Der König war in der
Nacht zum 19. in Rezonville auf dem Schlachtfelde ge=
blieben und kam erst Nachmittags fünf Uhr von dort nach
Pont à Mousson zurück. Um sechs Uhr fand das Diner
mit den Fürstlichkeiten des Hauptquartiers statt, und nach
demselben ließ ich anfragen, ob der König etwas zu befehlen
habe. Ich mußte hereinkommen und theilweis hier, theilweis
am Morgen des 20., erzählte mir der König Folgendes.

„Als ich am 17. vom Schlachtfelde über Gorze nach
Pont à Mousson zurückfuhr und in dem überfüllten Gorze
einige Augenblicke anhalten mußte, überreichte man mir eine
wunderschöne rothe Rose, soviel ich in dem unglaublichen
Lärm und in der Verwirrung hören konnte, von einem
schwerverwundeten Offizier, welcher, in einem Hause liegend, von
meinem Vorüberfahren gehört. Leider habe ich seinen Namen
nicht deutlich verstanden. Erkundigen Sie sich doch, wer mir dieses
sinnige, bedeutungsvolle Geschenk gemacht.*) Schon am 17.

---

*) Daß dies geschehen ist, bezeugt folgender Ausschnitt aus der
N. Pr. Z.: — Man schreibt uns aus Halberstadt, den 24. Dezember:

wußten wir, daß die am 16. von Fritz Carl geschlagene fran=
zösische Armee ihren Rückzug nach Châlons nicht angetreten
hatte und an Metz klebte. So beschloß ich denn zum 18. die
Schlacht, da auch das Pommersche Korps (II.) und die Garden
bis dahin eingetroffen sein konnten. Früh um vier Uhr fuhr

Den Lesern der Kreuzzeitung wird vielleicht noch eine rührende Episode
aus dem vorjährigen Kriege in Erinnerung sein, wo ein schwerverwundeter
Offizier dem vorüberfahrenden König aus seinem Bauerstübchen eine Rose
als Siegesgruß zusendete. Auch unser erhabener Kaiser hat diesen Augen=
blick nicht vergessen und jetzt zu Weihnachten dem damaligen Rosenspender
seinen fürstlichen Dank in zartester Weise ausgedrückt. Am 23. erhielt
der jetzt hier als Bezirks=Kommandeur fungirende Offizier, der Hauptmann
von Zedtwitz (vom 72. Infanterie=Regiment), einen eigenhändigen Brief
Sr. Majestät, welcher also lautet:

„„In dankbarer Erinnerung an den mir unvergeßlichen Augen=
blick, wo Sie, schwer verwundet in Gorze am 19. August 1870,
mir eine Rose nachsendeten, als ich, Sie nicht kennend, an Ihrem
Schmerzenslager vorübergefahren war, — sende ich das beikommende
Bild, damit noch in späteren Zeiten man wisse, wie Sie in
solchem Momente Ihres Königs gedachten und wie dankbar er
Ihnen bleibt! —

Weihnachten 1871.   Wilhelm, Rex.
                                      22/12. 71.““

und ein Bild von etwa 2 ½ Fuß Breite und 2 Fuß Höhe, gemalt von
J. Zeyß, welches Folgendes darstellte: Auf einem Gedenkstein mit der
Inschrift: „Gorze, den 19. August 1870" liegt eine schwarz=weiß=rothe
Fahne, den Stein rechts zur Hälfte bedeckend, die schwarz und silberne
Fahnentrobbel nimmt die linke Seite ein, in der Mitte steht ein Infanterie=
Helm, mit dichtem Eichenkranz umwunden, auf dessen Blättern man ver=
schiedene Thränen sieht, an den Helm angelehnt liegt das eiserne Kreuz
nebst Band. In der Mitte des breiten goldenen Barokrahmens oben ist
eine in mattem Silber getriebene Rose angebracht, welche, wie das ganze
Bild, einen prachtvollen Effekt macht. Die Freude des Hochbeglückten ist
nicht zu beschreiben, Referent war Zeuge davon, doch ist nicht er allein
erfreut, die ganze Stadt fühlt sich geehrt durch diesen Akt Königlicher
Huld, die einem der Ihrigen zu Theil geworden ist.

ich von hier nach Gorze und stieg dort um sechs Uhr zu Pferde. Meine erste Aufstellung nahm ich auf der Höhe zwischen Gorze und Flavigny, wie am vorigen Tage, wo ich alle Meldungen über die Aufstellungen des Feindes und den Stand unserer Armee-Korps in Empfang nahm. Es war bis ungefähr zwölf Uhr eine Zeit der gespanntesten Erwartung, da es sich, wenn die Franzosen stand hielten, offenbar um eine entscheidende, dann aber auch sehr blutige Schlacht handelte. Von diesem Standpunkte aus sah ich den Anmarsch des VII., VIII. und IX. Armee-Korps gegen die Wälder Bois des Dignons und de Vaux und erhielt hier auch noch die Meldung von Fransecky, daß er mit den Spitzen seines Korps (II.) auf den bezeichneten Punkten hinter einem Aufenthaltsort um drei Uhr eintreffen werde. Ungefähr um diese Zeit, als das Gefecht sich schon lebhaft engagirt hatte, ritt ich von der Höhe bei Flavigny herab und stellte mich rechts, seitwärts von Rezonville auf. Von hier aus konnte ich das ganze Gefecht südlich Gravelotte übersehen und überzeugte mich von der außerordentlichen Heftigkeit des Kampfes. Unsere drei Korps hatten zwar den Befehl, nicht zu stark zu drängen, bis die Umgehung durch die Garden und das sächsische Korps gelungen war; aber die Franzosen machten ihrerseits auch durch tapferen Widerstand lange Zeit jedes Vordringen unmöglich. Ich konnte wegen der Gehölze nicht deutlich erkennen, weshalb das VII. Armee-Korps nicht mehr Terrain gewann, namentlich als ich ungefähr um sechs Uhr Abends auf der Chaussee nach Gravelotte bis dicht an dieses Dorf ritt und die Nachricht erhielt, daß die Garden mit den Sachsen über

Jouaville, Batilly und Sainte Marie aux Chênes in die Flanke des Feindes gekommen und bei St. Privat bereits engagirt seien. Ich fragte Moltke, der vor gewesen war, und er gab den Truppen das Zeugniß, daß sie heldenmüthig kämpften, aber äußerst ungünstiges Terrain vor sich hätten. Hier bei Gravelotte links ausbiegend, begegnete ich der 1. Kavallerie=Division Hartmann und begrüßte sie, dann hielt ich lange Zeit in der Nähe der hochliegenden Ferme Malmaison, wo die rechte Flügel=Batterie des 8. Korps im Feuer stand. Hier begegnete ich dem General von Stein= metz und Prinz Adalbert, dessen Pferd verwundet war. Der Kampf vorwärts bei Gravelotte war sehr heftig und die Franzosen hatten hier mehrere determinirte Vorstöße ge= macht. Es fing schon an dunkel zu werden, als plötzlich das, auf der ganzen Linie vor uns seit fast einer Stunde schweigende Geschützfeuer mit einer enormen Heftigkeit wieder begann. Der Feind machte, von einem vierfachen Infanterie= Etagenfeuer unterstützt, einen Vorstoß, der durch einen Bajonett=Angriff des eben eintreffenden II. Korps zurück= geworfen wurde. Ich hörte das Hurrah deutlich. Hier fanden sich denn auch die „historischen" Granaten bei mir ein und diesmal bat mich Roon von dieser exponirten Stelle wegzugehen, wie Bismarck es bei Königgrätz gethan hatte. Von dieser letzten Stellung ritt ich im Schritt bis nach Rezonville zurück. Es war zu spät geworden, um hierher nach Pont à Mousson zurückzukehren. So übernachtete ich in Rezonville auf dem Schlachtfelde. Erst wollte ich in meinem Wagen schlafen, dann wurde noch ein Zimmer in einem

arg mitgenommenen Hanse des Dorfes aufgefunden, wohin ich
mir eine Bahre aus einem Krankenwagen bringen ließ.
Aber ich kam erst spät zur Ruhe, denn es gab Meldungen über
Meldungen über die gewonnenen Resultate, leider auch über
schwere Verluste. Es war ein wunderbar bewegtes Bild am
Wachtfeuer. Heute früh um halb sieben war ich wieder ganz
munter. Nun kamen auch von allen Seiten die Berichte über
den Schluß und die äußerst günstigen Erfolge der Schlacht.
Ich ließ mir von den Generalen Vortrag halten, Bazaine
war richtig nach Metz hineingegangen. Dann befahl ich,
was im Kriegsrath weiter geschehen sollte und wollte nun
das ganze Schlachtfeld bereiten. Es gab so viel zu hören
und zu befehlen, daß sich das Abreiten immer mehr
verzögerte. Ich war aber auch durch die Meldung über den
Tod so vieler Braven, die mir so nahe gestanden haben,
zu erschüttert, um den weiten Ritt zu unternehmen! — End=
lich brach auch noch ein Gewitter los, so daß ich nun nach
Pont à Mousson zurückkehrte.‟ —

Natürlich konnte ich die Mittheilung nicht ganz wörtlich
so niederschreiben, wie sie mir gemacht wurde; sie ist aber
nachträglich mit ganz besonderer Sorgfalt von dem Könige
korrigirt worden, so daß die Details sämmtlich getreu wieder=
gegeben sind, wie ich sie aus dem Munde des Königs gehört. —
Ich hatte nun für meine Berichte genug zu thun; um so
mehr, als in der Nacht noch eine Depesche vom General von
Werder ankam, welche einen Ausfall der Garnison von
Straßburg meldete, den er glücklich zurückgeschlagen hatte,
und das Hauptquartier voll war von Erzählungen über die

Begebenheiten des 14., 16. und 18., sowie über die Gefahr, in welcher der als Parlamentair vor Metz erscheinende Oberst=Lieutenant von Verdy vom großen Generalstabe ge= schwebt hatte.

———

Am 20. früh fand ich den König sehr ernst und weh= müthig gestimmt. Die Verluste an Todten und Verwundeten hatten sich erst durch die Appells am 19. bei den Truppen übersehen lassen, und die nun gemeldeten Zahlen sowohl, als die Namen der gefallenen, dem Könige meist persönlich bekannten Offiziere, hatten diese trübe Stimmung hervor= gerufen. So oft auch später der König von diesen Ver= lusten sprach, standen ihm die Thränen in den Augen und kaum konnte er seiner Bewegung gebieten. — Am Vormittage des 20. kam der Kronprinz nach Pont à Mousson, wohnte dem Generalsvortrage bei und erhielt bei dieser Gelegenheit das eiserne Kreuz 1. Klasse und zwar das erste aller Kreuze dieser Klasse, welches überhaupt seit der Wiederbelebung dieses wunderbar wirkenden Ehrenzeichens verliehen wurde.

In dem heutigen Generalsvortrage wurde die in Rezonville bereits befohlene Bildung einer Maas=Armee unter dem Oberbefehl des Kronprinzen von Sachsen aus= geführt, zu welcher Prinz Friedrich Carl drei der ihm bisher untergeordneten Armee=Korps, der Garde, 12 und 4 abgeben mußte, wogegen dem Prinzen Friedrich Carl zur Cernirung von Metz die 1. Armee (von Steinmetz) untergeordnet wurde (1., 7., 8. Korps). Mit jeder von den Truppen kommenden

Meldung mehrte sich die Bedeutung des Sieges bei Grave=
lotte. Bazaine hatte sich wirklich selbst zu einer Ein=
schließung verurtheilt, und vom Feinde, namentlich aus
Châlons, eingehende Nachrichten ließen erkennen, daß bis
Paris wahrscheinlich nur noch eine große Schlacht, vielleicht
wie 1814 unter den Mauern dieser Stadt zu schlagen sein
würde; und daß auch diese siegreich ausfallen würde, daran
zweifelte bei den Truppen jetzt schon Niemand mehr. Der
Kronprinz ging sogleich wieder nach Nancy zurück.

***

Am Nachmittage kamen 2500 Mann französische Ge=
fangene von den Schlachtfeldern bei Metz durch Pont à
Mousson. Der Zug ging durch die Hauptstraße und da,
wo die Rue Militaire in dieselbe mündet, hatte sich nach
und nach die ganze militärische Umgebung des Königs ver=
sammelt, um sich den Transport anzusehen; — auch ich war
dabei, weil ich mich bei Allen erkundigte, ob Niemand wisse,
wohin die Sektion „Commercy" der großen Generalstabskarte
gekommen sein könne, die sich dann später, wie schon er=
wähnt, in der Satteltasche eines Reitknechts fand, der sie,
beim Bereiten des Schlachtfeldes am 17., vom Könige zum
Aufheben erhalten hatte.

Den 21. blieb das Hauptquartier noch in Pont à
Mousson; — ein auffallend ruhiger Tag unmittelbar nach
so erschütternden Ereignissen! Es war so still um das
Quartier des Königs wie im tiefsten Frieden. Neben dem

Generalsvortrage fanden die gewöhnlichen Vorträge des Militär- und Civil-Kabinets statt; nicht einmal Truppen marschirten durch, die der König hätte defiliren laffen können. Der König sagte auch am Morgen zu mir, es sei eine sehr einsame Straße, in die man diesmal sein Quartier verlegt habe; er sehe und höre nichts von den Truppen. Das gab mir den Muth, dem Chef einer Eskadron des Garde-Küraffier-Regiments, welche auf dem Boulevard vor meiner Wohnung außerhalb des alten Walles bivouakirt hatte und eben abmarschiren wollte, vorzuschlagen, ob er nicht den kleinen Umweg durch die Rue Militaire zur Stadt hinaus machen wolle. Gewiß würde der König sich freuen, die schönen Mannschaften und Pferde dieser Eskadron zu sehen und ich wäre überzeugt, daß Seine Majestät an das Fenster treten würde. Der Rittmeister wollte erst nicht recht darauf eingehen, weil es eben ein Umweg war, gab aber doch nach und hatte dafür die Freude, daß Alles so verlief, wie ich vorausgesagt hatte. Nach dem Diner besuchte der König die Lazarethe, wo verwundete Offiziere lagen und sprach mit den Brüdern von Stülpnagel und von Finckenstein vom 1. Garde-Regiment zu Fuß, welches besonders beim Sturm von St. Privat la Montagne gelitten hatte. Der Tod des Obersten Victor von Roeder, Sohn des Generals von Roeder, den der König mir einmal als seinen „Freund" genannt hatte, ging ihm namentlich zu Herzen. Es fehlte auch sonst an verwundeten und kranken Offizieren nicht. — Lieutenant von Rhaden, Gatte der Sängerin Lucca, lag verwundet im Nebenhause; Oberst Graf Caniß wurde in einem Lazarethwagen vor das Quartier des Königs gefahren und das ganze Gefolge versammelte sich theilnehmend um ihn, als auch der König herabgekommen und an seinen Wagen getreten war. General von Rauch hatte unmittelbar gegenüber Aufnahme bei seinem Brnder, dem Hofstallmeister gefunden. Ueberall umgaben den König die blutigen Folgen der letzten Schlachttage. Die schmerzlichen Eindrücke wurden aber eben so oft und schnell von hochfreudigen verwischt, denn die Meldungen von den bereits auf Paris vormarschirenden Truppen lauteten ungemein günstig; selbst die Nachrichten, welche aus Metz über die dort eingeschlossene, in 5 Tagen dreimal geschlagene und entmuthigte Armee des Marschalls Bazaine ins Hauptquartier drangen, ließen damals eine raschere Beendigung der Blockade hoffen, als sie später eingetreten ist. Die Einwohner hatten keine Belagerung erwartet, also sich auch nicht verproviantirt; 15 000 Bauern waren zu Schanzarbeiten in die Festung gezogen worden, wohl auch um das beliebte „Vide" der Pariser Strategen herzustellen. Sie erhielten gute Bezahlung, aber Niemand wollte ihnen Lebensmittel verkaufen. Die Zahl der Verwundeten, welche aus den drei Schlachten des 14., 16. und 18. nach Metz hineingebracht worden waren, mußte zum Mindesten auf 20 000 Manu angenommen werden, also Hungersnoth, Typhus, vielleicht Rebellion der Armee, — kurz, es schien eben mit Bezug auf Metz Alles sehr viel günstiger für uns auszusehen, als es sich nachher herausstellte. Am Vormittage des 22., zwischen den verschiedenen Vorträgen sah der König das durch Pont à Mousson

marschirende Landwehr-Bataillon Sprottau (1. vom 46.) und
eine Eskadron des 5. Reserve-Ulanen-Regiments, beide zur
Division Kummer gehörig, und ließ sie auf dem Markte an
sich vorbeimarschiren. Dann besuchte er das Hospital, wo
er mit dem General von Grüter und dann mit allen dort
liegenden Verwundeten freundlich tröstend sprach. Man muß
nach einem solchen Besuche des Königs durch ein Lazareth
gegangen sein, um den Eindruck zu verstehen, den die Erscheinung des Königs auf die Verwundeten machte, aber
auch die Aufgabe zu begreifen, die der König sich dadurch
gestellt.

Am Morgen des 23. hatte ich nur günstige Telegramme
und Nachrichten zu bringen. Die Zeitungen aus Berlin
meldeten bereits den Eindruck, den die drei so rasch auf-
einander folgenden Siege bei Metz dort gemacht. Als ich
das Zimmer des Königs verließ, wartete eine Deputation
von Aerzten aus allen Cantonen der Schweiz, welche auch
sofort vorgelassen wurden. Mittags wurde das Hauptquartier
von Pont à Mousson nach Commercy verlegt, wo die Ankunft Nachmittags gegen vier Uhr erfolgte. Vor unserem Eintreffen war die Ablieferung aller Waffen befohlen worden,
und es war ein eigenthümlicher Anblick, als wir die Einwohner, fast alle mit Gewehren auf der Schulter, in den
Straßen umhergehen sahen. Sie waren aber in sehr un-
gefährlicher Absicht bewaffnet, da sie ihre Jagdgewehre ins
Depot auf die **Mairie** trugen. In Commercy erwartete

der kommandirende General des IV. Armee-Corps, von Alvensleben, den König und stellte den in seinem Stabe stehenden
Fürsten von Schwarzburg-Rudolstadt vor. Auch der Erbprinz von Anhalt war gegenwärtig und wurde zu der erst
spät stattfindenden Tafel gezogen, nach welcher die Regiments-
musik des Anhalt'schen Infanterie-Regiments Nr. 93 eine
Serenade brachte. Nach Allem, was man hier hörte, gingen
die beiden Kronprinzen-Armeen in gerader Richtung auf
Paris los und zwar so, daß sich beide in der immer noch
erwarteten Schlacht bei Châlons gegenseitig unterstützen
konnten, denn nach dorthin hatte sich die Konzentration aller
noch vorhandenen Theile der verschiedenen französischen
Armeen gezogen. Die Stimmung der Einwohner schien hier
weniger schroff als in Pont à Mousson; doch zeigte sich bei
Einzelnen eine große Verbissenheit und selbst hier glaubte
noch Niemand an die Paralysirung Bazaine's in Metz, so
wenig wie an den Verlust dreier Schlachten hintereinander.

Am 24. August früh bestätigte der König, daß er im
Feldzuge 1815 mit seinem Vater in demselben Hause gewohnt, wo diesmal Quartier für ihn gemacht worden war,
und erzählte von den Eindrücken, die er damals als junger
Prinz empfangen. Ich konnte mich des Vergleiches seiner
damaligen Stellung zu den eigentlich treibenden und entscheidenden Kräften im Hauptquartier der Alliirten mit derjenigen nicht erwehren, welche gegenwärtig mehrere junge,

dem Hauptquartiere folgende deutsche Fürsten einnahmen. Diese klagten bei jeder Gelegenheit, daß sie eigentlich so viel wie nichts von Demjenigen erführen, was um sie her vorginge und noch weniger von dem, was sich vorbereite. Das wird damals wohl ebenso gewesen sein, wie der König auch bestätigte. Dagegen war aber jetzt Vieles anders und besser geworden. Der König befahl als oberster Feldherr allein; damals mußte auf eine russische, eine österreichische, ja eine schwedische und englische Meinung gehört werden. Preußen stand in zweiter Reihe gegen zwei Kaiser und deren Feldherren, jetzt brauchte es nur auf deutsche Interessen zu achten, hatte also volle Freiheit der Bewegung. Dieser Gegensatz des Jetzt zum Damals war wohl geeignet, auch ferneren gleich günstigen Fortgang des Feldzuges, wie von der Grenze bis hierher, erwarten zu lassen.

Durch die Mittheilung des Königs angeregt, besah ich mir das Haus, in welchem er schon 1815 gewohnt, näher und fand in einem Büreau der Sous-Préfecture eine greuliche Verwüstung; ob durch die Flucht der Beamten und übereilte Bergung der wichtigsten Akten, oder durch das Suchen nach Departementskarten, Steuerregistern u. s. w. verursacht, habe ich nicht erfahren, jedenfalls war die Unordnung und Zerrüttung in den Büreaus unbeschreiblich. Von Commercy aus ging übrigens der General à la Suite von Steinäcker mit Depeschen nach Karlsruhe und Berlin und kam während des ganzen Feldzuges nicht wieder ins Hauptquartier, wie ich hörte, wegen seines Gesundheitszustandes, der ihm schwere Strapazen nicht mehr erlaubte.

Eine besonders frohe Stimmung verbreitete die Nachricht, daß General Graf Bismarck-Bohlen und der Präsident Kühlwetter sich beim Könige gemeldet, um die Militär- und Civilverwaltung des Elsaß zu übernehmen, weil man darin die Erfüllung des in ganz Deutschland so lebhaften Wunsches zu erkennen glaubte, das uraltdeutsche Land für Deutschland wiederzugewinnen. Das lang Gehoffte und Erstrebte schien dadurch zur Wirklichkeit zu werden; die erste greifbare, auch für die Zukunft werthvolle Frucht der bis hierher schon geführten Kämpfe.

Am Mittage des 24. wurde das Hauptquartier von Commercy nach Bar le Duc verlegt und zwar über Ligny, wo eine Begegnung des Königs mit dem Kronprinzen stattfand, der in diesem Städtchen das Hauptquartier der III. Armee aufgeschlagen hatte. Nach einem Vorbeimarsch mehrerer Truppentheile fand dann ein Dejeuner statt. Sonderbarer Weise liefen hier Friedensgerüchte von Mund zu Mund, die zwar geglaubt, aber nichts weniger als freudig aufgenommen wurden, denn alle Personen, mit denen ich verkehrte, waren der Meinung, nur ein in Paris diktirter Friede sei im Stande, Deutschland Ruhe, — dann aber allerdings auf lange — zu verschaffen. Der Marsch des Hauptquartiers hatte sich übrigens mit dem zweier Landwehr-Divisionen gekreuzt, welche nach Metz marschirten, um dort in die Blockade-Armee einzurücken. In Commercy, Ligny und Bar le Duc mußten die Einwohner absolut nichts von

ben entscheidenden Vorgängen des 14. bis 18. August bei
Metz, nur von dem Gefechte am 14. hatten sie gehört;
natürlich war es ein glänzender Sieg der Franzosen gewesen.
Auch von Châlons, von Paris, vom Kaiser Napoleon wußte
Niemand etwas. Niemand glaubte aber auch an ein für
Frankreich unglückliches Ende des Krieges. Ich war in
Bar le Duc bereits installirt, als der König um fünf Uhr
Nachmittags dort eintraf. Die ungemein malerisch liegende,
in ihrem oberen Theile durch mittelalterliche Architektur be-
sonders merkwürdige Stadt war überfüllt mit baierischen
und preußischen Truppen, die in der Richtung auf Vitry le
français hier durchmarschirten.

Es empfingen uns allerlei Nachrichten, welche noch
weitere entscheidende Ereignisse in Aussicht stellten. Der
Kaiser Napoleon sollte den Oberbefehl der Armee wieder
übernommen, Mac Mahon eine bedeutende Armee bei Châlons
zusammengezogen haben. Die von der Armee Bazaine's ab-
gedrängte Division, die an der Nordküste zur Einschiffung
nach der Ostsee versammelt gewesenen Regimenter, die
Pariser Garnison und Mobilgarden, neugebildete Korps von
Douaniers und Gensdarmen, sollten zu einer energischen
Vertheidigung der Straßen auf Paris bereitstehen. Es sah
so aus, als sollten die großen, entscheidenden Schläge noch
erst geführt werden. Schon bei der Ankunft des Königs
hatte sich eine außerordentliche Menge von Offizieren vor

dem Bankgebäude, — dem Quartier des Königs, — ver=
sammelt und blieb es auch, als die Hornmusik eines
baierischen Regiments auf der Promenade vor demselben
konzertirte. Nach und nach, oft in raschester Folge, trafen
hier die widersprechendsten Nachrichten ein. Unsere Eclaireurs
sollten bereits in Châlons eingerückt sein und das so viel
besprochene Lager leer gefunden haben; die dort zu besserer
Disziplinirung versammelt gewesenen Mobilgarden aus Paris
sollten revoltirt haben und nach Paris zurückgeschickt worden
sein. Bazaine sollte einen Ausfall aus Metz gemacht und
unsere Blockade=Armee zurückgeschlagen haben. Günstiges
und Ungünstiges schwirrte so verwirrend durcheinander, daß
man sich kein, nur einigermaßen klares Bild von der eigent=
lichen militärischen Lage machen konnte und verwunderlich
kleinmüthige Aeußerungen hörbar wurden.

Als ich am Morgen des 25. zum Könige kam, sagte er
mir: „Es scheint fast, als wolle Napoleon sich nicht nach Paris,
sondern nach dem Norden zurückziehen. Unsere Kavallerie
ist schon in Châlons eingerückt und hat erfahren, daß die
Armee Mac Mahons von dort mit der Direktion auf Rheims
und die Festungen im Norden abmarschirt ist. Aber auch
wenn Sie so etwas von anderer Seite hören, so schreiben
Sie in den Zeitungen noch nichts davon," was denn auch
natürlich nicht geschah. Der Tag war ein sehr bewegter, da
die Nachrichten von dem Ausweichen der französischen Armee
sich bestätigten. Fast drei Stunden sah der König das
II. Baierische Armee=Corps (von der Tann) durch Bar le Duc
defiliren, während welcher Zeit er zu Fuß auf der Promenade,

feinem Quartiere gegenüberstand, ohne ein Zeichen von Er=
müdung; wie denn überhaupt die körperliche Rüstigkeit des
Königs oder vielleicht der feste Wille, keine Ermüdung zu
zeigen, während der ganzen Kampagne geradezu erstaunlich
war. Nur in der letzten Zeit und in Versailles schonte sich
der König etwas mehr, freilich durch Unwohlsein dazu ge=
zwungen, jedenfalls sehr gegen seinen Wunsch und Willen.

In dem Generals=Vortrage am Morgen war noch nichts
beschlossen worden, was gegen diesen Schachzug Napoleons
oder Mac Mahons zu thun sei. Es wurde daher am Abende des
25. noch ein Generals=Vortrag gehalten und wahrscheinlich
ist in diesem die ebenso kühne wie glückliche Idee, dem Feinde
parallel zu folgen und ihn womöglich über die belgische
Grenze zu drängen, vom Könige angenommen worden.
Mehrere Beamte des Grafen Bismarck sagten mir zwar noch
am Abende, daß man sich ebensowenig wie im Jahre 1814
an diese Verlockung des Feindes kehren werde und daß der
Bundeskanzler geäußert, man müsse vor allen Dingen Paris
durch Ueberraschung besetzen, die entmuthigt umherirrende
Armee könne man dann um so sicherer schlagen. Diesem
Gedanken entsprach auch die Richtung, welche die III. und
die Maas=Armee bis jetzt verfolgt hatten, und die Nennung
von Vitry le français als nächstes Hauptquartier schien dies
zu bekräftigen. Im Generals=Vortrage, dem auch Graf
Bismarck beigewohnt hatte, muß aber der König, nach An=

hören der verschiedenen Meinungen, sich doch wohl anders
entschieden haben, denn am 26. früh hörte ich, daß das
Hauptquartier noch denselben Tag nach St. Ménéhould ver=
legt werden sollte, also nach Norden und im rechten Winkel
auf die grade Richtung nach Paris. Die Quartiermacher der
Feldpolizei gingen auch sogleich dorthin ab. Kaum waren
sie aber fort, so wurde der Befehl ausgegeben, nach Clermont
en Argonnes, also noch weiter westlich als St. Ménéhould,
abzurücken, sechs dentsche Meilen von Bar le Duc entfernt.
Damit war unzweifelhaft ein Aufsuchen des Feindes hinter
Rheims ausgesprochen, denn schon waren Nachrichten ge=
kommen, daß Marschall Mac Mahon in der Nähe von Vouziers
eingetroffen sei und der Kaiser wie der Kaiserliche Prinz sich
wahrscheinlich bei ihm befänden. Was kounte den Marschall
zu dieser Bewegung veranlaßt haben? Zwei ganz verschiedene
Zwecke waren denkbar. Entweder wollte er die rechte Flanke
der Maas=Armee des Kronprinzen von Sachsen bei ihrem
Marsche auf Paris cotoyiren, sie in jedem günstigen, ihm
bekannten Terrain anfallen und dadurch ihren Vormarsch ver=
zögern. Selbst wenn er geschlagen wurde, hätte er doch noch
gleichzeitig mit den beiden Kronprinzen=Armeen vor Paris
eintreffen und die Vertheidigung der Festung verstärken können;
— oder, er wollte sich von Rheims und Vouziers aus gegen
Metz wenden, um dem dort eingeschlossenen Bazaine die
Hand zu reichen. Beide Pläne waren geschickt und konnten
Erfolg haben; um so glänzender und durch ihren Erfolg
beispiellos steht die Bewegung, welche der König für die
beiden deutschen Armeen adoptirt, in der Kriegsgeschichte da.

Durch eine einfache Rechtsschwenkung der Têten dieser beiden
Armeen trennten sie den Feind gleichzeitig von Paris und
Metz, gabelten ihn voraussichtlich bis zur belgischen Grenze
und führten so seine totale Niederlage bei Sédan herbei. Der
Entschluß des Königs, auf diesen Plan einzugehen, schien
mir um so merkwürdiger, als er dem selbsterlebten und erfolg=
reichen Vorgange im Jahre 1814 schnurstracks widersprach.
Damals war Napoleon I. ebenfalls dem Vorstoße der Alliirten
ausgewichen, um seine Feinde von Paris abzulocken, und der
große Moment, wo die alliirten Fürsten beschlossen, ihm nicht
zu folgen, sondern ihren Marsch auf Paris fortzusetzen, war
eine seiner Lieblingserinnerungen, von welcher der König
mir wiederholt erzählt, um so mehr als der Sieg vor Paris
eine Folge dieses Kriegsrathes en plein air bei Vitry le
français wurde. Der wunderbare Erfolg bei Sedan hat be=
wiesen, daß auch das diametral Entgegengesetzte zum gleich
glänzenden Ziele führen kann. Die Meinungen über die
Zweckmäßigkeit dieser so ganz veränderten Marschrichtung
waren im Hauptquartiere sehr getheilt; die Bedenklichkeiten
verstummten aber schon nach Beaumont, um in den Tagen
nach Sedan ungetheilter Bewunderung Platz zu machen.

––––––––––

Der Abmarsch aus Bar le Duc erfolgte am 26. Mittags
und Clermont en Argonnes wurde auf theilweise sehr be=
schwerlichen Vicinal=Wegen erst mit einbrechender Dunkelheit
erreicht. Vor dem Aufbruche war der Kronprinz noch nach

Bar le Duc gekommen und vom Könige empfangen worden,
der ihm wahrscheinlich die Instruktion für die veränderten
Operations-Objekte gegeben. Unterwegs begegnete ich endlosen
Truppenzügen, alle schon mit der Richtung nach Norden, und
da Clermont zu klein war, um das ganze große Hauptquartier
aufnehmen zu können, so trat abermals eine Trennung in
Staffeln ein, so daß die zweite Staffel nach Rarécourt verlegt wurde. Der König wohnte hier noch beschränkter als
in Herny, empfing die Meldung des Kronprinzen von Sachsen
und trat im stärksten Regen auf die kothige Straße, um zum
ersten Male in diesem Kriege einige Garde-Regimenter, unter
ihnen das Garde-Füsilier-Regiment und das Garde-Husaren-
Regiment defiliren zu sehen. Es war schon so dunkel und
die Straße so enge, daß die Truppen den König schwer erkannten, aber dann auch in jubelndes Hurrah ausbrachen.
Es war sehr schwer gewesen, in diesem Bergstädtchen Unterkommen für das ganze Personal der ersten Staffel zu be-
schaffen und die vornehmsten Personen mußten sich mit engen
Kammern begnügen. Von hier schreibt sich die Gewohnheit
im Quartiere des Grafen Bismarck her, die Lichte wegen
Mangels an Leuchtern auf Weinflaschen zu stecken, welche
auch in Versailles noch beibehalten wurde.

    Sowohl die Aermlichkeit des Ortes, als das dauernde
Regenwetter, — die hier zusammentreffenden Nachrichten von
Aushebung und Ansammlung der Mobilgarden selbst in den
Landstrichen, durch welche eben unsere Truppen gezogen
waren, — allerlei über England oder Belgien kommende
Nachrichten über die Pläne und Mittel des Feindes, —

vor allen Dingen aber die Ungewißheit und Spannung, welche mit Bezug auf die Ergebnisse der nächsten Tage die Gemüther beherrschte, machten den Eindruck des zweitägigen Aufenthalts in Clermont zu einem recht unangenehmen.

Dies sollte auch von mir persönlich, wenn auch aus ganz anderen Ursachen, empfunden werden. Der König sagte mir nämlich am 28., daß man sich über meine Berichte an den Staats-Anzeiger beklagt, weil dieselben offenbare Unrichtig= keiten enthielten; namentlich habe man sich von Seiten der zweiten Armee darüber beschwert, daß in dem Bericht über die Schlacht am 16. bei Rezonville besonders betont worden sei, die französische Garde wäre noch nicht mit im Gefechte gewesen, während doch der Augenschein am Tage darauf bewiesen, daß die Leichen derselben gliederweise dahingestreckt auf dem Schlachtfelde lagen. Als ich schwieg, weil ich eben nicht wußte, was ich sagen sollte, fügte der König gleich hinzu: „Ich habe es übrigens auch erst später erfahren, daß die französische Garde schon am 16. im Gefechte war." Nun konnte ich freilich sagen, daß meine irrthümliche Angabe wahr= scheinlich von einem falschen Verstehen der Notizen herrühre, welche der König mir in Pont à Mousson gegeben, denn ich glaubte allerdings aus seinem Munde gehört zu haben, daß die Garde noch nicht mit im Gefechte gewesen sei. Damit hielt ich den mir selbst sehr unangenehmen Zwischenfall für

beendigt; ich eilte nach Hause, schrieb eine Berichtigung dieser
Angabe und sandte sie sofort ab.

Kaum war dies geschehen, als ein mir befreundeter Be=
amter einer der Branchen des Hauptquartiers zu mir kam
und mich fragte, was ich denn begangen, da Graf Bismarck
an den Staats=Anzeiger telegraphirt habe, von dem Korrespon=
denten, welcher den Bericht in Nr. 218 geschrieben, dürfe nie
wieder ein Bericht aufgenommen werden. Darauf habe der
Staats=Anzeiger erwidert, daß ich der Verfasser sei, eine Zurück=
nahme der einmal gegebenen Ordre sei aber bis jetzt noch nicht
erfolgt. Ich war nicht wenig erstaunt über diesen Vorgang,
sollte aber bald noch mehr erstaunen, als ich plötzlich von den
verschiedensten Seiten eine ungeahnte Menge von Feindselig=
keiten gegen mein Wirken und meine Stellung hervortreten
sah. Man schien durch die Maßregel des Grafen Bismarck
gegen mich gewissermaßen erst den Muth bekommen zu haben,
mir meine unabhängige Stellung zu verleiden. Ich fühlte
das um so schmerzlicher, als durch einen solchen Zustand
meine Arbeit für den König und für die Sache gelähmt und
unmöglich gemacht, meine Anwesenheit im Hauptquartier
also unnütz wurde. Es waren sehr trübe Stunden, die ich
in diesen Tagen verlebte; nur beim Könige fand ich keine
Veränderung. Der Zufall wollte, daß ich in Clermont dem
Grafen Bismarck auf der Straße begegnete, der mich mit
seiner gewohnten Offenheit anredete und mir sagte, daß man
sich von Berlin aus über jene Unrichtigkeit beklagt hätte, daß
er in Folge dessen den Befehl gegeben, keinen Bericht aus
derselben Quelle mehr zu drucken und ihn auch nicht zurück=

nehmen köune. Hätte er gewußt, daß ich der Verfaſſer ge=
weſen, ſo würde dieſer Befehl vielleicht nicht ergangen ſein;
nun ſei er aber einmal da, müſſe alſo ſeine Geltung be=
halten. Die Sache ließe ſich aber leicht applaniren, wenn
ich fortfahren wolle zu berichten, jeden Bericht aber von einem
Offiziere des Generalſtabes durchſehen und unterzeichnen laſſe.
Daraus ging ſchon eine mildere Auffaſſung hervor, und gleich
darauf kam der Geheime Legationsrath von Keudell zu mir,
der mich in freundlichſter Weiſe erſuchte, den ganzen Vorgang
nicht übel zu nehmen, da der Bundeskanzler nun einmal ſehr
raſch und durchgreifend in ſolchen Dingen zu handeln pflege,
aber in der That nicht wohl einen eben gegebenen Befehl
zurücknehmen köune. Es ſei ſchon mit dem Oberſten von Verdy
vom großen Generalſtabe geſprochen worden und dieſer vor=
züglithe Offizier habe ſich auf das Bereitwilligſte dazu er=
boten, meine Berichte durchzuſehen und zu unterzeichnen.

Damit ſchien für den Augenblick Alles abgemacht; um=
ſomehr, als dieſe Beſchränkung meine Korreſpondenz für die
Neue Preußiſche Zeitung gar nicht berührte. Ich fing daher
ſchon am 29. früh die neue Manipulation an und lernte
dabei den Oberſten von Verdy näher kennen. Dieſer Herr
hatte ſich bei Gelegenheit meines 50jährigen Dienſtjubiläums
außerordentlich freundlich und ſelbſtthätig dafür intereſſirt,
was mich umſomehr erfreute und überraſchte, als ich ihm
nicht perſönlich bekannt war. Bei der Abfahrt des Haupt=
quartiers aus Berlin trat auf einer Station der Oberſt auf
mich zu, ſtellte ſich mir vor und ſagte mir ſo viel Freund=
liches und Ehrendes über meine Arbeiten für die Militär=

literatur, daß ich mich jetzt nur freuen kounte, ihn zum
Censor zu haben. — Es zeigte sich indessen sehr bald, daß
es ganz unmöglich war, diesen Weg einzuhalten. Bei der
fieberhaften Eile, mit welcher die Tagespresse arbeiten mußte,
um die Spannung in der Heimat zu befriedigen, war ein
irgend geordneter Gang einer solchen Censur im Haupt=
quartier garnicht möglich. Zum Schreiben selbst mußte man
sich die Zeit abstehlen, man mußte schnell, also oft fast un=
leserlich schreiben und fand dann Tage lang den Censor
nicht, den der Dienst oft auf große Entfernung vom Haupt=
quartier in Anspruch nahm. Ein solcher nachhinkender
Bericht war aber in der Heimat längst von Privatbriefen
und unabhängigen Korrespondenzen überholt und dadurch
werthlos geworden. Vor allen Dingen wird aber ein Bericht,
bei dessen Abfassung man schon an den Censor denken muß,
kühl und abgestanden, ja bei nur einigem Selbstgefühl des
Verfassers nahezu unmöglich. Trotzdem ging ich mit Eifer
an die Sache, schrieb jeden Bericht sauber ab und legte ihn
zur Unterschrift vor.

Dabei machte ich denn sonderbare Erfahrungen. In
Grand Pré hatte ich geschrieben: „Die Maas=Armee unter
dem Kronprinzen von Sachsen geht rechts, die III. Armee
links vor." Ich mußte aber den Ausdruck Maas=Armee
streichen, weil diese Benennung bei Leibe noch nicht öffentlich
bekannt werden dürfe. Natürlich geschah das ohne Wider=
rede. Als ich aber den Brief zur Post trug, erhielt ich die
neueste Nummer der „Neuen Preußischen Zeitung", in welcher
ein Korrespondent bei der II. Armee die betreffende Armee

bereits ohne alles Bedenken mehrere Tage vorher in Berlin selbst „Maas=Armee" genannt hatte. Daß ich durch solche Censurstriche eben nicht aufgemuntert wurde, brauche ich wohl nicht besonders zu betonen. Faktisch war unmittelbar vor, während und nach Sédan ein Auffinden meines Censors unmöglich, und so blieb denn das Verbot des Grafen Bismarck, trotz meines guten Willens, in voller Kraft, so daß gerade über diesen wichtigen Abschnitt des Krieges der „Staats= Anzeiger" keine Originalberichte von mir gebracht hat, ultra posse, nemo obligatur!

Am 29. früh wurde das Hauptquartier von Clermont en Argonnes weiter nördlich nach Grand Pré verlegt. Ich nahm einen russischen Feldjäger in meinem Wagen mit, der später von Buzancy aus nach Petersburg abgefertigt wurde und sich von mir über den Stand der Dinge belehren ließ, um auf etwaige Fragen Kaiser Alexanders antworten zu können. Das schon in Bar le Duc beschlossene Abschneiden der Armee Mac Mahons gleichzeitig von Paris und Metz war in vollkommen gelingender Ausführung, so daß sich schon in Varennes, auf der Hälfte des Weges zwischen Clermont und Grand Pré, fast die Gewißheit herausstellte, die einzige noch vorhandene französische Armee werde eine Entscheidungs= schlacht in der Nähe der belgischen Grenze annehmen, oder diese freiwillig überschreiten und die Waffen strecken. In Varennes, wo einst Ludwig XVI. auf seiner Flucht angehalten

und von dort wieder nach Paris zurückgebracht wurde, trafen
den König mehrere Berichte von den Vortruppen, nach
welchen bereits vollständige Fühlung mit dem Feinde ge=
wonnen worden war. — Wunderbarer Wechsel der Dinge
in ihrem lehrreichen Gegensatze! Varennes war vor
78 Jahren der Schauplatz eines der entscheidendsten Vorgänge
in der großen französischen Revolution gewesen und jetzt
empfing ein König von Preußen hier die Nachrichten von
der Flucht eines der Erben dieser Revolution! An solchen
Kontrasten und Vergleichen war überhaupt die ganze Kampagne
überreich und für den Kenner der Geschichte doppelt inter=
essant. Oft habe ich bedauert, den Tageskalender des Königs
nicht mit ins Feld genommen zu haben, er wäre an manchen
Tagen von schlagender Wirkung gewesen! Jenseits Varennes
trafen wir auf die Têten des baierischen Armeekorps uud
Theile unseres V. Korps in eilender Vorwärtsbewegung; auch
Gefangenentransporte kamen uns bereits entgegen. Die An=
kunft des Königs in Grand Pré, wo er in der Apotheke des
Ortes wohnte, erfolgte gegen vier Uhr, bald darauf auch der
Durchmarsch des Füsilierbataillons seines eigenen Grenadier=
regiments (Westpreußischen Nr. 7), welches der König auf
dem Markte defiliren ließ und dabei einen ganz jungen
Fähndrich, der das eiserne Kreuz trug, zu sich heranrief, um
ihm die Hand zu geben.

Nach dem spät servirten Diner fand Abends noch ein
Generalsvortrag statt. Es war den 3. Garde=Ulanen ein

franzöſiſcher Generalſtabsoffizier in die Hände gefallen, in
deſſen Brieftaſche ſich wichtige Nachrichten über die Abſichten
und Bewegungen des Feindes gefunden, welche wahrſcheinlich
Einfluß auf die bei dieſer Gelegenheit beſchloſſenen Feſtſetzungen
gehabt, denn am 30. früh verließ der König Grand Pré,
ſtieg eine Stunde davon bei Sommauthe zu Pferde und
wohnte der Schlacht bei Beaumont, dieſem Vorſpiele von
Sédan, bei. Faſt den ganzen Tag blieb der König zu Pferde,
kehrte aber nicht nach Grand Pré zurück, ſondern nahm ſein
Nachtquartier in Buzancy, wohin während des Nachmittags
der ganze Train des Hauptquartiers gefolgt war. Wir begegneten auf der Fahrt zahlreichen franzöſiſchen Gefangenen,
die von dem Ueberfalle erzählten, welchen die Diviſion Failly
erlitten und in den empörendſten Ausdrücken über ihre
Generale und überhaupt jeden Vorgeſetzten ſchimpften.
Buzancy iſt ein kleiner unanſehnlicher Ort und war ſo voll-
geſtopft mit Truppen und Trains aller Art, daß hier zum
erſten Male vollſtändiger Mangel an Unterkommen eintrat;
die Pferde und Diener im Freien oder unter Thorwegen
bivouakiren mußten und von allen Seiten Klagen und Un-
zufriedenheit laut wurden. Der König kam erſt im Abend-
dunkel nach Buzancy, arbeitete aber allein an einem Brief
an den Kaiſer Alexander noch bis Mitternacht, wie denn
überhaupt in den Tagen vor und nach Sédan die ſchwierigſten
Anforderungen und Entſcheidungen auf den König einzuſtürmen
ſchienen. Aeußerlich ließ ſich freilich nichts davon bemerken,
im Gegentheil ſchien der König, wie immer, ruhig, und keinerlei
Haſt oder auch nur Eile machte ſich bemerklich. Deſto bewegter

muß er in seiner Seele gewesen sein. Den Tag über Zeuge
eines abermals siegreichen Gefechtes, dann von Nachrichten
überlaufen, welche die Entscheidung, vielleicht des ganzen
Feldzuges, auf die nächsten Tage konzentrirten, kann er im
Innern nicht so ruhig gewesen sein, als er äußerlich schien.
Noch spät in der Nacht in der Hauptstraße von Buzancy
umherirrend, da ein Mißverständniß der Quartiermacher vier
Offiziere des Kriegsministeriums in mein Quartier verlegt,
sah ich Licht im Zimmer des Königs brennen, der in dem
Hause eines Gutsbesitzers abgestiegen war, und wenn mir
schon das Herz bewegt war bei dem Gedanken an die schwere
Verantwortlichkeit meines Königlichen Herrn, — wie mußte
ihm selbst erst zu Muthe sein.

Am Morgen den 31. wurde ich benachrichtigt, daß der
König schon um fünf aufgestanden sei und um sieben Uhr
den Generalsvortrag befohlen habe. Das ließ wieder einen
Schlachttag erwarten, ich meldete mich daher schon um
5½ Uhr, um über eine Menge während der Nacht einge-
gangener Telegramme zu berichten, von denen mehrere auf
eine zweideutige Haltung Oesterreichs hinwiesen. Der König
sagte kein Wort darüber, sondern sprach nur von der Möglichkeit, daß Mac Mahon durch ein weiteres Gelingen des
deutschen Vormarsches vielleicht über die belgische Grenze ge-
drängt werden könnte; jedenfalls die willkommenste Lösung,
da dann kein deutsches Blut mehr vergossen zu werden

brauchte. Um sieben Uhr traten die Generale ein und ich traf alle Anstalten, um dem Könige sofort folgen zu können, wenn er Bazaney verlassen würde. Auf dem Markte und in den Straßen des Ortes herrschte ein unglaubliches Gedränge. Munitionskolonnen, Ambulancen, besonders mehrere freiwillige Krankenpfleger=Vereine aus Baiern und Baden und Train aller Art versperrten die schon sehr enge Passage, namentlich an den von den retirirenden Franzosen verbarrikadirten Ausgängen, so daß selbst die eilig vorgehenden Truppen gehindert wurden. — Da der russische Feldjäger von hier aus nach Petersburg expedirt wurde, so hatte ich einen Platz in meinem Wagen frei, aber nicht lange, denn die Fouriere des Hauptquartiers hatten den Oberst=Lieutenant von Eberhardt an mich gewiesen, der, zum Kommandeur des 46. Infanterie=Regiments ernannt, eben angekommen war und nicht wußte, wie er zu seinem unmittelbar vor dem Feinde stehenden Regimente gelangen sollte; so fuhren wir denn zusammen.

Auf der Höhe hinter Sommauthe sahen wir die vor uns fahrenden Wagen des großen Generalsstabes links von der Chaussee auf das Feld abbiegen, den General von Moltke mit seinen Offizieren aussteigen und das weithin übersichtliche Terrain prüfen. Es war dieselbe Höhe, auf welcher am Tage vorher während der Schlacht bei Beaumont der König gehalten, und sie gewährte eine ebenso weite wie landschaftlich schöne Uebersicht bis Bazeilles. In der ganzen Gegend schien die tiefste Ruhe zu herrschen, bis gegen elf Uhr bei oder noch hinter Bazeilles jene kleinen weißen Rauch=

wölkchen über den dunkelgrün bewaldeten Höhen, welche dort
gegen die Mosel abfallen aufkräuselten. Es war indessen so
weit entfernt, daß selbst der Kanonendonner nicht hörbar
wurde. Aus der Ruhe und Behaglichkeit, mit welcher General
von Moltke hier mit seinen Offizieren frühstückte, konnte ich
schließen, daß es heute kaum noch zu einer Schlacht kommen
werde, was denn auch durch spätere Nachrichten bestätigt
wurde, welche den Rückzug der am 30. bei Beaumont geschlagenen Truppen nach Sedan uud Mézières meldeten. Der
König beritt unterdessen das Schlachtfeld, auch das Bivouak,
in welchem die Division Failly so glänzend überfallen und
in die Flucht getrieben worden war. In Beaumont selbst
traf der König auffallend viele verwundete Offiziere, bei
La Besace aber mit dem General von Moltke zusammen, der
über das Ergebniß seiner Terrainumschau und alle im Augenblicke stattfindenden Bewegungen der beiden verfolgenden
Armeen berichtete.

Darauf gab der König den Befehl zur Schlacht für
morgen und bestimmte, um dem entscheidenden Punkte näher
zu sein, Vendresse zum Nachtquartier; dorthin wurde also
über Chémery gefahren, wo sich bereits das Hauptquartier
der III. Armee befand und der Kronprinz seinen Vater erwartete. Der König verweilte hier einige Zeit, um das auf
dem Vormarsche gegen Sedan befindliche XI. Armee-Korps
defiliren zu sehen, so daß die Ankunft in Vendresse erst mit
einbrechender Dunkelheit erfolgte. Von La Besace aus hatte
ich den König verloren, war den Truppen des XI. Korps
von Chémery aus gefolgt und dadurch von dem scharf süd-

lich abliegenden Wege nach Vendresse abgekommen, so daß ich mich gegen Abend plötzlich allein auf der Landstraße befand, da die Truppen rechts in Gebirgswege abschwenkten, welche auf die Sedan umgebenden Höhen führten, in das Städtchen Cheveuges gerieth, in welchem sich kein deutscher Soldat befand und mit genauer Noth der drohenden Haltung der Einwohner entkam, so daß ich erst spät Abends nach Vendresse gelangte. Der König wohnte in dem Palast- ähnlichen Hause eines Herrn Haumont; der Ort war aber so klein, daß die zweite Staffel des Hauptquartiers nach Château la Cassine verlegt werden mußte. Während und nach dem Thee beim Könige wurden die Dispositionen für die Schlacht ausgegeben und sogleich durch Ordonnanzen an die Armee-Korps befördert. So waren wir denn am Vor- abende der Entscheidung und es mußte klar werden, ob wir ein 1792 oder ein 1814 vor uns hatten. Sorge genug für eine schlaflose Nacht! —

Am 1. September, — (es war einer von den Tagen, die den Jahrtausendstempel tragen, —) verließ der König schon um sechs Uhr früh zu Wagen Vendresse. Es sollte in Chehéry zu Pferde gestiegen werden, da aber schon früh Kanonendonner hörbar geworden war, so gingen die Pferde gleich bis Cheveuges, bis an den Fuß des Bergrückens, der jenseits zum Sedan-Thale abfällt. In Cheveuges erwartete den König die Meldung, daß das I. Baierische

Korps schon seit einigen Stunden im Feuer sei, und es war acht Uhr, als zu Pferde gestiegen wurde. Auf der Höhe des Bergrückens angelangt, überblickte der König das ganze Schlachtfeld und wählte dann seine Aufstellung zwischen Frénois und Wadelincourt. Bei der Ankunft auf diesem Punkte fuhren eben die Batterieen des II. Baierischen Korps in Position und die Têten seiner Infanterie debouchirten aus dem östlich gelegenen Walde. Die Festung erwiederte das Feuer aus schwerem Geschütz und einige in der Nähe des Königs einschlagende Granaten gaben Veranlassung zu dem Befehl, die große Zahl der Pferde des Königlichen Gefolges hinter den Rand der Höhe zurückzuführen. Trotz der be= deutenden Höhe, auf welcher der König stand, war von hier aus doch nur der Geschützkampf und der Vormarsch des V. und XI. Armee=Korps zu beobachten, obgleich um elf Uhr die Schlacht bereits auf der ganzen Linie engagirt war. Dagegen traten um Mittag die Gefechte bei Iges, Floing und Cazal in den Gesichtskreis und drei überaus tapfere Angriffe französischer Kavallerie auf 1½ Bataillone des 95. Infanterie=Regiments fesselten besonders die Aufmerksam= keit des Königs. Bald nach Mittag kam der Kronprinz, welcher von der Höhe über Donchery das Vordringen auf dem linken Flügel geleitet hatte, zum Könige und blieb bis zum Ende der Schlacht in seiner Nähe. Um halbvier Uhr traf Meldung auf Meldung ein, daß nun die französische Armee, wie auch der Augenschein lehrte, im ganzen Sedan= Thale vollständig umfaßt und eingeschlossen sei, ihre In= fanteriemassen auch bereits auf mehreren Punkten wankten

und Alles in Auflösung in die kleine Festung eingekeilt sei.
In Folge dessen befahl der König, da kein feindlicher
Parlamentair erschien, das Feuer der baierischen großen
Batterien auf die Festung zu konzentriren, diese in Brand
zu schießen und dadurch der schon wankenden Armee den
letzten Halt zu nehmen. Das Bombardement begann unge=
fähr um vier Uhr, wurde aber wieder eingestellt, als in der
Stadt mehrere Brände aufstiegen.

Diesen Moment hatte der König abgewartet, um
den Oberstlieutenant Bronsart von Schellendorff als Parla=
mentair in die Stadt zu schicken, um diese und die Armee
zur Kapitulation aufzufordern. Die Schlacht konnte schon
jetzt als gewonnen betrachtet werden; doch hatte man noch
keine Ahnung von den unermeßlichen Folgen, welche sich an
diese Aufforderung zur Kapitulation knüpfen sollten. Kaum
war der Parlamentair den Berg hinab zur Festung geritten,
als auch Meldungen von dem Baierischen Brigade-Komman=
deur, welcher Frénois besetzt hielt, kamen, nach welchen
Truppentheile seiner Brigade bereits die Vorstädte in ihre
Gewalt bekommen hätten und der Festungs-Kommandant sich
bereit erklärt habe, angesichts der Brände und des zu er=
wartenden Sturmes den Platz zu übergeben. Er erhielt die
Antwort, daß durch die Sendung des Oberstlieutenants von
Bronsart die nöthigen Einleitungen schon getroffen worden
seien und in der That, während der halben Stunde, welche
noch bis zur Rückkehr des Parlamentairs verging, schwieg
das eben noch so heftige Geschützfeuer nach und nach auf der
ganzen Gefechtslinie; nur auf den äußersten Punkten fielen

noch einzelne Kanonenschüsse. Ungefähr gegen sechs Uhr
meldete sich Oberstlieutenant von Bronsart zurück und be=
richtete, daß er in Sedan vom Kaiser Napoleon selbst
empfangen worden sei. Der König fragte erstaunt: „Vom
Kaiser?“ denn allgemein hatte man ihn nicht bei der Armee
Mac Mahons geglaubt, sondern bereits in Mézières oder
doch auf dem Wege dahin. Das Erstaunen wuchs, als von
Bronsart die näheren Umstände seines Zusammentreffens mit
dem Kaiser erzählte und ankündigte, daß der General Reille,
aus der unmittelbaren Umgebung des Kaisers, ihm auf dem
Fuße folge, um einen Brief Napoleons an den Kaiser zu
überbringen.

Mit Blitzesschnelle verbreitete sich diese Nachricht unter
dem ganzen Gefolge und Alles drängte auf die Gruppe zu,
in deren Mitte der König stand. Es dauerte denn auch
nicht lange, so kam der General Reille den Berg herauf,
stieg in ehrerbietiger Entfernung vom Pferde und näherte
sich dem Könige, von welchem nun die Personen der zahl=
reichen Suiten auf dessen Befehl zurücktraten. Während der
König den Brief des Kaisers las, (in dem er sich für seine Person
als Gefangener ergab), herrschte Todtenstille in der ganzen,
immer zahlreicher gewordenen Umgebung, und nur das wirre
Summen der hunderttausende von Kriegern, die unten im
Thal noch drohend einander gegenüberstanden, tönte den Berg
herauf. Nachdem er den Brief gelesen, übergab der König
denselben dem Grafen Bismarck, der ihn dem Kronprinzen

und den Generalen von Moltke und von Roon vorlas, wechselte einige Worte mit ihnen und befahl dann, Schreibzeug herbeizubringen. Ein Feldstuhl oder Feldtisch war nicht vorhanden, und der Flügel-Adjutant von Alten hielt zwei rasch herbeigeschaffte Stühle so auf einander, daß der Sitz, auf welchen Lieutenant von Gustedt vom Garde-Husaren-Regiment seine Säbeltasche legte, die Stelle eines Tisches vertreten konnte. (Das Papier und die Stahlfeder gab der Großherzog von Weimar und das Couvert der Kronprinz.) In wenigen gewichtigen Zeilen war die entscheidende Antwort durch den Grafen Hatzfeld konzipirt, nachdem sie mit obigen vier Personen festgestellt worden war, und der König schrieb dieselbe stehend ab.

Das Schreiben wurde dem nach Sedan zurückkehrenden General Reille vom Könige selbst übergeben, nachdem er, als früherer Bekannter, noch einige Worte mit ihm gewechselt hatte.

Nun drängten alle Anwesenden mit Glückwünschen herbei. Die bis dahin fieberhafte Spannung löste sich in eine unbeschreibliche Begeisterung auf, Umarmungen, Freudenthränen, Jubelrufe — der ganze Paroxismus großer, Geschichte werdender Momente! Der König blieb zwar ruhig, doch konnte man die tiefe Bewegung seines Inneren auf seinem Gesichte, im Ausdrucke seines Auges lesen. Des Tages Arbeit war gethan, die Schlacht erstorben, das Größte geschehen, was bisher ein König von Preußen erlebt. Die Phantasie ließ uns schon in Paris, ja in Berlin wieder einziehen; der Krieg im Jahre 1866 hatte sieben Tage, dieser

Krieg in Frankreich noch nicht vier Wochen gedauert! Allen
Glückwünschen, allen weitgehenden Hoffnungen und Prophe-
zeiungen gegenüber, hatte der König nur einen Händedruck
ober wenige Worte, und seine Ruhe stach eigenthümlich gegen
die allgemeine Begeisterung ab.   Zum Grafen Bismarck sagte
er jedoch sofort: „Dies welthistorische Ereigniß, fürchte ich,
bringt uns den Frieden noch nicht!"

    Mit beginnender Dunkelheit erfolgte die Rückkehr nach
Vendresse zu Wagen.   Die wunderbare Kunde war schon
in alle Lager der Truppen gedrungen und ein unbeschreib-
licher Jubel brach überall hervor, wo der König vorüberfuhr.
Freudenfeuer wurden improvisirt, in Vendresse aus Mangel
an Holz Strohhaufen zusammengetragen, so daß hohe
Flammen aufloderten, als der König über den Markt fuhr.
Bald darauf zog das Musikchor des Königs Grenadier-Regi-
ments Nr. 7 vor das Königliche Quartier, in allen mit Ein-
quartierung belegten Häusern des Städtchens wurde illuminirt,
in allen Straßen gesungen und Hochrufe ausgebracht.   Der
vorigen durch Sorge schlaflosen Nacht folgte eine ebensolche,
diesmal freilich vor Freude.

    Am 2. September saß ich schon mit dem ersten Morgen-
grauen am Schreibtische, um wenigstens nicht gar zu lange
hinter dem Telegraphen zurückzubleiben und ließ dann von
sechs Uhr an alle Viertelstunde anfragen, ob der König noch
nicht aufgestanden wäre.   Endlich um sieben Uhr durfte ich
eintreten.   Wie am 4. Juli 1866 in Horitz nach der Schlacht

bei Königgrätz, gratulirte ich auch heute und erinnerte an
die ganz gleiche Situation, nur mit dem Unterschiede, daß
sich an Sedan viel weitergehende Konsequenzen knüpfen
würden, als es bei Königgrätz der Fall war. Trotz der An=
strengungen des Schlachttages schien der König nicht ermüdet
oder angegriffen zu sein. In Horitz war die Stimme heiser
und tonlos gewesen, in Vendresse war sie so kräftig wie
immer, überhaupt in seinem ganzen Wesen nicht die geringste
Veränderung wahrzunehmen.

Der König sagte zu mir: „Moltke hat mir noch keine
Nachricht zukommen lassen, was seit gestern Abend weiter
vorgegangen ist; ich will daher gleich nach dem Frühstück
wieder nach Sedan fahren und selbst sehen, was er und
Bismarck während der Nacht ausgerichtet haben. Beide sind
in Donchery zurückgeblieben. Wenn man nur wüßte, mit
wem man nun Frieden schließen soll, da der Kaiser mein
Gefangener ist. Furchtbares Schicksal für einen Mann, der
doch eigentlich Frankreich gut regiert hat, jedenfalls besser
als alle seine Vorgänger!" Nun erzählte der König vom
vorhergehenden Tage, was ich schon aufgezeichnet habe. Er
sprach seine Bewunderung über jenen französischen Kavallerie=
Angriff aus, aber noch größere über die Standhaftigkeit der
angegriffenen Bataillone; — bestätigte, daß er keine Ahnung
von der Anwesenheit Napoleons bei der Schlacht und in
Sedan gehabt; — lobte die geschickte Führung des Kron=
prinzen, welcher den rechten Flügel des Feindes so nach
drücklich umfaßt und paralysirt habe; — freute sich, daß
Baiern, Sachsen und schließlich auch Württemberger mit=

thätig gewesen und sah wieder mit Besorgniß den Berichten über unsere Verluste entgegen, während auch die übergroße Zahl von Kriegsgefangenen, wegen Transport, Verpflegung und Unterbringung, ihn beunruhigte. Am Lebhaftesten schien den König der Gedanke zu beschäftigen, was die Kaiserin Engenie in Paris nun thun werde. Nach so außerordent- lichen Anstrengungen mußte den Truppen Zeit zur Ruhe, Erholung und Ersatz gegeben werden, so daß ein rasches Er- scheinen des siegreichen Heeres vor Paris nicht möglich war, die Wirkung der Niederlage bei Sedan auf die erschrockene Hauptstadt sich also abschwächen mußte. Für seine Soldaten und ihre Führer hatte der König nur Worte der Bewunderung und freute sich im Voraus über den Eindruck, den die Nach- richten von dem großen Erfolge in Berlin hervorbringen würden.

***

Um neun Uhr verließ der König Vendresse, um auf demselben Wege wie am Tage zuvor nach Sédan zu fahren. Ich folgte den Königlichen Equipagen. In Chémery stieg der Kronprinz in den Wagen des Königs. Auf der Chaussee hielten preußische, baierische und württembergische schwere Batterieen mit ihren endlosen Munitionskolonnen, welche noch während der Nacht nach Sédan vorbeordert worden waren. Auf der Höhe von Cheveuges hielten die Königlichen Equi- pagen; der König stieg unweit eines kleinen Gasthauses (dem menuisier = ébéniste Alexandre gehörig) aus, und begab sich mit den Generalen auf den Acker rechts von der Chaussee;

auch General von Moltke war dabei, der, von Donchery
kommend, dem Könige entgegengefahren war und ihm nun
Bericht erstattete. Die gestern angebotene Kapitulation war
noch nicht zum Abschluß gelangt, denn der Kommandant von
Sédan hatte Schwierigkeiten erhoben. Dagegen hatte der
Kaiser Napoleon um fünf Uhr die Festung verlassen, den
Offizier der ersten preußischen Feldwache in deutscher Sprache
gefragt: „Wo ist der König?" und als der Offizier seine
Vermuthung ausgesprochen, das Königliche Hauptquartier
könne wohl in Douchery sein, hatte der Kaiser seine Fahrt
dorthin beschleunigt. Augenblicklich sei er, da er den König
in Donchery nicht gefunden, in einem kleinen Hause der
Vorstadt dieses Ortes und Graf Bismarck befinde sich bei ihm.

Für den Fall, daß die Kapitulation bis Mittag zwölf
Uhr nicht unterzeichnet sein würde, hatte Graf Moltke be=
fohlen, alle Reservebatterieen näher an die Stadt heranzu=
ziehen und Position zur Beschießung nehmen zu lassen. Es
handelte sich daher vor der Hand nur darum, die gesetzte
Frist abzuwarten, und um den Befehl des Königs, was mit
dem gefangenen Kaiser geschehen sollte, der zunächst in das
kleine Schloß bei Sédan gebracht werden könnte. Nun stieg
der König wieder ein und der ganze Wagenzug fuhr nach
derjenigen Höhe über Douchery, von der aus der Kron=
prinz die Operationen der III. Armee geleitet hatte. Dort
wurde bekannt, was bei Cheveuges verhandelt worden war,
und es verfloß nun eine Zeit der gespanntesten Erwartung,
ob der Kommandant noch rechtzeitig die Kapitulation unter=
zeichnen oder ob das Bombardement, zu welchem schon alle

Vorbereitungen getroffen waren, beginnen würde. Die
schweren Batterieen, denen wir bei Chehéry und Cheveuges
begegnet, jagten in ununterbrochener Folge die steil abfallende
Chaussee herunter, um noch zu rechter Zeit in die ihnen an=
gewiesenen Positionen einrücken zu können. Das endlose
Gerassel dieser Batterieen stand im schärfsten Gegensatze zu
dem, in scheinbar tiefster Ruhe zu unseren Füßen liegenden
Thale, über dem an einzelnen Stellen noch eine dünne,
schillernde Nebelschicht lagerte, das aber glänzend hell von
der Sonne beschienen wurde. In der Festung wirbelten
einige Rauchstreifen in die Luft, wie von verglimmenden
Feuersbrünsten, und auf einer von der Maas umschlossenen
Halbinsel lagerte die kriegsgefangene französische Armee.
Graf Bismarck war von der Unterredung, welche er mit dem
Kaiser Napoleon gehabt und die er als eine langweilige,
nichtssagende und geschraubte schilderte, zurückgekehrt und be=
richtete über Alles bis dahin Vorgegangene.

Der Zufall hatte gewollt, daß gerade vor dem kleinen
Hause, in welchem Napoleon abgestiegen war, um den Grafen
Bismarck zu erwarten, die Trainfahrzeuge der Feldpolizei des
Hauptquartiers Halt gemacht hatten und ihre, unter diesen
Umständen ominösen Inschriften dem Hause zukehrten, so
daß der Kaiser, welcher vor demselben saß, sie sehen mußte.
Der Polizeihauptmann fühlte das Unangenehme des Ein=
drucks, den diese Inschriften auf den, seine Kriegsgefangen=
schaft eben antretenden Kaiser machen mußten und ließ die
Wagen wegfahren.

Kaiser Napoleon hatte dem Grafen Bismarck seine Ab=

ſicht ausgeſprochen, ſich zum Könige Wilhelm zu begeben, und wartete nun in dem kleinen Schloſſe Bellevue auf die Beſtimmung des Siegers. Der König entſchied ſich aber dafür, um dem Kaiſer dieſen unzweifelhaft peinlichen Gang zu ſparen, demſelben eine Viſite zu machen, ſobald durch Kapitulation oder Bombardement das Schickſal des Tages entſchieden ſein würde. Daß der Kaiſer Sédan verlaſſen und ſich freiwillig auf ein von preußiſchen Truppen beſetztes Gebiet begeben hatte, konnte für einen Beſuch gelten, ſo daß König Wilhelm nur einen Gegenbeſuch machte. Das Aner= bieten des Kaiſers, auf die Höhe über Donchery zum Könige zu kommen, wurde daher abgelehnt. Nach einer ſpäteren Aeußerung des Königs gegen mich zu urtheilen, geſchah dies beſonders deshalb, weil der Kaiſer körperlich leidend war, und ſowohl das Reiten als das Sitzen in dem ſteil aufwärts fahrenden Wagen ihm hätte Schmerzen verurſachen können. Da jedoch zur Stelle Niemand etwas von dieſen Gründen erfuhr, ſo wurde die Aufmerkſamkeit, welche König Wilhelm in ſo entgegenkommender Weiſe ſeinem Kaiſerlichen Gefange= nen erwies, für zu nachſichtig und verſöhnlich gehalten. Man ſchien einen Akt der Demüthigung, der Buße für den Mann zu erwarten oder zu wünſchen, der ſo freventlich dieſen Krieg heraufbeſchworen, eine Art von öffentlichem Caudiniſchen Joche, einen möglichſt theatraliſchen Akt für Photographen und Ge= legenheitsmaler. Wie wenig kannten Alle, die derartiges er= warteten und hofften, das Gemüth nnd den fürſtlichen Takt des Königs.

Gegen halbzwölf Uhr erschien endlich der Generalstabs=
offizier, Hauptmann von Alten, und meldete dem Könige,
als er eben auf einem Grenzsteine saß und frühstückte, daß
Graf Bismarck und Graf Moltke mit vollzogener Kapitulation
ihm folgten. Mit dem Erscheinen der Genannten sank gewiß
Vielen eine schwere Last vom Herzen, denn jede Minute
hatte den Beginn des Bombardements näher gerückt, zu
welchem schon die Geschütze von sieben Armee-Korps und einer
Division (Württemberger), also jedenfalls über 700 Geschütze
bereit standen. Auch das Gesicht des Königs erheiterte sich,
als er die Kapitulation entgegennahm, durchlas und dann
dem Generaladjutanten, Generallieutenant von Treskow
übergab, um sie laut vorzulesen; es sah ja nun so aus, als
würde kein Blutvergießen mehr nöthig sein, da der Feind
so vollständig überwunden war. Auch ich trat so nahe an die
Gruppe von Fürsten, Generalen und bedeutenden Männern
heran, als es der Anstand zuließ, und habe die Vorlesung
deutlich gehört. Vergebens suchte ich in meinem Gedächtniß
nach einer gleich wichtigen und entscheidenden Kapitulation.
Eine ganze Armee, eine Festung und ein Kaiser mit einem
Federstriche in der Hand meines Königs! Es war über=
wältigend! Mit jedem Satze der Kapitulation stieg bei den
Zuhörern die Erkenntniß des beispiellosen Erfolges. Als
die Vorlesung vorüber war, wandte sich der König zu den
neben ihm stehenden Fürsten (Großherzog von Baden, von
Sachsen, Herzog von Sachsen=Coburg, Prinz Luitpold von
Baiern, Erbgroßherzog von Mecklenburg=Schwerin, Prinz

Wilhelm von Württemberg) und sagte mit hörbar bewegter Stimme:

„Sie wissen nun, meine Herren, welch großes, welt=geschichtliches Ereigniß sich zugetragen hat. Ich verdanke dies den ausgezeichneten Thaten der vereinigten Armeen, denen ich mich, gerade in diesem Augenblicke, gedrungen fühle, meinen Königlichen Dank auszusprechen, — um so mehr, als diese großen Erfolge wohl geeignet sind, den Kitt noch fester zu gestalten, der die Fürsten des Norddeutschen Bundes und meine anderen Verbündeten, (deren fürstliche Mitglieder ich in diesem großen Momente zahlreich um mich versammelt sehe), mit uns verbindet, so daß wir hoffen dürfen, einer glücklichen Zukunft entgegenzugehen. Allerdings ist unsere Aufgabe mit dem, was sich unter unseren Augen vollzieht, noch nicht vollendet, denn wir wissen nicht, wie das übrige Frankreich es aufnehmen und beurtheilen wird. Darum müssen wir schlagfertig bleiben, aber schon jetzt sage ich Jedem meinen Dank, der ein Blatt zum Lorbeer= und Ruhmeskranze unseres Vaterlandes beigetragen!"

Natürlich schrieb ich diese Worte gleich nieder und legte sie am andern Morgen dem Könige vor, der die einge=klammerte Stelle hinzufügte. Leider mußte ich nun nach Vendresse zurück, weil die Post nach Berlin gegen Abend von dort abging, und ich wenigstens die Beschreibung des bis zum Mittage Vorgegangenen in die Heimat senden wollte. So kam ich um die Freude, dem Könige auf seinem weiteren Wege an diesem denkwürdigen Tage folgen zu kön=nen und kann deshalb nur das erzählen, was er mir selbst

am Morgen des 3. mitgetheilt und was ich von den be=
deutendsten Personen seiner Umgebung darüber gehört habe.

Nach obiger Anrede an die Fürsten wurden die Pferde
vorgeführt und der König ritt die Donchery=Höhe hinab
bis zu dem Schloſſe Bellevue, in welchem Kaiser Napoleon
ihn erwartete. Beim Einreiten in den Park um eine falsche
Ecke des Schlößchens geführt, stieg der König auf der hinteren
Seite deſſelben vom Pferde und mußte durch einen Treppen=
thurm nach vorn geleitet werden.

Vor dem Eingange zum Schloſſe befindet ſich eine, nach
Art eines Treibhauſes mit Glas gedeckte Veranda, zu welcher
mehrere Stufen führen, und in der Napoleon den König er=
wartete. Der König war in seiner Kampagne=Uniform,
Ueberrock, Helm und Füsiliersäbel, Napoleon in kleiner
Generalsuniform mit dem Stern der Ehrenlegion und dem
schwedischen Schwertorden auf der Bruſt, den er für Solfe=
rino vom Könige von Schweden erhalten haben soll. Da
der König trotz 1866 dieſen schwedischen Kriegsorden nicht
besitzt, so mußte ihm gerade diese Dekoration auffallen.
Napoleon trug und behielt seinen Degen während der ganzen
Unterredung, die genau einundzwanzig Minuten dauerte von
dem Augenblicke an, wo die Thür des Empfangszimmers
ſich hinter den beiden Monarchen schloß, bis zum Wieder=
heraustreten Beider. In der Glasveranda blieb der Kron=
prinz allein, alle anderen Fürsten und Personen, die den
König begleitet hatten, blieben auf der einen Seite der

Treppe zur Veranda zu Pferde halten, während sich auf der anderen das Kaiserliche Gefolge zusammenhielt. In dem nur kleinen Empfangszimmer blieben beide Monarchen während der ganzen Unterredung stehen; der König frei, mit dem Helm in der Hand, die rechte Seite dem Parkfenster zugekehrt, der Kaiser an eine Kommode gelehnt, die links von der Thür zur Veranda an der Wand stand. Napoleon bewahrte während der ganzen Unterredung eine durchaus würdige Haltung. Von dem positiven Inhalte derselben sind nur einzelne Aeußerungen bekannt geworden; Napoleon sprach seine Bewunderung für die Leistungen unserer Kavallerie aus, welche einen vollständigen Schleier vor alle Bewegungen der deutschen Armeen zu ziehen verstanden, so daß man im französischen Hauptquartiere nichts Zuverlässiges über unsere Operationen wußte; er beklagte sich über die schlechte Disziplin in seiner Armee und das Eindringen politischer Parteien in dieselbe und gestand ein, durch den Parlamentarismus, die Presse und die öffentliche Meinung zu diesem Kriege gezwungen worden zu sein. Der König bot seinem Gefangenen das Schloß Wilhelmshöhe bei Kassel zum Aufenthaltsorte an, so lange es ihm dort gefallen würde, trat aus dem Zimmer in die Veranda heraus, verabschiedete sich militärisch und stieg zu Pferde. Die Eskorte Kaiser Napoleons bis zur belgischen Grenze übernahm eine Eskadron unserer schwarzen Todtenkopf-Husaren. — Generaladjutant von Boyen und Lieutenant Fürst Lynar von der Königlichen Kavallerie-Stabswache, brachten den Kaiserlichen Gefangenen durch Belgien und bis nach Kassel.

Als der König fortritt, soll er ungewöhnlich ernst und
nachdenkend gewesen sein, eine bei seinem Charakter sehr be=
greifliche Stimmung, die sich erst verlor, als er zu den
Truppen kam, deren Bivouaks er nun beritt. So verbraucht
die Phrase von einem unbeschreiblichen Jubel ist, hier muß
ich sie doch wieder anwenden und sagen, daß der König am
nächsten Morgen äußerte, so Etwas doch noch nicht erlebt
zu haben. In einem fünfstündigen Ritte besuchte der König
die württembergische Division bei Donchery, dann die Ka=
vallerie-Division Stolberg, das XI. Preußische und einzelne
Theile des V. Armee-Korps. Bei der Mühle von Iges stieg
der König vom Pferde, um mit dem Generallieutenant von
Gersdorff, kommandirenden General des XI. Korps und dem
Obersten von Bessel, Kommandeur des 94. Infanterie-Regi=
ments, beide schwer verwundet, zu sprechen. Beide starben
übrigens an ihren Wunden! Dann ging es bei unzähligen
Gefangenen und Leichen vorbei in die Bivouaks der Garde=
Kavallerie, wo sich Prinz August von Württemberg, komman=
dirender General des Garde-Korps befand. Den hier stehenden
beiden Garde-Dragoner-Regimentern, die am 16. August bei
Mars la Tour solche Wunder der Tapferkeit gethan, aber
auch so schwere Verluste gehabt, sprach der König seinen be=
sonderen Dank aus. Gleichen Dank sprach der König der
I. Garde-Division für ihr Verhalten am 18. aus. Auch die
II. Garde-Division und die Baiern sollten noch besucht wer=
den, aber beim Durchreiten des Waldes la Garenne war
schon die Dunkelheit hereingebrochen und ein heftiger Regen
strömte herab. Mitten unter Leichen, deren gerade in diesem

Walde auffallend viele lagen, wurde berathen, was bei diesem
entsetzlichen Unwetter zu thun sei, bis Prinz Albrecht, der
mit seiner IV. Kavallerie=Division in der Nähe bivouakirte,
seinen Wagen anbot, in welchen der König mit seinem Bruder
Carl um acht Uhr einstieg. Der weitere Besuch der Bivouaks
mußte aufgegeben werden, denn bei Givonne war es be=
reits vollkommen Nacht, so daß man über den zu nehmenden
Rückweg in Verlegenheit war. General von Budritzki gab
endlich die Richtung auf Bazeilles an, wo die königlichen
Wagen warteten. Die Fahrt dahin war außerordentlich be=
schwerlich, da man sich durch abgebrannte Dörfer und ver=
fahrene Train=Kolonnen durchwinden mußte. Bei dem furcht=
bar verwüsteten Bazeilles wurden dann endlich die Wagen
bestiegen, und nun ging es über die vom I. Baierischen Korps
bei Wadelincourt geschlagene Pontonbrücke über Frénois,
Cheveuges und Chehéry nach Vendresse zurück, wo die
Ankunft erst nach halbzwei Uhr erfolgte. Da es so spät ge=
worden war, hatte man in Vendresse überhaupt nicht mehr
an die Rückkehr des Königs geglaubt und angenommen, daß
er, wie am Tage von Gravelotte, auf dem Schlachtfelde
übernachten würde. Man war aber schon so vom Glücke
verwöhnt und des Erfolges so sicher, daß Niemand auch nur
die geringste Unruhe über das lange Ausbleiben des Königs
empfand.

Von neun Uhr Morgens bis nach Mitternacht, also
sechszehn Stunden hatte der König in theils sehr anstrengen=
der körperlicher und nicht weniger anstrengender geistiger
Thätigkeit, ohne weitere Stärkung, als ein kaltes Frühstück,

zugebracht und war nun sehr müde und erschöpft. Nachdem er sich etwas erholt hatte und während das Gefolge sich an ein rasch improvisirtes Souper setzte, trat er auch ein und trank auf das Wohl seiner heldenmüthigen Armee und der anwesenden Generale von Moltke und Roon.

Am Morgen des 3. September war der König schon um halb acht Uhr wieder thätig. Ich berichtete über Alles, was während der gestrigen Abwesenheit aus Vendresse im Hauptquartier bekannt geworden war, wozu besonders die beiden Ausfälle Bazaine's aus Metz vom 30. August und 1. September gehörten, welche wahrscheinlich dem sich nähernden Mac Mahon hatten die Hand reichen sollen. Als der König die von mir aufgeschriebene Rede an die Fürsten durchsah und in der bereits erwähnten Art vervollständigte, betonte er besonders: „Ja wohl kann man nicht wissen, wie das übrige Frankreich diese wunderbaren Vorgänge aufnehmen wird; und ehe man nicht weiß, was nun in Paris geschehen wird, läßt sich der weitere Verlauf garnicht übersehen." Ich erzählte, daß ein vom Feld-Polizeidirektor bis vor Kurzem in Paris gehaltener Agent von dort zurückgekommen sei und außer wichtigen militärischen Nachrichten für den Generalstab auch sonst interessante Notizen mitgebracht habe. Nach seiner Aussage habe die Kaiserin Eugenie das Heft doch noch viel mehr in der Hand, als man in den deutschen Lagern glaube. Sie habe bis vor einigen Tagen die Situation noch vollkommen beherrscht, und wenn die rothen Republikaner, auf

den Druck rechnend, den die „Internationalen“ mit ihren
Maſſen jederzeit ausüben könnten, nicht mit täppiſcher Hand
in die Entwicklung hineingegriffen, ſo würde die Kaiſerin
ſich noch lange halten, Paris aber auch, und nach ſeiner
Kenntniß der Pariſer Bevölkerung möge man ſich auf einen
decidirten Widerſtand gefaßt machen. Am Tage darauf war
freilich der eine Theil dieſes Berichtes ſchon nicht mehr
wahr, der andere ſollte ſich aber ſechs Monate hindurch als
richtig erweiſen.

Als ich den König verließ, war ich nicht wenig erſtaunt,
den Geheimen Kabinetsrath von Wilmowſki zum Civilvortrag befohlen zu ſehen, als ob man ſich im tiefſten
Frieden befände. Nach den gewaltigen Ereigniſſen des 1.
und 2. September ſchon am 3. früh Civilvortrag, in welchem
die aus der Heimat eingegangenen Verwaltungsſachen erledigt wurden! Dieſes ruhige Fortgehen des Uhrwerks
frappirte mich und ich muß hier gleich einen ſpäteren Vorgang einfügen. Als ich in Verſailles die in Supplementen
des „Journal des Débats“ veröffentlichten Berichte des
franzöſiſchen Militärattachés Baron Stoffel über die
preußiſche Armee vorlas und an die Stelle kam, wo General
von Moltke beim Beſuche der großen Weltausſtellung 1867
zu ihm geſagt habe, „es ſei ſchade, daß König Wilhelm ſich
mehr mit Militär- als Civil- und Verwaltungs-Angelegen-
heiten beſchäftige“, und der König dazu bemerkte: „Das iſt
wahr!“ fiel mir ſofort der Morgen des 3. September in
Vendreſſe mit dem Civilvortrage ein und ich erlaubte mir zu

sagen: „Nein, Euer Majestät, das ist nicht wahr! Wenn
irgend Jemand, außer den damit betrauten Räthen und Beamten wissen kann, daß die Civil= und Verwaltungsgeschäfte
mit Gewissenhaftigkeit erledigt werden, so bin ich es. Die
Neigung und Kenntniß mag nicht in gleichem Grade vorhanden sein, aber die Erledigung ist dieselbe.*) Wenn der
Herr General Graf Moltke das wirklich zu dem Baron
Stoffel gesagt, so hat er eben diese stille Thätigkeit Euer
Majestät nicht gekannt. Ich kenne sie aber und habe mir
den Civilvortrag am 3. September, unmittelbar nach den
gewaltigen, allerdings mehr militärischen als Civil=Vorgängen,
wohl gemerkt. Was militärisch geschieht, fällt nur mehr ins
Auge; Tausende sehen es und die Zeitungen berichten
darüber. Wer erfährt denn aber etwas von den Nummern
des Civilkabinets?“ Darauf antwortete der König nichts;
für mich ein Zeichen, ohne weiteres Gespräch in der Vorlesung fortzufahren.

Der Tag in Vendresse verging auffallend still nach
so mächtigen Begebenheiten. Nur Prinz Albrecht und der
Kronprinz von Sachsen meldeten sich beim Durchmarsche; der
letztere, um sich für das empfangene Kreuz erster Klasse zu

----

*) Wie viele Nummern durch das Journal des Civilkabinets gingen,
konnte ich jedesmal aus den Büchern und Bilderwerken ersehen, welche
mir schon nummerirt zur Aufbewahrung übergeben wurden. Die genaue
Zahl für das Jahr 1870 (31 070) habe ich nach der Rückkehr aus dem
Feldzuge erfahren und hörte dabei auch, daß der König in demselben
Jahre außerdem 6484 Kabinetsordres in Civil=Angelegenheiten, also durch-
schnittlich 80 Vortragssachen und 27 Ordres täglich erledigt hatte.

bedanken. Der Generalsvortrag, in welchem der Vormarſch
gegen Paris berathen und angeordnet wurde, fand erſt ſpät
Nachmittags ſtatt, nachdem die Generale von Moltke und
von Podbielski von Donchery hier eingetroffen waren. Da=
gegen war diesmal das Diner belebter als ſonſt, denn der
König ließ zum erſten Male in dieſem Feldzuge Champagner
ſerviren, um den Toaſt auszubringen, der ſeine Mitarbeiter
an dem großen Werke ſo hoch ehren ſollte. Gleich nach be=
endetem Diner war er ſchon im ganzen Hauptquartier be=
kannt, und ich bat am Morgen des 4., denſelben nach Berlin
telegraphiren zu dürfen. Bei dem Diktat ſagte der König:
„Sie, Kriegsminiſter von Roon, haben unſer Schwert ge=
ſchärft, Sie, General von Moltke, haben es geführt und
Sie, Graf von Bismarck, haben ſeit Jahren durch die Leitung
der Politik Preußen auf ſeinen jetzigen Höhepunkt gebracht.“
Bei dem Worte „geführt“ ſtutzte ich und hielt mit Schreiben
inne. „Ich weiß wohl, was Sie meinen; aber ich hatte im
Augenblick kein anderes Wort. Geführt habe Ich das
Schwert. Schreiben Sie für die Oeffentlichkeit ‚geleitet‘, um
ſo mehr, als ich das Wort ‚Leitung‘ auch für Bismarcks
Politik gebraucht habe.“ — Im Gegenſatz zu der ernſten
Stimmung der vorigen Tage ſoll der König bei dieſem
Diner und Abends beim Thee ſehr heiter geweſen ſein. An
Veranlaſſung dazu fehlte es ihm wenigſtens nicht. Kaiſer
Napoleon war auf dem Wege nach Wilhelmshöhe, die
Nachrichten über erbeutete Kriegsvorräthe und die Zahl der
Gefangenen oder nach Belgien Uebergetretenen lauteten ſo

günstig wie möglich, in Paris war der böse Schlag noch
nicht gefallen und aus der Heimat tönte bereits der Sieges=
jubel zur Armee zurück.

Am 4. wurde das Hauptquartier von Vendresse nach
Rethel verlegt und die Abfahrt dahin erfolgte um zehn Uhr,
nachdem die gewöhnlichen Vorträge stattgefunden hatten und
der Kronprinz von Sachsen, sowie der Schweizer=Oberst
Saladin vom Könige empfangen worden waren. Unterwegs
begegneten wir dem II. baierischen, dem V. preußischen Korps
und der württembergischen Division. In Launoy wurde zum
Dejeuner verweilt, gerade zur selben Zeit, als in Paris die
Kaiserin=Regentin zur Flucht gezwungen wurde. Ueber
Brüssel hatte man schon Nachricht, daß es in Paris furchtbar
gähre und Gewaltthätigkeiten zu erwarten seien. Doch ahnte
noch Niemand die Wendung, welche die Dinge dort nehmen
würden. — Rethel war beim Einrücken des Hauptquartiers
von württembergischer Infanterie besetzt und der König
wohnte in der Sous-Préfecture. Die Einwohner erzählten
haarsträubende Dinge von der Indisziplin und dem Zustande
der französischen Truppen, welche von Châlons her hier durch=
marschirt waren und toll gewirthschaftet haben mußten, da
die Entrüstung eine so gleichlautende und allgemeine war.
Der ebenso allgemeine Haß und die Wuthausbrüche gegen
den Kaiser Napoleon standen in sonderbarem Gegensatze zu
der Sympathie, welche sich für denselben bei seinem Trans=
porte durch Belgien unter der Wallonischen Bevölkerung

kundgegeben und so enthusiastische Formen angenommen
hatte, daß Graf Seckendorff sowohl den General Castelnau,
als die belgischen Offiziere auf die möglichen Folgen solcher
Demonstrationen aufmerksam machen mußte. Sonst fanden
sich hier in Rethel allerlei günstige Nachrichten zusammen.
Es waren Briefe Bazaine's aus Metz und Uhrich's aus
Straßburg aufgefangen worden, welche die Lage beider
Festungen als unhaltbar schilderten, wenn ihnen aus Paris
keine Hülfe gesandt würde. Der Vormarsch unserer Armee=
Korps gegen die Hauptstadt schien sich vollkommen ungestört
zu vollziehen, da keine französische Armee mehr im Felde
stand, die Annäherung an dieselbe also einfach nach Etappen
zu berechnen war. Auch aus Oesterreich kam vertrauliche
Nachricht, daß die Anläufe zu einer Mobilmachung der Armee,
welche zwischen den Tagen von Metz bis Sedan dort ge=
nommen worden waren, sistirt wurden, also auch im Rücken
keine Diversion mehr zu befürchten war. Am 5. früh er=
zählte mir der König von dem Jubel, der in Berlin bei dem
Eintreffen der Nachrichten von Sedan stattgefunden und sagte
dabei: „Wie nun, wenn damals die Herren von der Opposi=
tion ihre Absichten gegen meine Reorganisation der Armee
durchgesetzt hätten! Welche furchtbaren Erfahrungen würde
Preußen haben machen müssen! Jetzt wird man einsehen,
warum ich so fest geblieben bin. — An der französischen
Armee sieht man ja, wohin solche parlamentarischen Experi=
mente führen." — Bei meinem Wirthe in Rethel hatte ich
Pariser Zeitungen gefunden, welche bis zum 1. September

reichten und die wüthenden Artikel des Herrn About ent=
hielten. Sie ließen sich nach den Begebenheiten von Sedan
viel wirksamer vorlesen, weil ihre Ohnmacht schon durch
unsere Annäherung an Paris illustrirt wurde, obgleich sie
auch jetzt noch einen widerwärtigen Eindruck machten.

Am 5. September gegen Mittag ging das Hauptquartier
nach Rheims, wo die Ankunft um vier ein halb Uhr er=
folgte und der König im erzbischöflichen Palais neben der
Kathedrale abstieg. Schon am Tage vorher waren drei Regi=
menter des VI. Korps in diese alte Krönungsstadt der fran=
zösischen Könige eingerückt und rings umher lagerten Truppen,
die täglich von neu eintreffenden abgelöst wurden, so daß
der Marsch nach Paris ununterbrochen fortdauerte. Von
Vendresse bis Rheims fanden wir auf dem ganzen Wege
noch den eigensinnigsten Unglauben der Landleute und
Städter, welche die gewaltigen Ereignisse bei Sedan einfach
leugneten, weil sie unmöglich seien. In Rheims selbst war
freilich das Ableugnen schwierig, denn der Maire hatte am
Tage der Ankunft des Königs jenes berühmte Cirkular des
Ministerraths an die Ecken schlagen lassen, in welchem das
Unglück zugegeben wurde, freilich mit der kleinen Variante,
daß 40,000 Franzosen von 300,000 Deutschen gefangen ge=
nommen worden wären. Auch die Gardes mobiles, welche,
sofort vom Könige in ihre Heimat entlassen, von Sedan aus
in die Dörfer und Städte der Champagne zurückkehrten, er=

schütterten jenen hartnäckigen Unglauben nach und nach. Bei
der Ankunft des Königs hatten sich die Offizier-Korps der in-
und umstehenden Regimenter im Hofe des erzbischöflichen
Palastes versammelt und nach dem Diner in dem alten
Krönungssaale fand eine Vorstellung, auf dem Platze vor
der Kathedrale aber ein großer Zapfenstreich statt. Man
wußte noch nichts von den Vorgängen in Paris und sah
mit großer Zuversicht in die nächste Zukunft, die sich auch
wirklich in hohem Grade verheißungsvoll darstellte.

Am 6. früh äußerte der König: „Wir werden so lange
hier bleiben, bis sämmtliche gegen Paris bestimmte Armee-
Korps bei Soissons eingetroffen sind, vor allen Dingen bis
wir wissen, mit wem wir es denn nun eigentlich in Paris
zu thun haben werden, wer sich an die Spitze einer etwaigen
Vertheidigung stellen und sich die Macht anmaßen wird,
über einen Frieden zu unterhandeln." — Erst im Laufe
des Tages wurden die ersten unbestimmten Nachrichten von
den Vorgängen in Paris bekannt, machten aber keineswegs
einen niederschlagenden, eher einen hoffnungsvollen Eindruck,
denn nun glaubte man die Sache nur um so eher beendet.
Der Magistrat von Rheims erklärte sich sofort für Annahme der republikanischen Regierungsform, und während
der König unter Führung der Geistlichkeit die Kathedrale
besichtigte, gab sich in der Stadt eine unruhige Bewegung
unter den städtischen Behörden, Honoratioren, reichen Kauf-
leuten und Fabrikbesitzern kund, welche sämmtlich den Aus-
bruch von Arbeiterunruhen fürchteten. Die Waffen der
National-Garden, Pompiers u. s. w., sowie Jagdgewehre,

hatten zwar abgeliefert werden müssen und lagen in großen
Haufen auf dem Hofe des Stadthauses, aber die Fabrik-
besitzer sahen gerade darin einen besonderen Grund zur Besorgniß, denn die Mitglieder der Internationalen, welche
auch in Rheims sehr zahlreich vertreten waren, konnten sich
ja nun durch einen kühnen Handstreich aller dieser Waffen
auf einmal bemächtigen und so die Stadt ins Unglück
stürzen. Mittags empfing der König den Erzbischof Msgr.
Landricote und den Maire Audinot. Als Beide auch
zur Tafel eingeladen wurden, nahmen sie unter anständigen
Vorwänden diese Einladung nicht an.

Von den beiden Zeitungen, welche bis dahin in Rheims
erschienen waren, „Le Courrier de la Champagne“ und
„L'Indépendant Rémois“, wurde Opposition durch ihr
Nichterscheinen gemacht. Graf Bismarck ließ den Redakteuren sagen, daß die deutsche Okkupation ihnen durchaus
kein Hinderniß in den Weg lege, wenn sie sich nur enthalten
wollten, über Truppenbewegungen und -Stärken etwas mitzutheilen. Die Herren machten den Einwand, daß ihnen
durch die Unterbrechung der Kommunikation mit Paris die
Mittel abgeschnitten seien, ihre Blätter zu füllen, worauf der
Bundeskanzler ihnen entgegnete, man würde ihnen von
Preußischer Seite Aktenstücke liefern und zugleich Jemand
mit der Censur beauftragen, der sie vor Verantwortung
schützen könne. Mit diesem Auftrage, als vom Bundeskanzler-

amte ausgehend, kam der Geheime Regierungsrath Dr. Stieber
zu mir, da es von Wichtigkeit sei, daß auch außerhalb Paris
eine Zeitungspresse existire und eine geschickte Benutzung der=
selben von großem Vortheil sein könne. So wurde ich für
einige Tage zum Censor zweier französischer Zeitungen. Der
„Courrier" war wenigstens etwas konservativer als der
„Indépendant", beide aber von einer so tollen Verbissen=
heit und zugleich so blind gegen die wirkliche Lage der
Dinge, daß mit den Herren Redakteuren über manche
Sachen garnicht zu reden war. Dabei standen sich beide
Zeitungen parteifeindlich einander gegenüber, gönnten sich
keinen Abonnenten mehr und hatten tausend Ausflüchte,
wenn es galt, die einfache Wahrheit in ihren Blättern zu
sagen. Ich hatte meine liebe Noth mit diesen Herren, er=
hielt aber wenigstens wichtige lokale Nachrichten von ihnen,
die ich dem Könige mittheilen konnte, denn sie waren wohl
unterrichtet; ja durch ihre Verbindungen besser, als unsere
Kommandos es sein konnten.

So erhielt ich z. B. die erste vollständige Schilderung
der Pariser Vorgänge am 4. September, die ich dem Könige
schon am 7. vorlesen konnte, noch ehe etwas Offizielles
darüber eingegangen war. Dieser Bericht eines Augenzeugen
machte einen sehr unangenehmen Eindruck auf den König,
der sogleich ausrief: „Nun, was habe ich Ihnen gesagt,
jetzt fängt der Krieg erst an. Jetzt werden die Wortführer
eine levée en masse predigen, wie 1814 die bewaffneten
Bauern, mit denen ·wir damals genug zu thun hatten.
General Trochu scheint ein tüchtiger Mann zu sein, da er

selbst dem Kaiser die Wahrheit über den Zustand der franzö=
sischen Armee gesagt. Wir werden vielleicht noch schwere
Tage zu durchleben haben. Das will aber Niemand glauben,
weil Alle von den bisherigen beispiellosen Erfolgen benommen
sind." Ich darf wohl sagen, daß ich diese Worte mit Ver=
wunderung und Unglauben hörte, denn auch ich war be=
nommen. Wie oft habe ich später und namentlich in Ver=
sailles an diese Aeußerungen des Königs in Rheims gedacht,
wo noch keine Franktireurs aufgestanden, noch keine Armeen
gebildet waren und Paris in seinen Befestigungen und seiner
Armirung noch nicht so stark wie im Dezember geworden war.

Die Zeit, welche das große Hauptquartier in Rheims
stand, war für den König eigentlich eine verhältnißmäßig
ruhige. Am 7. meldete sich General von Obernitz, Kom=
mandeur der Württembergischen Division, mit deren militä=
rischer Haltung während des Feldzuges der König wiederholt
sehr zufrieden war; am 8. defilirte unter strömendem Regen
das Zieten=Husaren=Regiment; am 11. wurde die leichte
Kavallerie=Brigade der IV. (Prinz Albrecht) Kavallerie=Di=
vision und ein aus Ersatzmannschaften für die Garde=In=
fanterie gebildetes Marschbataillon, am 13. eine Eskadron
des X. Husaren=Regiments besichtigt. Mit den Ersatzmann=
schaften war der König theilweise nicht zufrieden. Man
hatte zu viele Einjährig=Freiwillige nachgesandt, die den
schweren Kriegsstrapazen doch noch nicht gewachsen schienen

und mehr Eifer und guten Willen als Kriegstüchtigkeit mit-
brachten. Der König sprach sich am 12. früh auch gegen
mich darüber aus und sagte, es sei unverantwortlich, wenn
man dem Wunsche und den bringenden Bitten der jungen
Leute, und selbst denen ihrer Eltern, nachgäbe und sie auf
den Kriegsschauplatz schicke, ohne daß sie die volle körperliche
Reife erlangt. Auch die beste Dressur könne den Mangel
an Kraft nicht ersetzen. So erfreulich und wohlthuend der
Enthusiasmus und die Opferfreudigkeit dieser jungen Leute
wie des ganzen Volkes auch sei, so dürfe man mit so kost-
barem Material, wie der gebildeten Jugend des Landes,
doch nicht so sorglos umgehen. Der König fügte hinzu:
„Ich habe es den Herren auch sehr ernstlich gesagt. Wenn
wir nun vielleicht eine Winterkampagne machen müssen!"
Damals sah es freilich noch nicht banach aus, denn selbst
das Wiederauftauchen der republikanischen Regierungsform
in Paris stellte nach den uns bekannt werdenden Gesinnungen der kleinen Städte und des Landes eine sehr viel
leichtere Besiegung in Aussicht, als sich dies später erwies.

Die „événements de Paris" gaben übrigens in Rheims
auch Gelegenheit zu einem — wie soll ich gleich sagen —
Kompetenzkonflikte, der mich einen unwillkommenen Blick in
Verhältnisse thun ließ, die schon seit jenem entscheidenden
Kriegsrathe in Bar le Duc obgewaltet zu haben schienen.
Der Maire von Rheims M. Audinot, ein ruhiger, klarer,

aber energiſcher Mann, hatte nach dem Eintreffen der Re=
volutionsnachrichten aus Paris den Conseil Municipal der
Stadt zuſammenberufen, ſein Amt „vu les événements de
Paris" niedergelegt, aber, da er ſehr wohl fühlte, daß Rheims
gerade in einem ſo ſchwierigen Augenblicke nicht ohne eine
geordnete ſtädtiſche Verwaltung ſein könne, eine Kommiſſion
von zehn Mitgliedern unter ſeinem Vorſitze inſtallirt, welche
nichts anderes als der bisherige Conseil Municipal war.
Am 8. erſchien die Verkündigung dieſer Maßregel in den
beiden ſchon genannten Blättern und konnte allerdings ſo
gedeutet werden, als erkenne die Municipalität von Rheims
die in Paris proklamirte Republik an. Am 9. kam daher
Dr. Stieber zu mir, bat mich, ihm bei einer Verhandlung
auf dem Rathhauſe gegen den Maire und die Municipal=
räthe als Dolmetſcher und Protokollführer beizuſtehen, und
erklärte ſich durch den Grafen Bismarck ermächtigt, eine
ſolche Prozedur einzuleiten, da man doch nicht geſtatten
könne, daß dergleichen während der Okkupation der Stadt
und während der Anweſenheit des Königs hier vorgehe,
weil auch andere Städte ſich danach richten würden. Ich
überſah die mögliche Tragweite des Vorganges nicht gleich
und hielt mich außerdem verpflichtet, jeden Dienſt zu leiſten,
den man im allgemeinen Intereſſe von mir verlangte. So
fand das Verhör und die Verwarnung des Maire ganz in
der Weiſe ſtatt, wie Nr. 815 des „Indépendant Rémois"
beides darſtellte. Die Ausdrucksweiſe des Protokolls hatte
ich ſo viel wie möglich gemildert, denn Dr. Stieber ver=
langte die härteſte Form, um dem von der Stadt Rheims

gegebenen böſen Beiſpiel für die anderen okkupirten Pro=
vinzen die gefährliche Spitze abzubrechen. Der Ausdruck:
„Les événements de Paris ne vous regardent pas, M.
le Maire"! machte mir aber ſelbſt Vergnügen und ich allein
trage die Verantwortung dafür.

Im Bundeskanzleramte war man mit dem von
Dr. Stieber gethanen Schritte zufrieden, im Generalſtabe
des Hauptquartiers aber nicht. Man ſcheint dort von der
Anſicht ausgegangen zu ſein, daß dergleichen Maßregeln
während der Dauer des Krieges nur von dem militäriſchen
Oberkommando und deſſen Generalſtabe verfügt werden
dürften und daß keine, außerhalb der militäriſchen Aktion
ſtehende Behörde oder Perſon ſelbſtſtändig in den Gang der
Dinge eingreifen dürfe, ſondern wenigſtens im Einverſtänd=
niß, — alſo erſt nach geſchehener Mittheilung, — handeln
müſſe. Dazu kam, daß die Stellung des Geheimen Re=
gierungsrathes Stieber als Feldpolizei=Direktor des Haupt=
quartiers eine mannigfach unklare war. Er gehörte zu den
Beamten des Bundeskanzleramtes, ſtand aber in ſeiner
Kampagnefunktion unter dem Generalſtabe und ſein Per=
ſonal war militäriſch organiſirt. Soviel ich erfahren konnte,
hat dieſes ſelbſtändige Verfügen des Grafen Bismarck große
Mißſtimmung in den verſchiedenen Büreaus des General=
ſtabes hervorgerufen und es ſind ſogar Briefe gewechſelt worden,
welche nur zur Schärfung des Konfliktes dienten.

Wie ich ſtets zu thun pflegte, hatte ich auch dieſen
Vorgang am nächſten Morgen ſofort dem Könige erzählt und
ihm das aufgenommene Protokoll vorgeleſen. Ich merkte

gleich aus der Aufnahme, daß der König schon darum
mußte, denn er fragte mich, wer mich zu diesem Dolmetscher=
dienst und zu dieser Protokollführung aufgefordert habe, der
Bundeskanzler oder der Feldpolizei=Direktor? Ich antwortete:
Dr. Stieber; da derselbe aber fortdauernd in unmittelbarem
Auftrage des Grafen Bismarck handele, so hätte ich voraus=
setzen müssen, daß er nur den Befehl Seiner Excellenz aus=
führe. Der König äußerte nur ein: „Hm!" Genug für
mein Verständniß, daß etwas vorgefallen sein mußte. Kaum
war ich in mein Quartier gekommen, so klagte mir Dr. Stieber
seine Noth, zwischen zwei scharf mahlende Mühlsteine ge=
rathen zu sein; erzählte mir von der gereizten Stimmung,
welche zwischen dem Bundeskanzleramte und dem General=
stabe herrschte und sagte, daß diese Dinge ihm die wirk=
same Ausführung seiner Aufgabe als Direktor der Feld=
polizei unmöglich machten. Selbstverständlich habe er
überall, wo das Hauptquartier sich etablire, die Funktionen
eines Polizeipräfekten loci auszuüben, und für die Sicher=
heit des Königs wie seiner Umgebung zu sorgen. Er
könne in gewissen Fällen nur seiner eigenen Erkenntniß
und Erfahrung folgen und nicht von zwei verschiedenen
Behörden abhängen, deren Ansichten sich prinzipiell gegen=
überständen. — Es hatte fast den Anschein, als sollte
auch ich für meine Hülfsleistung verantwortlich gemacht
werden. Ich ließ die Dinge aber sehr ruhig an mich
kommen, würde in gleichem Falle auch sofort wieder ebenso
gehandelt haben.

In hohem Grade interessirte es mich aber, den bei dieser Gelegenheit ganz ungenirt laut werdenden Diskussionen der Offiziere des Generalstabes und der Beamten des Bundeskanzleramtes zu folgen. Im Generalstabe schien man die Anwesenheit des Bundeskanzlers im Hauptquartiere, in täglicher Berührung mit dem Königlichen Oberfeldherrn und gar beim Generalsvortrage, nicht allein für überflüssig, sondern sogar für hinderlich zu halten. Es spräche sich dies schon in der offiziellen Liste des großen Hauptquartiers aus, wo das gesammte Bundeskanzleramt unter der Rubrik „Außerdem" verzeichnet sei. In der That könne ein fortdauernder politischer Beirath die Kraft und Schnelligkeit der militärischen Aktion nur hemmen und dem raschen Entschlusse durch langsames Erwägen die Spitze abbrechen. Habe Politik und Diplomatie einmal erklärt, nicht weiter zu können und dem Kriege die Entscheidung überlassen, so müsse ihre jeden Schritt begleitende Einwirkung auch aufhören. Der Soldat habe nur die Aufgabe, den Feind zu überwinden und ihn so gebunden der nun wieder eintretenden politischen Aktion zu Füßen zu legen, daß diese nach ihren Interessen mit ihm schalten könne. Alles Rathen, Eingreifen, Fördern oder Aufhaltenwollen auf Grund politischer Rücksichten sei in einem Hauptquartiere von Uebel. So die militärische Argumentation.

Im Bundeskanzleramte hieß es dagegen: Der Krieg
sei doch nie Selbstzweck, sondern nur eines der Mittel für
die Politik, dürfe sich daher ihrer Leitung nicht entziehen.
Sei der Krieg vorüber, so stecke der Soldat den Degen ein,
die Orden vor die Brust, die Dotation in die Tasche und
der Generalstab habe nur noch die Aufgabe sich für den
nächsten Krieg vorzubereiten. Die Politik aber überdauere
den Krieg, sie müsse mit dem überwundenen Nachbar weiter
leben, aus dem gedemüthigten, werde sehr bald wieder ein
gleichberechtigter Faktor in der Familie der europäischen
Staaten und die Politik könne sich durch den Krieg keine
Verantwortlichkeiten aufbürden lassen, bei deren Herbeiführung
sie nicht gehört worden sei. So die Anschauungen im Bundeskanzleramte.

Beide Parteien hatten, je von ihrem Standpunkte aus,
unzweifelhaft recht. So lange sie Hand in Hand gingen,
wirkten sie vortrefflich; wie peinlich mußte aber die Lage
des Entscheidenden, hier also König Wilhelms werden, wenn
sie in Konflikt mit einander geriethen. Zu den beiden
Männern, welche diese entgegengesetzten Ansichten vertraten,
hatte der König volles Vertrauen und auch wahrlich Ursache
dazu; andererseits hatten Beide wahre Ehrfurcht und Achtung
vor ihrem Herrn. Vielleicht sind diese Gegensätze aber garnicht bis zum Könige gelangt; ich kann nur sagen, daß sie
in den unteren Regionen sehr scharf zum Ausdrucke kamen
und ich weiß, daß seit dem Kriegsrathe in Bar le Duc,
welcher die Wendung der Armeen nach Norden entschied,
Graf Bismarck keinem Generalsvortrage mehr beiwohnte,

sondern erst in Ferrières, als er dazu aufgefordert wurde, wieder erschienen ist.

In den äußerlich unthätigen und daher monotonen Aufenthalt in Rheims brachte ein Besuch des Königs im Lager von Châlons einige Abwechslung. Er fand am 10. September statt. Um elf Uhr aus Rheims abgefahren, traf der König über die vom Kaiser wiederhergestellte, alte Römerstraße um zwei Uhr bei dem Kaiserlichen Pavillon des Lagers ein, wo einige Escadrons württembergischer Kavallerie aufgestellt waren. Außer der Begleitung durch die Kavallerie der Stabswache war die Landstraße auch mit Infanterie-Piquets besetzt, denn schon fing das Franktireur= wesen an, sich bemerklich zu machen und der Vorfall beim Besetzen der Citadelle von Laon mahnte zur Vorsicht. — Es war ein merkwürdiger Anblick, diese Verwüstungen eines Lagers, in welchem die Truppen zum Kriege vorbereitet worden waren. Der König ging durch den Kaiserlichen Pavillon, das Kasino, die Chalets der Generale und der maison mi= litaire, — überall die greulichste Devastation, welche die sittlich verkommene Bevölkerung der beiden Dörfer. Grand= und Petit=Mourmelon verübt; — stieg dann zu Pferde, beritt eine bedeutende Ausdehnung des Zelt= und Barackenlagers, bis zur Kirche von Grand=Mourmelon und kehrte endlich nach Rheims zurück, wo erst der durchmarschirende Prinz Albrecht und darauf General=Adjutant von Boyen und der Fürst Lynar empfangen wurden, welche den Kaiser Napoleon

bis Wilhelmshöhe begleitet hatten und nun Bericht über
ihre Miſſion abſtatteten. Der Beſuch des Lagers von Châlons
ſchien einen tiefen Eindruck auf den König gemacht zu haben;
das glaubte ich aus den Bemerkungen ſchließen zu können,
welche ich am Morgen des 11. aus ſeinem Munde hörte.
Auf den Schlachtfeldern hatte er die militäriſche Kraft ſeines
Gegners gebrochen geſehen. In den Kaiſerlichen Pavillons
bei Châlons, in den Erinnerungen an die Kaiſerin, an den
Kaiſerlichen Prinzen und an die ganze ſtolze und drohende
Sicherheit Frankreichs, welche ſich in der Schöpfung dieſes
ſtändigen Uebungslagers ausſprach, lag mehr als eine blos
militäriſche Vernichtung; man fühlte auch die moraliſche
Niederlage heraus.

Die erwartungsvolle neuntägige Ruhe in Rheims ließ
eine Menge von Kombinationen und Gerüchten entſtehen,
von denen ja überhaupt die Luft eines Hauptquartieres zu
ſchwirren pflegt. Die Pariſer Zeitungen predigten geradezu
den Mord des Königs; da Niemand vorhanden war, mit
dem man hätte Frieden ſchließen können, ſo ſollte die Kaiſerin
Eugenie wieder eingeſetzt und mit dieſer unterhandelt werden,
oder der König der Belgier ſollte Kaiſer von Frankreich, die
walloniſchen Provinzen Belgiens mit Frankreich, die flämiſchen
gegen Abtretung von Luxemburg mit Holland vereinigt und
ſo dem verwundeten Ehrgefühle der Franzoſen ein Pflaſter
aufgelegt werden. Italien könne Nizza und Savoyen zurück-
erhalten, wenn es ſich Deutſchland anſchließe. Spanien

werde nun doch wohl den Erbprinzen von Hohenzollern zum
Könige wählen, u. s. w. Jetzt weiß man freilich, was von
allen diesen Gerüchten zu halten war; damals nahmen sie
aber das Interesse Aller in hohem Grade in Anspruch.

Am 14. September wurde Rheims verlassen, über
Dormans gefahren und das Hauptquartier nach Château
Thierry verlegt. Hinter Dormans trat die Fahrt in das
überaus reizende Marnethal mit seiner dichten Bevölkerung
und sorgsamen Kultur. Welch ein reiches Land war doch
dieses Frankreich und ein wie kleiner Theil desselben erst in
unserer Gewalt! Jeder Blick auf die Karte zeigte, wie wenig
Territorium im Verhältniß zur Ausdehnung und Bevölkerung
des ganzen Landes doch erst gewonnen war und welche
außerordentlichen Mittel einer ernstgemeinten Vertheidigung
immer noch zu Gebote standen. Ueberall merkte man den Segen
einer zwanzigjährigen Kaiserregierung, der es gelungen war,
den revolutionären Geist niederzuhalten. Kirchen und Schulge=
bäude, Bürgermeistereien, öffentliche Brunnen und Waschan=
stalten, vortreffliche Landstraßen, Alles wohlgeordnet, Wohl=
habenheit, ja Luxus sogar in den Bauerwohnungen. Und
dennoch ein wüthender Haß gegen Napoleon, den man nur mit
den niedrigsten Schimpfworten nannte. — Auch der König hatte
diesen Unterschied des alten Frankreich von 1814 mit dem
neuen von 1870 sehr wohl beobachtet und sprach sich wieder=
holt darüber aus, immer auch den Undank der Nation be=

tonend, die Alles vergesse und Nichts lerne. — Die Fahrt
von Rheims bis Château Thierry war eine lange und be=
schwerliche, zuletzt bei sehr schlechtem Wetter.

Da ich mich auf jede Weise bemühte Pariser Zeitungen
zu erhalten, so kounte ich am Morgen des 15. eine reiche
Ausbeute von Neuigkeiten, unter anderen, die detaillirte
Darstellung der Flucht der Kaiserin Eugenie, dem Könige
vorlesen; ebenso mehrere Dekrete der selbsteingesetzten Re=
gierung, welche sämmtlich eine energische Vertheidigung der
Hauptstadt in Aussicht stellten, so daß die, unmittelbar nach
Sedan vielfach laut gewordene Hoffnung, ja Zuversicht, —
wir würden zwar vielleicht noch eine Schlacht zu bestehen
haben, dann aber mit fliegenden Fahnen in Paris einziehen,
— gewaltig erschüttert wurde.   Immer verglich der König
die Vorgänge des Augenblicks mit denen der Kampagnen
von 1814 und 15 und war besonders besorgt um die Unter=
brechung der Kommunikationen mit der Heimat.

Als ich am 15. vom Könige herauskam, trat der Ge=
heimrath Delbrück ein, der von Château Thierry aus nach
Berlin zurückkehrte, und vor der um elf Uhr erfolgenden
Abfahrt nach Meaux, meldete sich auch der von Toul kommende
Großherzog von Mecklenburg=Schwerin, mit seinem frischen
diensteifrigen Wesen, seiner Anhänglichkeit an das Preußische
Königshaus und seinem ritterlichen Thatendurst immer eine
angenehme Erscheinung! — Die Fahrt ging weiter durch

das Marne=Thal, zeigte aber zum ersten Male die Wirkung
der Pariser Dekrete, welche ein vollkommenes „Vide", eine
Wildniß weit um die Hauptstadt, herzustellen befohlen hatten.
Je schöner und bebauter die Gegend, besto peinlicher die
vollständige Verödung der Dörfer und Wohnstätten, die von
allen ihren Bewohnern, auch Greisen, Matronen und Kindern
verlassen waren. Nur hin und wieder schlich eine ver=
hungernde Katze um die leerstehenden, von allem Hausge=
räth entblößten Wohnungen. Die Landstraße war in ihrer
ganzen Ausdehnung mit Infanterie=Piquets, welche fort=
während patrouilliren ließen, besetzt; eine Marne=Brücke war
gesprengt, so daß der Uebergang auf einer daneben geschlagenen
Pontonbrücke erfolgen mußte. Nirgends eine lebende Seele
außer unseren Soldaten: dagegen Nachrichten, daß sich die
Bauern mit ihren Heerden in die Wälder zurückgezogen und
Schießgewehre mitgenommen hätten. Man hörte wohl hin
und wieder, namentlich des Nachts, Schüsse fallen, war aber
diesen Verstecken noch nicht auf die Spur gekommen. Hier
erhielten die siegreich vormarschirenden Truppen den ersten
Eindruck von dem Willen der Bevölkerung, sich zu vertheidigen,
der bei Vielen ernste Gedanken angeregt haben mag. An=
gesichts der verlassenen Dörfer hörte die Hoffnung auf einen
Antagonismus zwischen der Landbevölkerung und Paris auf,
denn zu einer vollständigen Verwüstung fehlte nur noch das
gänzliche Niederbrennen der Gebäude; und selbst darin schien
das Eingehen des Volkes auf den Willen der Regierung
nicht mehr zweifelhaft zu sein. — Unmittelbar hinter der
zerstörten Marne=Brücke wich mein Fuhrwerk in Folge eines

16*

Mißverständnisses von der Chaussee ab und ich mußte nun eine Kanal-Brücke passiren, bei welcher zwei Infanterieposten zur Vorsicht mahnten, weil in dem Brückenpfeiler noch eine geladene Mine stecke. Wirklich eine angenehme Bewillkommnung für Meaux, dessen hochliegende Kathedrale von weit her die ganze Gegend dominirte.

Bei der Ankunft dort um sechs Uhr wurde der König von dem General von Tümpling mit dem ganzen Generalstabe des VI. Armee-Korps empfangen und stieg in dem Hause eines begüterten Privatmannes ab, der Alles that, was sein Reichthum ihm erlaubte, um den Aufenthalt des Königs und seiner nächsten Umgebung zu einem möglichst angenehmen zu machen, aber dennoch eine Einladung zur Königlichen Tafel ausschlug; wie sich denn überhaupt, seit wir das Marnethal betreten, eine durchaus feindliche Stimmung zeigte. Das „Vide", welches die Septemberregierung meilenweit um Paris dekretirt, hatte für uns in den Dörfern vor Meaux angefangen und sollte erst in Versailles endigen. In jedem Worte, jedem Blicke der Hauswirthe und Hausgenossen zeigte sich tiefe Erbitterung. Diese Stimmung schien sich aber erst mit der Proklamirung der Republik in Paris eingefunden zu haben, denn bis dahin war in der That nichts, oder doch nur in sehr einzelnen Fällen etwas davon zu merken gewesen. In Meaux wurden aber die Wahrnehmungen nach allen Seiten hin so unabweisbar, daß man darüber berieth, ob es im weiteren Verlaufe der Kampagne nicht zweckmäßiger sein würde, das Hauptquartier des Königs nur nach kleinen Städten oder einzeln liegenden Schlössern zu bringen, als

in ſo dicht bevölkerte Orte wie Meaux. Namentlich erhoben
ſich hier ſchon Bedenken gegen Paris und Verſailles. Würde
Paris genommen, ſo glaubte man St. Cloud den geeigneten
Ort für das große Hauptquartier. Bekanntlich kam es aber
ſehr viel anders.

Der König verweilte hier vom 15. Abends bis zum
19. September früh ſehr ruhig. Nur am 17. beſichtigte er
die Kathedrale. Dagegen fanden viele und, wie die Folge
lehrte, wichtige Berathungen ſtatt. Metz, Toul, Verdun,
Straßburg, alle dieſe für unſere Rückzugslinie ſo wichtigen
Plätze waren noch nicht in unſerer Gewalt, und aus der
Energie, mit welcher die augenblicklichen Gewalthaber in
Paris die Einöde rings um die Hauptſtadt geſchaffen, ließ ſich
erwarten, daß eine gleiche Energie ſich auch in der Vertheidigung zeigen werde. Man konnte nicht hoffen durch
eine große Schlacht, wie im Jahre 1814, mit Paris fertig
zu werden, denn diesmal hatte man es mit ſtarken Be-
feſtigungen zu thun. Im großen Generalſtabe und bei den
höheren Truppenführern ſprach ſich zwar vollſtändige Zuver-
ſicht auf eine raſche und glänzende Beendigung der Kampagne
aus, der König theilte aber dieſe Meinung erſichtlich nicht. —
Gerade in dieſen Tagen und bis zur gelungenen Einſchließung
der Hauptſtadt ſchien er ſorgenvoll, ließ ſich fortwährend berichten, verfolgte den Anmarſch ſämmtlicher Korps auf den
Karten und berechnete alle Eventualitäten. Wie König Wilhelm
überhaupt nicht eher an einen Erfolg glaubt, als bis er ſich
durch ſeine Folgen unzweifelhaft erweiſt, ſo glaubte er in
Meaux nicht an eine raſche Bezwingung von Paris. Ich

war ganz erstaunt, als er mir schon von den Schwierig=
keiten sprach, welche der Winter für die Unterbringung und
Verpflegung der Truppen herbeiführen werde, — hatte ich
doch eben erst nach Hause geschrieben, daß ich spätestens
Mitte Oktober wieder zurück sein würde.

Während der Tage in Meaux schien der Wind der
Vermittlungen im Hauptquartiere zu wehen. Bald sollten
England und Oesterreich vereint, bald Rußland und bald
Italien dergleichen angeboten haben. Als ich dem Könige
von diesen Gerüchten erzählte und hinzufügen konnte, daß
bei den Truppen, soweit ich davon unterrichtet war, nur eine
Antwort darauf gehört werde: „Erst in Paris und dann
Vermittlungen!" erfuhr ich, daß noch keinerlei direkte Aner=
bietungen eingelaufen wären, allerlei Nachrichten jedoch der=
gleichen erwarten ließen. Als ich aber am 17. erwähnte,
es ginge das Gerücht, Jules Favre werde demnächst nach
Meaux kommen, antwortete mir der König garnicht, so daß
ich vermuthen konnte, es sei gegründet, was sich auch schon
am nächsten Tage herausstellte. Ueber England war ange=
fragt worden, ob man Herrn Favre wohl im Hauptquartier
empfangen werde, und die Antwort hatte gelautet: Da die
gegenwärtige Regierung in Paris noch nicht anerkannt sei,
so könne dieser Herr auch nicht in seiner Eigenschaft als
Minister der auswärtigen Angelegenheiten empfangen werden.
Gegen seinen Besuch als Privatmann habe man nichts ein=

zuwenden. Obgleich dieses angekündigte Erscheinen eines der
Führer der Antinapoleonischen Revolution möglicherweise den
Frieden bringen konnte, — denn sein bloßes Kommen bewies ja
schon einen hohen Grad von Entmuthigung, — so wurde doch
in den Vorbereitungen gegen Paris keinen Augenblick inne gehalten. Schon am 16. war der Kronprinz nach Meaux gekommen und wohnte dem sehr langen Generalsvortrage bei,
in welchem die Operationen für die Einschließung von Paris
besprochen und vom Könige festgestellt wurden. Auch bei
dem darauf folgenden Vortrage des Grafen Bismarck war
er zugegen und begab sich dann sofort wieder zu den bereits
bei Lagny stehenden Truppen. Wahrscheinlich ist auch die
Favre'sche Angelegenheit schon am 16. entschieden worden,
denn Abends spät elf Uhr hatte sich Graf Bismarck noch
einmal zum Könige begeben.

In Meaux stieß die Feldpolizei zum ersten Male auf
Spuren direkter und fortdauernder Verbindung der Bevölkerung mit Paris, trotzdem zwei unserer Armeen mit
7½ Armee-Korps zwischen Paris und Meaux standen. Aber
auch wir hatten noch direkte Verbindungen mit der Hauptstadt und einer unserer geschicktesten Agenten war nicht allein
aus Paris heraus zu uns gekommen, sondern ging auch noch
einmal wieder hinein, um uns später Nachrichten nach
Ferrières zu bringen, wobei er aber freilich erklärte, daß bei
den in Paris herrschenden Zuständen von nun an ein weiterer
Verkehr nicht mehr möglich sei. Dieser Agent zeichnete sich

durch ein ungewöhnlich scharfes und richtiges Urtheil aus
und sagte schon Ende September in Ferrières, daß wir
Paris gleichviel, ob durch Hunger oder durch eine förmliche
Belagerung, erst im Frühling 1871 überwältigen würden.

Am Morgen des 19. September hatte ich eben über die
während der Nacht eingegangenen Telegramme berichtet, als
der Flügel=Adjutant, Fürst Radziwill plötzlich meldete, daß
nach soeben aus Claye eingetroffenen Berichten unsere auf
der Nordseite von Paris vorgehenden Truppen der Armee
des Kronprinzen von Sachsen in der Ferne ein französisches
Lager entdeckt hätten, so daß sich vermuthen lasse, der Feind
wolle, um die schon begonnene Einschließung vielleicht noch
abzuwehren, ein Gefecht in freiem Felde annehmen. Da
diese Meldung in meiner Gegenwart geschah, so sah ich, mit
welcher Elastizität der König bei dem Worte: „Gefecht wahr=
scheinlich", vom Stuhle aufsprang und seine Befehle gab.
Mit der Raschheit eines Jünglings legte er sofort seine Papiere
in die verschiedenen Mappen, befahl die Generale zum Vor=
trage zu berufen und die Verlegung des Hauptquartiers näher
an Paris heran. „Für meine Person, die Generale und
den Generalstab nach Ferrières, die zweite Staffel nach Lagny!"
Soviel konnte ich nur noch hören, weil ich mich natürlich
gleich zurückzog. Wenige Minuten nachher traten auch die
Generale beim Könige ein und ich wartete, bis der Vortrag
zu Ende war, um aus erster Hand zu erfahren, wohin ich
mich zu wenden hätte. Es kam der Befehl, die Königlichen
Reitpferde sollten sofort über Lagny nach Claye abgehen, wo
der König zu Pferde steigen wollte. Die bald darauf er=

folgende Abfahrt des Königs rief eine seit Sedan nicht mehr
vorgekommene Aufregung im Hauptquartiere hervor. Alle
glaubten, es handele sich um eine Wiederholung des 30. März
1814. Noch konnte die revolutionäre Regierung aus Paris
flüchten; gelang bis zum Abende, wie voraus berechnet, die
Einschließung, so war ihr auch das abgeschnitten.

Auf dem Wege nach Lagny fanden wir wieder alle
Dörfer verlassen, kein einziger Franzose war zu sehen. Da=
gegen auf allen Wegen breite Truppen=Kolonnen, bei allen
Dörfern Munitions= und Proviant=Kolonnen parkirt und in
den Chausseegräben eine unglaubliche Menge leerer Wein=
flaschen.

Ein Civilist mit granem Vollbart, dem wir unterwegs
in einem Wagen begegneten, fiel mir auf, als ob ich das
Gesicht kennen müßte; ich hatte aber keine Ahnung, daß es
Herr Jules Favre war, welcher nach Meaux fuhr. Als ich
dies später erfuhr, erinnerte ich mich freilich, vor kurzem seine
Photographie gesehen zu haben. Nach einiger Zeit sah ich
einen zweiten Wagen mir von Lagny her entgegenkommen,
in welchem einige Herren der diplomatischen Kanzlei saßen,
die ich am Morgen hatte aus Meaux abfahren sehen; die
Pferde jagten die Chaussee entlang dorthin zurück. Erst am
Tage darauf hörte ich in Ferrières die Erklärung. Jules
Favre war an dem Wagen des Grafen Bismarck vorüber=
gefahren, um sich nach Meaux zu begeben, während der Graf

nach Lagny eilte. Noch auf dem Wege dahin erfuhr er aber, daß der nach Meaux Eingeladene sich mit ihm gekreuzt und sandte ihm sofort den Wagen mit den Beamten nach, um ihn zu benachrichtigen, daß das Hauptquartier verlegt worden, und er sich daher nach Ferrières begeben müsse, wenn er den Bundeskanzler sprechen wolle. So erfolgte denn die Umkehr. Graf Bismarck hatte aber langsam fahren lassen und die erste Begegnung der beiden Herren fand auf der Landstraße, einige Kilometer von Lagny statt.

Auf der Fahrt dorthin hatte ich immer nur gehorcht, ob sich nicht Kanonendonner vernehmen lassen würde, aber es blieb Alles still.

Der König war direkt nach Clape gefahren, dort zu Pferde gestiegen und in der Richtung auf St. Denis vorgeritten. Das kleine Gefecht, welches sich zwischen den Vortruppen unseres IV. Korps und den sich zurückziehenden Franzosen am Vormittage entsponnen, war längst vorüber, als der König dort ankam. Während die Korps der MaasArmee ununterbrochen zur Schließung des eisernen Gürtels westlich über St. Denis hinaus vorgingen, beritt der König das Gefechtsfeld und die von den bereits stehengebliebenen Truppen eingenommenen Positionen. Von einem Hügel östlich St. Denis, unweit des Pont d'Iblon, auf der Chaussee nach Lille, sah der König zum ersten Male Paris vor sich liegen, soweit der Höhenzug des Montmartre es gestattete.

Den Arc de Triomphe und das Panthéon wollte man er=
kannt haben. Der König selbst war seiner Sache nicht gewiß
und suchte vergeblich nach Lokal= und Terrain=Erinnerungen,
da er sich auch 1814 von dieser Seite her Paris genähert.
— Erst spät trennte er sich von den Truppen, um über
Lagny nach Ferrières zu fahren. Auf seinem Ritte bis
St. Denis war er der 2. Garde=Infanterie=Brigade. und der
Garde=Kavallerie=Division begegnet, also denselben Truppen,
mit denen er sich 1814 zusammen befunden. Gewiß ist der
König von dieser Wiederholung nach sechsundfünfzig Jahren
an Ort und Stelle, aber unter so ganz anderen Verhältnissen,
tief berührt worden. Nördlich von Lagny am Ufer der Marne
angekommen, mußte dieser Fluß in der Dunkelheit passirt
werden, um durch die Stadt auf den Weg nach Ferrières zu
gelangen. Die gesprengte Brücke lag halb in der Marne,
eine Nothbrücke war zwar hergestellt worden, aber nur mit
großer Schwierigkeit zu benutzen. Der König mußte aus=
steigen und, von seinem unmittelbaren Gefolge umgeben, über
die steil gesenkten und wieder aufsteigenden Bohlenlagen gehen.
Mit dem Hinüberschaffen der schweren Königlichen Equipagen
dauerte es so lange, daß der König einige Straßen vorauf=
ging, endlich aber in der ganz verödeten Stadt in tiefer
Dunkelheit stehen bleiben mußte, da sich Niemand sehen ließ,
der irgend welchen Bescheid geben konnte. Das Schloß
Ferrières war noch über eine Meile entfernt, und es fragte
sich, ob es nicht besser wäre, in Lagny zu übernachten. Da
kam Nachricht, daß im Quartier des Prinzen Carl schon
Alles zum Thee und Souper bereit sei, so daß der König

fich dorthin begab, bis die Equipagen über die Brücke ge=
ſchafft worden waren. — Ich war noch bei guter Zeit in
Lagny angekommen und hatte mein Quartier beim Maire
erhalten, begab mich aber, als ich von der Ankunft des
Königs bei der Brücke hörte, auf die Straße und war zu=
fällig bei ſeinem Eintritte in das Quartier ſeines Bruders
zugegen. Der Kontraſt zwiſchen dem verheerten Schlachtfelde,
der ſchrecklichen Einöde rings umher, der gefährlichen Brücken=
paſſage im Dunkeln, dem Umherirren in den ſchmutzigen
Straßen der Stadt und dieſem Empfange in der ſauberen,
hellerleuchteten, nach allen Richtungen hin wohl ausgeſtatteten
Villa war außerordentlich groß. Der Hofmarſchall des
Prinzen Carl, Rittmeiſter Graf Dönhoff, hatte Alles für die
Rückkehr ſeines fürſtlichen Herrn auf das Einladendſte herge=
richtet und nun ſogar die Freude, auch den König bewirthen
zu können, der ſeine Verwunderung und zugleich ſeine Zu=
friedenheit mit den getroffenen Arrangements ausſprach und
bei der Beſichtigung des ganzen Hauſes im Zimmer des
Grafen Dönhoff den Wunſch äußerte, lieber gleich da zu
bleiben; ſo ſehr hatte ihm die gaſtliche Aufnahme gefallen.
Dennoch fuhr er noch Abends nach Schloß Ferrières zurück.

Herr Jules Favre war bereits Nachmittags in Ferrières
angekommen und im Dorfe bei dem „Régiſſeur des Châ-
teaux du Baron de Rothſchild" einquartiert worden. Um
halb acht Uhr begab er ſich auf das Schloß, mußte aber bis

neun Uhr warten, bis Graf Bismarck dinirt hatte, worauf beide Herren eine Unterhaltung zusammen hatten, die bis halb zwölf Uhr dauerte. Sie fand in dem Bureau des Kastellans, rez de chaussée statt. Während ihrer Dauer war der König angekommen, hatte sich aber gleich in sein Zimmer zurückgezogen, und als Graf Bismarck gegen Mitternacht anfragen ließ, ob Seine Majestät noch sichtbar wären, antwortete der Kammerdiener, der König habe sich schon zur Ruhe begeben. Ich erfuhr dies, als ich am 20. früh um sechs Uhr von Lagny nach Schloß Ferrières kam, denn der König sagte zu mir: „Ich bin doch neugierig, was uns dieser Herr Favre bringt? Das gestrige Gefecht bei St. Denis war ganz unbedeutend und die Franzosen nicht zu einem ernsten Kampfe entschlossen. Dagegen wird es wohl bei meinem Sohne ernsthafter hergegangen sein. Hoffentlich ist die ganze Einschließung gelungen. Die Disposition war wenigstens vortrefflich entworfen. Nun, was bringen Sie sonst für Nachrichten?" Ich erzählte das Verfehlen Bismarcks und Favre's, berichtete über den Inhalt der letzten noch aus Paris herausgekommenen Zeitungen, der aber so widersprechender Natur war, daß sich kein nur einigermaßen richtiges Bild über die dortigen Zustände gewinnen ließ. Wilde Drohungen neben verzagten Klagen, heldenmüthige Entschlüsse neben schwächlicher Thatenunlust, Verschwendung neben Mangel. Der König äußerte darauf: „Nun, das werden wir ja Alles bald erfahren, wenn ich erst weiß, was Bismarck mit Herrn Favre gesprochen hat." Ich blieb den Vormittag in Ferrières und kehrte erst Nachmittag nach Lagny

zurück, wo Prinz Carl mich zum Diner hatte einladen laſſen.
Vorher ſah ich den Gaſen Bismarck zum Könige hineingehen,
dann die Generale zum Vortrage ſich verſammeln, bei
welchem auch Graf Bismarck zum erſten Male wieder ſeit
Bar le Duc zugegen war. Nach dem Vortrage ließ der Graf
Herrn Favre erſuchen, noch einmal zu ihm zu kommen, und
ich ſah nun den graugewordenen Revolutionsapoſtel, den ich
am Tage vorher auf der Chauſſee nach Lagny getroffen,
heute in das Schloß gehen. Diesmal dauerte die Unter=
haltung nur eine halbe Stunde und nach derſelben erhielt
der Generalſtabsoffizier von Winterfeld den Auftrag, Herrn
Favre durch die Vorpoſten nach Paris zurückzubringen.
Gleich darauf kam der General von Obernitz, Kommandi=
render der Württembergiſchen Truppen, an und berichtete
über das ſiegreiche Gefecht bei Seeanx, ſowie über die glück=
lich vollendete Einſchließung von Paris. Der General wurde
zur Tafel befohlen, auch der Württembergiſche Kriegsminiſter
von Sucrow dazu eingeladen und bei derſelben der glückliche
Anfang unſerer Stellung vor Paris erfreut beſprochen.

Als Herr Favre am 20. Ferrières verließ, ſoll er
ſeinem Quartierwirth geſagt haben, er möge ihm nur das
Logis reſerviren, da er wiederzukommen gedenke. Als ich
dies am 21. während meines Vortrags erzählte, meinte der
König: „Ich glaube ſchwerlich, daß er wiederkommen wird,
da wir auf keinen einzigen ſeiner Vorſchläge eingegangen

find. Der Herr sitzt noch auf einem hohen Pferde. Bismarck
hat ihm gesagt, daß von einer Unterhandlung doch überhaupt
nicht eher die Rede sein könne, als bis die Herren von der
Regierung de la Défense Nationale sich irgend eine legale
Anerkennung verschafft hätten. Wir werden uns doch nicht
in die inneren Angelegenheiten der französischen Nation
mischen! Das ganze Erscheinen und die Unterredung des
Herrn Favre kann doch nicht anders, als das Kommen und
das Gespräch irgend eines anderen Einwohners von Paris
betrachtet werden, welcher im Interesse seiner Stadt reden
will. Daß dergleichen Gespräche keinen Einfluß auf die mi=
litärischen Operationen haben können, hätte ihm jeder franzö=
sische Offizier sagen können. Von unserem Einmarsch in
Paris will Herr Favre ganz besonders nichts wissen, und
doch wäre das die beste Basis, auf der man unterhandeln
könnte. Er meint, daß der Einmarsch in Paris niemals von
irgend einer Regierung Frankreichs zugegeben werden könne."
Ich erwiederte: „Glücklicherweise ist gerade das ein Punkt,
zu dem man nicht die Erlaubniß einer Regierung quelconque
einzuholen pflegt, sondern einfach die Generale damit beauf=
tragt. Bei einem Friedensschluß, zur Ratifikation von Ab=
tretungen, zum Zahlen der Kriegskosten 2c. bedarf man der
Einwilligung einer Regierung; — zum Einmarsch in eine
feindliche Stadt nicht!" „Sagen Sie das den Herren selber,
die noch immer unglaublich verblendet sind. Sie könnten
sich alles weitere Blutvergießen und entsetzliche Zerstörungen
ersparen, wenn sie jetzt Vernunft annehmen wollten; aber
wie gesagt, trotz der abermaligen Niederlage durch meinen

Sohn sitzen sie noch immer auf ihrem hohen Pferde. Wir
haben gestern drei ihrer Divisionen geschlagen, zweitausend
Gefangene gemacht und acht Kanonen genommen. Das wird
Herr Favre erfahren, wenn er jetzt nach Paris zurückkommt;
vielleicht stimmt das seinen Ton etwas herab, aber ich glaube
überhaupt nicht, daß er wiederkommt."

Als ich am 21. wieder nach Ferrières kam, erfuhr ich,
daß der König ganz Recht gehabt hatte; Jules Favre war
nicht wiedergekommen und überhaupt keinerlei Nachricht aus
Paris in das Hauptquartier gelangt, außer den Mittheilungen jenes Polizeiagenten, die ich dem Könige vorlegen
konnte. Er hatte sogar Zeitungen mitgebracht, aus denen
sich ergab, daß am 19. das I. Zuavenregiment, eine sogenannte Elitetruppe, bei dem Einschlagen der ersten Granaten
auseinander und mit dem Rufe: „Sauve, qui peut!" nach
Paris hineingelaufen sei. Das gestand sogar der Tagesbefehl
eines Generals zu. Sonst herrsche in der Bevölkerung durchaus keine Entmuthigung, von Mangel sei keine Rede, und
man möge sich auf einen langen Widerstand gefaßt machen.
Herr Favre habe erklärt, auf die Bedingungen des Grafen
Bismarck hin sei an keine Unterhandlung zu denken. Der
König bemerkte auf diese Neuigkeiten nur: „Wenn wir nur
erst Toul und Straßburg hätten, denn hier um Paris ist
ja garnichts mehr zu haben; wir müssen also eine gesicherte
Kommunikation für die Zufuhr aus Deutschland haben. Ueberall

stockt es mit der Verpflegung. Das macht die unglaubliche Zahl
von Gefangenen, die außer der Armee verpflegt sein wollen. —
Haben Sie sich denn das Schloß schon angesehen?" Ich bejahte
und sprach mein Erstaunen über die unsägliche Pracht aus, mit
welcher Baron Rothschild seinen Landsitz ausgeschmückt. Man
sähe in jedem Winkel, daß es eben reich und prächtig sein
sollte. „Jawohl," sagte der König, „ich kann mir so Etwas
nicht erlauben, darum habe ich mich auch in das einfachste
Zimmer zurückgezogen. Die Prinzen kommen heut aus Lagny
herüber, da werde ich mir einmal das Ganze genauer ansehen." In der That hatte der König das Badekabinet des
Besitzers zu seinem Arbeitszimmer gemacht. Nur die Bade-
wanne war in eine Chaiselongue verkleidet worden, sonst
nichts verändert. Das prachtvolle Schlafzimmer benutzte der
König nicht, sondern er hatte sein Feldbett in einem Zimmer
daneben aufschlagen lassen. „Wenn Euer Majestät das ganze
Innere des Schlosses besichtigen, erlaube ich mir auf die
Profusion aufmerksam zu machen, mit welcher das Wappen
des Barons auf allen möglichen und unmöglichen Stellen
angebracht ist. Alle denkbaren Wappenthiere, Adler, Löwe
und Einhorn sind darin vereinigt, und wo es denn doch gar
zu häufig erschienen wäre, hat man mit dem écusson des
Rex Judæorum abgewechselt." „Wieso Rex Judæorum"? —
„Die Initialen J. R. — James Rothschild — werden von
seinen Verehrern als Judæorum Rex gedeutet." — Gegen
Mittag kam der Großherzog von Mecklenburg-Schwerin nach
Ferrières und bat den König, die erste Klasse des Mecklen-

burgischen Verdienstkreuzes von ihm anzunehmen, dessen
zweite Klasse er schon seit 1849 für den Feldzug in der
Pfalz und Baden besaß. Das Eiserne Kreuz erster Klasse
hatte der König damals noch nicht angelegt, obgleich nach
den Schlachten von Gravelotte und Sedan genug Veran=
lassung dazu gewesen wäre. Der Besichtigung aller Räume
des Schlosses, auch der kleinen Synagoge, folgte eine
Spazierfahrt durch den weitläufigen, vortrefflich unterhaltenen
Park, an welcher auch der Großherzog und Herzog Maxi=
milian von Württemberg Theil nahmen.

Daß es mit der Verpflegung stockte, erfuhr ich heute
an mir selbst. Schon auf der Fahrt von Lagny nach
Ferrières hatte mein Trainsoldat gemeldet, heute werde es
wohl mit der Austheilung des Proviants spät werden. Auf
dem Proviantamte habe man ihm gesagt, daß die für Lagny
bestimmten Ochsen erst gegen Abend eintreffen würden und
da sie natürlich erst geschlachtet werden müßten, so könnte
es wohl sieben oder acht Uhr werden, ehe die Rationen zur
Vertheilung kämen. Mein Wirth, der Maire, hatte selbst
kaum das Nothdürftigste, und ein sehr magerer Tag stand
in Aussicht, wenn nicht irgend eine Aushilfe gefunden wurde.
So ließ ich denn auf der Rückfahrt bei einem Kartoffelfelde
anhalten, einen tüchtigen Vorrath ausgraben und zwar, in
Ermangelung eines Spatens, mit dem Seitengewehr meines
Trainsoldaten. Beim Vorüberfahren an der Wohnung des

Prinzen Carl gab mir der Koch bis auf bessere Zeiten etwas Butter ab und als in ganz Lagny kein Salz mehr aufzutreiben war, ließ ich durch den Maire in der dortigen Apotheke eine Handvoll zu „Sanitätszwecken" requiriren, was indessen auch nur durch sehr nachdrückliches Auftreten gelang. Endlich gegen zwei Uhr kounte ich mein schönes Gericht von gestohlenen Kartoffeln, mit geborgter Butter und requirirtem Salz genießen, wobei auch die Damen des Herru Maire mir die Ehre erwiesen, behülflich zu sein. Alles Schlachtvieh mußte nämlich so rasch wie möglich den um Paris stehenden Truppen nachgesandt werden, darum stand es wirklich schlimm mit der Verpflegung in Lagny.

Am 22. sagte mir der König: Hente werde wohl der Kronprinz von Versailles herüberkommen und er freue sich sehr, nun vollständige Mittheilungen über das Gefecht am 19. zu erhalten, dessen Resultate mit jedem Tage wichtiger erschienen. Auch von Toul und Straßburg lauteten die letzten Nachrichten sehr viel günstiger, als es nach den ersten zu erwarten gewesen, und es wäre Alles ganz gut, wenn man nur zu irgend einer Gewißheit darüber gelangen könne, auf wie lange Paris verproviantirt sei. Darüber widersprächen sich aber die Nachrichten in auffälligster Weise. Auch müßten noch telegraphische Verbindungen zwischen Paris und der Provinz bestehen, wahrscheinlich unterirdische oder im Flußbette der Seine. Aber selbst wenn diese aufgefunden und abgeschnitten würden, könte man die Absperrung noch keine vollständige nennen, so lange als sich kleine, mit Briefen beladene Luftballons über unseren Köpfen weg durch die Luft bewegten, und Brieftauben, besonders in der Richtung nach Belgien, fortflögen. Am 21. Abends wolle man Gewehr=feuer und auch einige Kanonenschüsse in Paris gehört haben. Näheres darüber sei noch nicht nach Ferrières berichtet worden; — ob ich in Lagny vielleicht etwas davon erfahren? Ich erwiederte, daß man in Lagny glaube, das Schießen rühre von den Exerzitien der Pariser Mobil= und National=garde her, welche General Trochu zu diszipliniren wünschte. An Unruhen in Paris glaubten die Personen, mit welchen ich in Lagny in Berührung gekommen, nicht, das heißt jetzt noch nicht; desto fester aber erwartete man dort einen Aus=fall, der die Prussiens dann unfehlbar ekrasiren werde. — Nachmittags kam in der That der Kronprinz aus Versailles nach Ferrières und blieb über Nacht mit seinem Gefolge im Schlosse.

Es hatte sich eine Art von Agent aus Paris einge=funden, der im Besitz eines „Laisser passer" von Gambetta war und seine Dienste anbot. Man hielt ihn hin, nahm ihm seinen Paß ab und gab ihn einer anderen Person, die damit nach Paris hineingeschickt wurde. Alles war sehr ge=schickt geordnet, ich habe aber nicht erfahren, was weiter daraus geworden ist.

Am 23. sprach der König viel über das Gefecht vom 19., über welches der Kronprinz ihm ausführliche Mittheilungen gemacht. Aus den Bewegungen der Franzosen hatte er geschlossen, daß sie ihn auf ein Terrain locken wollten, wo sie Minen präparirt hatten. Der König freute sich, daß sein Sohn abermals den baierischen Truppen unbedingtes Lob gespendet und daß beide Armeen — die III. und die Maas-Armee — die Einschließung so regelmäßig nach der Disposition, wie bei einem Friedensmanöver ausgeführt hätten. Ich benutzte die Anwesenheit des Kronprinzen, eine Sauvegarde für die in Versailles ansässige ehemalige Königliche Tänzerin Polin, jetzt Frau des Malers Giacomelli zu erbitten. Sie war viele Jahre hindurch meine Kollegin bei der Königlichen Bühne gewesen und ich hatte damals das Genrebild „Der Kurmärker und die Pikarde" für sie geschrieben. Der König erinnerte sich ihrer sehr wohl, hatte nie etwas Unvortheilhaftes von ihr gehört und autorisirte mich, mit den Herren vom Gefolge des Kronprinzen zu sprechen, welche nach beendetem Generalsvortrage nach Versailles zurückfehren würben. Ich wandte mich an den Kronprinzlichen Hofmarschall, Grafen Eulenburg, und hatte die Freude, als ich später nach Versailles kam, meinen Wunsch erfüllt zu sehen. Der Generalsvortrag, welcher in Gegenwart des Kronprinzen und des Generals von Blumenthal, seines Chefs des Generalstabes, stattfand, schien wichtige Entschließungen gebracht zu haben. Es war wenigstens bald darauf die Rede von fliegenden Korps, besonders von Kavallerie, die nach Lyon, Tours, selbst Hâvre vorgeschickt werden sollten, theils um dort etwa stattfindende neue Truppenformationen zu verhindern, theils um die schon schwierig werdende Verpflegung zu sichern. Weiter hörte ich, daß dem Großherzoge von Mecklenburg wahrscheinlich ein größeres Kommando anvertraut werden würde.

Im Laufe des Tages hatte auch der General-Postdirektor Stephan Audienz beim Könige; er hatte bereits eine Rundreise um Paris gemacht, um das ganze Feldpostwesen zu inspiziren. Schon in Meaux hatte ich die nähere Bekanntschaft dieses ungemein thätigen Beamten gemacht, der mich während des ganzen Feldzuges au courant aller Einrichtungen und Resultate seiner Verwaltung hielt und mir stets neue Post= und Telegraphenkarten, Monatsübersichten, statistische Zusammenstellungen 2c. sandte, die ich dem Könige vorlegte, der sich über die glänzenden Leistungen seines Feldpostwesens freute und gern verglich, was jetzt gegen 1814—1815 in dieser Beziehung geleistet wurde. Die mit der Post an die Armee und von dieser nach der Heimat beförderten Summen und Packereien für Private schienen dem Könige oft geradezu unglaublich. — Um drei Uhr fuhr derselbe nach Lagny zum Diner bei seinem Bruder Carl, kehrte aber schon um sechs Uhr wieder nach Ferrières zurück.

Am 24. früh empfing mich der König mit der freudigen Nachricht: „Toul hat kapitulirt. Gestern Abend bekam ich die erste Meldung davon und erwarte heute die Details. Das ist von der höchsten Wichtigkeit für unsere Kommunikationen, denn nun kann die Eisenbahn ohne Unterbrechung benutzt werden."

Ich hatte durch den Feld-Polizeidirektor einige bis zum 23. reichende Pariser Zeitungen erhalten, welche zum ersten Male von französischer Seite über das entscheidende Gefecht am 19. Aufschluß gaben und den panischen Schrecken, der die engagirten Linientruppen ergriffen hatte, bestätigten. Der „Electeur libre" sprach in heftigster Weise gegen die Zuchtlosigkeit, die Scheu vor dem Kampfe und selbst gegen die Führung der Truppen. Schonungslos sagte er, was seine Berichterstatter selbst gesehen hatten, und gewiß würde kein Pariser Blatt es gewagt haben, so zu schreiben, wenn es damit nicht der öffentlichen Meinung Ausdruck gegeben hätte. Alles was bisher nur gerüchtweise bekannt geworden war, wurde hier von Pariser Zeitungen bestätigt, und es sah allerdings nach diesen Schilderungen der militärischen Zustände in der Hauptstadt so aus, als würde der Widerstand nicht mehr lange dauern können. Waren erst Straßburg und Metz in unseren Händen, so mußte Paris bald folgen. Dies war der Eindruck, den man aus den Anschuldigungen, Klagen, Wuthausbrüchen und Erzählungen dieser Zeitungen empfing; es klang, trotz aller Drohungen und großen Worte, nur Muthlosigkeit aus ihnen heraus, so daß für uns gute Hoffnungen auf ein baldiges Ende wohl

gerechtfertigt waren. — Leider sollte die Enttäuschung nicht
lange auf sich warten laffen.

So vereinzelt man bis zur Schlacht bei Sedan von
einer Einverleibung des Elsaß und Lothringens in Deutsch=
land gehört, so war doch von dem Augenblicke an, wo
unsere Armee Paris umschlossen hatte, Niemand mehr im
Zweifel darüber. Eine andere Lösung wurde garnicht mehr
für möglich gehalten. Frankreich mußte die einst geraubten
Provinzen herausgeben. Wer aber sollte sie erhalten?
Darüber hörte man die widersprechendsten Ansichten. Baden
sollte den Elsaß, Baiern Lothringen bekommen und man
werde ein Königreich Baden schaffen. Es würde aus dem
Elsaß, Lothringen, Luxemburg und Belgien ein neutrales
Reich zwischen Frankreich und Deutschland gebildet, der
König der Belgier aber König von Frankreich werden! Ja,
es hieß, der neue Gouverneur vom Elsaß sei soeben in
Ferrières angekommen, um seine Ernennung vom Könige
in Empfang zu nehmen. Wiederum ein falsches Gerücht;
denn es stellte sich heraus, daß es nur Graf Taufkirchen,
der Civil=Kommissarius von Rheims war, dem der König
Audienz ertheilte.

***

Am 25. wurde der Sonntagsgottesdienst in der kleinen
Kirche des Dorfes abgehalten, zu welchem der Garde=Divi=
sionsprediger Rogge aus Gonesse herberufen worden war.
Die kleine katholische Kirche hatte wohl noch nie eine so
glänzende Versammlung von Fürstlichkeiten in ihren Mauern

gesehen. Außer dem Prinzen Luitpold von Baiern, der die
katholische Kirche in Lagny besuchte, waren alle Fürsten des
großen Hauptquartiers bei diesem evangelischen Gottesdienste
gegenwärtig, dem der katholische Küster mit Staunen un
besonderem Aerger über die Entheiligung seiner Kirche zusah.
In schroffem Gegensatze zu den kirchlichen Gebeten brüllte
ununterbrochen der Kanonendonner der Pariser Forts zu
uns herüber; die Fenster klirrten mit jedem Schlage und
bei dem klaren, sonnigen Herbstwetter am frühen Morgen
schien es, als beginne eine große Schlacht.

Am 26. September hatte ich Notizen über die Cernirung
von Metz im Jahre 1815 zusammengestellt, wo diese Festung
sich noch drei Monate nach der Besetzung von Paris gehalten
hatte. 1814 war Metz vom 14. Januar bis 26. April
blockirt gewesen und hatte auch 1815 sich der schon einge=
tretenen Entscheidung nicht fügen wollen. Beide Male ohne
jeden Einfluß auf den großen Gang der Dinge. Diesmal
war die Lage freilich in vieler Beziehung eine andere. Die
letzten Nachrichten von dort hatten festgestellt, daß Metz noch
auf lange hin wohl verproviantirt war, so daß sich, wenn
Marschall Bazaine nicht aus anderen Gründen zur Kapitu=
lation geneigt sein sollte, ein Erzwingen der Festung noch
lange nicht erwarten ließ. Wieder jagte ein Gerücht das
andere. Die Besatzung des Mont Valérien sollte entschieden
imperialistisch gesinnt sein und große Neigung haben, der

Pariser Regierung den Dienst zu kündigen; Bazaine wolle
von der improvisirten Republik nichts wissen, er haffe einige
der in Paris eingeschlossenen Generale und werde seine
Armee zur Wiederherstellung des Kaiserreichs gebrauchen,
wenn — man ihn nur herauslassen wollte. Dazu war man
nun allerdings nicht besonders geneigt. — Am 26. hatte ich
fast gar keine interessanten Nachrichten mitzutheilen, da
zwischen den Offizieren des großen Generalstabes und den
Beamten des Bundeskanzleramtes abermals große Gereiztheit eingetreten war. Der Feld-Polizeidirektor stand, wie
schon erwähnt, in seiner Zugehörigkeit zum Hauptquartier
unter dem großen Generalstabe, als Geheimer Regierungsrath aber in Gehalt beim Bundeskanzleramte und erhielt
von diesem auch die Gelder zur Bezahlung seiner geheimen
Agenten. Kamen nun wichtige Nachrichten, so hielt er es
für seine Pflicht, dieselben zuerst dem Grafen Bismarck mitzutheilen, hatte aber so viel Anhänglichkeit an den König,
daß er mir auch oft etwas davon sagte, weil er ja wußte,
daß ich täglich bei Seiner Majestät vorgelassen wurde.
Beides wollten die Herren vom großen Generalstabe durchaus
verhindern und wandten alles Mögliche an, nicht eher etwas
an den Grafen Bismarck und an den König gelangen zu
lassen, als bis sie selbst davon unterrichtet waren. Stieber
befand sich dadurch hin und wieder in einer sehr unangenehmen Situation, hatte aber doch dieselbe Ueberzeugung
wie ich, nämlich, daß der König vor allen Dingen Alles,
auch das Unangenehme wissen müsse. Glücklicherweise besaß
er auch dieselbe Hartnäckigkeit wie ich, lieber das Peinliche

dieses Verhältnisses zu ertragen, als dem Drucke nachzugeben, der oft in der allerempfindlichsten Weise geübt wurde. Jeder Tag brachte uns derartige Erfahrungen, die indessen keine weiteren Folgen hatten, da man eben ohne die wichtigen Dienste Stiebers nicht gut fertig werden konnte und fürchtete, daß der König es übel nehmen würde, wenn man meine Thätigkeit für ihn lahm legte. Hatte er doch gezeigt, daß er auch von dem Verdienstvollsten keinen Spaß verstand, wie wohl die Ernennung des Generals von Steinmetz zum Gouverneur von Posen bewiesen.

Am 27. machte der König eine Fahrt zur Rekognoszirung unserer Stellungen vor den Forts Nogent und Rosny, wohin ich ihm folgte. Am Morgen äußerte er, er freue sich auf die Aussicht, die Truppen wiederzusehen, (es war nämlich das erste Mal seit dem 19., weil Ferrières ganz abseits der großen nach Paris führenden Bahnen und Straßen liegt), und werde doch bald sein Hauptquartier näher an Paris heran verlegen müssen, um gleich bei den Truppen zu sein, wenn Trochu etwas Ernstes unternehmen sollte. Die Abfahrt er= folgte gegen Mittag direkt auf Villiers=sur=Marne, wo die Württembergische Division stand; dort wurde ein Observatorium bestiegen, von dem aus die beiden genannten Forts übersehen werden konnten. Charenton lag deutlich vor unseren Augen. Von dort ging es auf eine Höhe bei dem später so blutig gewordenen Champigny, die im Feuerbereich der Redoute

„La Faisanderie" lag, und von wo sich die Stadt selbst mit
ihrer Enceinte übersehen ließ. Eine besonders günstige Aussicht zeigte sich bei Chennevières. Von dort kehrte ich nach
Lagny zurück, während der König Le Piple Château besuchte,
das Schloß bei Sucy en Brie, das den Eltern der Gräfin
Paul Hatzfeld gehört, — besichtigte, und dann zum Abend
über Pontault und Roissi wieder nach Ferrières zurückkehrte.

Am 28. brach der König schon so früh auf, daß ich
Ferrières nicht mehr zeitig genug hätte erreichen können und
deshalb direkt nach Sévran im Nordosten von Paris fuhr, wo
die Relais für den König gelegt worden waren, der heute
die Sachsen und das Garde- und IV. Korps besuchen wollte.
Auf dem ganzen Wege fand ich in allen Ortschaften, die der
König bis Gonesse passiren mußte, Sachsen und Preußen
in gleich freudiger Aufregung, wie Tags vorher die Württemberger. Die Soldaten waren im Ordonnanzanzuge und aus
allen weiter rückwärts liegenden Kantonnements herbeigeeilt,
um den König vorüberfahren zu sehen, der Morgens acht Uhr
die Pontonbrücke über die Marne bei Gournay und dann
Chelles passirt hatte. Mit Erstaunen sah ich in Clichy,
Coubron, Livry und Sévran, was seit dem 20. von den
Truppen für die „passagère" Befestigung der Einschließungs-
stellungen schon geschehen war. Zwischen St. Cloud und
Versailles habe ich später allerdings dasselbe in noch viel
größerer Ausdehnung gesehen, war aber doch schon bei Livry

und Sévran in hohem Grade überraſcht. In dem letzteren
Orte empfing der Kronprinz von Sachſen, Höchſtkomman=
birender der Maas=Armee, mit einem äußerſt zahlreichen
Generalſtabe den König, der dann bei Aulnay die Kan=
tonnements des Gardekorps betrat. Da ich von Sévran
früher fortgefahren war, ſo langte ich vor dem Könige in
Goneſſe an, wo im Parke des Château, in welchem ſich das
Quartier der 1. Garde=Infanterie=Diviſion und der Garbe
du Korps befand, die Leibkompagnie des 1. Garde=Re=
giments z. F. als Ehrenwache aufgeſtellt war. Die engen
Straßen des Ortes waren von den Soldaten in feſtlichſter
Weiſe geſchmückt, namentlich ſchwarz=weiße Fahnen aus allen
nur möglichen und unmöglichen Stoffen verſchwenderiſch aus=
gehängt worden. — In ſonderbarem Kontraſt dazu ſtanden
die rauchenden Trümmer eines in der Nacht vorher abge=
brannten Hauſes, gerade vor der Einfahrt in den Park.

Mit erſichtlicher Freude ſah der König hier ſeine Leib=
kompagnie wieder und ſagte den Mannſchaften, nachdem er
die Honneurs abgenommen, daß er mit dem Verhalten des
ganzen Regiments zufrieden ſei. Als er ihnen beim Durch=
marſch durch Berlin geſagt, er erwarte Viel von ihnen, ſei
er ſchon überzeugt geweſen, daß ſie ſeine Erwartungen erfüllen
würden und müſſe ihnen nur ſagen, daß ſie ſein Vertrauen
gerechtfertigt hätten. Dann ließ der König die Offiziere
herantreten und theilte ihnen mit, daß auch Straßburg
kapitulirt habe, eine Nachricht, welche die größte Freude ver=
breitete. Schon unterwegs hatte ich davon gehört, aber nicht
recht daran geglaubt, weil ich nachgerade mißtrauiſch Ge=

rüchten gegenüber geworden war. Hier hörte ich nun die Mittheilung aus dem Munde des Königs selbst. Sie wurde aber so ruhig, ohne alle Erregung, ja, ich möchte sagen, so geschäftlich gemacht, daß ich erst mehrere Näherstehende fragte, ob ich auch Recht gehört hatte?

Nach eingenommenem Frühstück beim Prinzen von Württemberg ritt der König von Gonesse nach Arnouville, wo eine Batterie besichtigt wurde, die — von den Truppen „Wilhelmshöhe" getauft — auf einem Hügel erbaut worden war. Man sah von hier aus den Rauch von mehreren Feuersbrünsten vor oder in Paris aufsteigen; wahrscheinlich waren es aber nur in Brand gesteckte Getreidemiethen oder Häuser, die dem Artilleriefeuer der Forts hinderlich waren. Von hier aus trat der König in den Bereich des IV. Armeekorps ein, dessen 7. (Magdeburgische) Division von Sarcelles bis Pierrefitte aufgestellt war. Der Ritt erstreckte sich bis Pont Tolor, von wo man die ganze Ebene bis zum Fort Aubervilliers übersehen konnte. Dadurch war es aber so spät geworden, daß man auf dem Rückwege Sévran erst um sieben Uhr erreichte. Dort wurde noch das Diner mit dem Prinzen Georg von Sachsen eingenommen, und in Ferrières kam man nicht vor elf Uhr Nachts an.

Am 29. war ich schon sehr früh in Ferrières, um ja nichts zu versäumen, denn eine Verlegung des großen Hauptquartiers auf die Westseite von Paris stand in Aussicht. Mit

dem Falle von Straßburg war eine Sicherheit mehr für
unsere Verbindung mit Deutschland gewonnen, und da ich
hörte, daß der eigentliche Angriff auf Paris von Südwesten
her gegen die Forts Vanvres, Issy und Montrouge erfolgen
sollte, es auch hieß, daß Belagerungsgeschütze schon bis Meaux
herangekommen wären, so wußte ich im Voraus, daß der
König es nicht mehr lange so weit weg von dem Schauplatz
der zu erwartenden Kämpfe anshalten werde. Er war sehr
heiter gestimmt und sprach von den erfreulichen Eindrücken
des vorigen Tages, namentlich auch von dem endlichen Auf=
finden eines Telegraphenkabels im Flußbette der Seine und
von dem Verlegen des Hauptquartiers näher an Paris heran.
Man habe geglaubt, St. Cloud würde sich dazu eignen;
es habe sich aber gezeigt, daß das Schloß von den Kugeln
des Mont=Valérien erreicht werde, so bliebe denn nichts
Anderes übrig, als gleich bis St. Germain zu gehen, da das
Hauptquartier der III. Armee jedenfalls in Versailles bleiben
müsse. — Von Soissons und Mezières waren Nachrichten
gekommen, welche die baldige Bezwingung auch dieser
Festungen in nahe Aussicht stellten. Um so hinderlicher war
die Ausdauer, mit der Metz widerstand, und alles Interesse
des Tages konzentrirte sich daher auf diese Festung.

Um diese Zeit bemerkte ich, daß eine Menge mir un=
bekannter und räthselhafter Personen sowohl im Schlosse, als
bei den Beamten des Bundeskanzleramtes aus= und eingingen.
Als ich vom Könige aus dem Schlosse zurückkam und in
der Gärtnerwohnung Dr. Stieber besuchte, fand sich ein
Mann dort ein, welcher gestern Abend angekommen war, bei

einem Kanzleibeamten des Grafen Bismarck übernachtet hatte
und nun der Feldpolizei zu Quartier und Verpflegung überwiesen wurde. Er nannte sich Regnier, zeigte sich über die
Verhältnisse sehr wohl unterrichtet, behauptete Aufträge von
der Kaiserin Eugenie in England an den Kaiser auf Wilhelmshöhe und an den Marschall Bazaine in Metz zu haben, kurz
gerirte sich als einen möglicherweise sehr brauchbaren Agenten.
Der Feldpolizeidirektor, der eine eingehende Konversation in
französischer Sprache nicht führen konnte, beobachtete diesen
Herrn Regnier nur und sagte mir, als er fortgegangen war:
„Mit dem soll sich Graf Bismarck in Acht nehmen. Hätte
ich ihn gesehen und gesprochen, ehe Bismarck ihn empfing, so
hätte ich abgerathen, sich irgendwie mit ihm einzulassen. Ich
kenne meine Leute. Das ist ein zweifelhaftes Subjekt. Aber
so geht es, wenn man ohne Polizeibeamte, auf eigene Hand
Polizei machen will." Seine scharfe Diagnose sollte sich nur
zu bald bewähren; auf mich hatte dieser Regnier keineswegs
den Eindruck eines Menschen gemacht, vor dem man sich in
Acht nehmen müsse.

Außerdem war ein Vermittler an Bazaine nach Metz
abgegangen und ein anderer sollte nach Wilhelmshöhe zu
Napoleon gehen, der früher als sein Agent und zugleich als
Redakteur einer Rheinischen Zeitung am Rheine gewirkt und
behauptet hatte, vertraulichen Zutritt bei Napoleon zu haben.
Es gingen Briefe über Brüssel an die Kaiserin Eugenie, und
Persigny hatte gebeten nach Ferrières kommen zu dürfen.

Kurz, man hörte und sah sehr viel Unverständliches und
Widersprechendes in den untern Regionen des Hauptquartiers
und konnte bei jeder Nachricht voraussetzen, daß sie verbrämt
oder entstellt war; außerdem hörte man manches gereizte
Wort zwischen den Beamten der verschiedenen Branchen, so
daß man in der That oft nicht wußte, woran sich halten.
Nie habe ich aber von Dingen, die ich nicht ganz genau
wußte und deren Tragweite ich nicht erkennen konnte, dem
Könige etwas gesagt. — Am 29. empfing der König Herrn
von Brauchitsch, der zum Präfekten von Versailles ernannt
worden ist und sich sofort auf seinen Posten begeben soll.

Am 30. wurde das Geburtsfest Ihrer Majestät der
Königin gefeiert und die sämmtlichen Fürstlichkeiten aus
Lagny und den Kantonnements der Umgegend kamen dazu
zur Festtafel. Während ich früh sechs Uhr nach Ferrières
fuhr, hörte ich einen ungewöhnlich heftigen, fast ununter=
brochenen Kanonendonner von der Südseite von Paris her,
während in dem etwas tiefer liegenden Ferrières nichts davon
zu merken war. — Unter wie anderen Verhältnissen feierte
der König heute und hier den Geburtstag seiner Erlauchten
Gemahlin als sonst. Daheim die gewohnte friedliche und
behagliche Reise nach Baden=Baden, hier der Kanonendonner
einer der Verzweiflung entgegeneilenden Bevölkerung!
Der König war sehr beschäftigt und auch verstimmt
durch allerlei Berichte, welche über Angriffe auf Posten,

Ordonnanzen und Konvois eingegangen waren und die auf das Auftauchen eines Nationalkrieges hinzudeuten schienen. Er bemerkte: „Das fängt ja gerade so an wie im Jahre 1814—1815, wo wir unsere Noth mit den bewaffneten Bauern hatten. Es fehlt ihnen bis jetzt nur an den richtigen Männern, die dergleichen zu organisiren verstehen. Kommen die aber erst, dann werden uns diese Bauern genug zu schaffen machen. Unsere Herren wollen noch garnicht recht daran glauben, daß die uns noch große Schwierigkeiten bereiten können. Alle Welt ist wie berauscht von unseren bisherigen beispiellosen Erfolgen und Niemand scheint daran zu denken, daß das auch einmal anders werden kann. Ich habe nur immer zur Vorsicht zu mahnen!"

Ich hatte nur allerlei unerfreuliche Nachrichten aus Schweden, Dänemark, Oesterreich und Italien zu bringen, welche auf eine feindselige Haltung entweder der Kabinette oder der Bevölkerung schließen ließen, so daß mein Vortrag rascher als gewöhnlich zu Ende war. Nach mir kam der General von Kleist, Ingenieur-General des großen Hauptquartiers, und erstattete Bericht über das Ergebniß seiner Rekognoszirungsreise rund um ganz Paris. In Folge dessen hieß es bald darauf, morgen oder höchstens am 3. Oktober werde die Verlegung des Hauptquartiers nach St. Germain erfolgen. Nun kamen aber Rapporte vom Kronprinzen, daß ein lebhaftes Gefecht bei Le Hay, Chevilly und Villejuif im

Gange sei, und er erst nach Beendigung desselben zur Gratulation erscheinen könne. Er war auf dem Wege von Versailles nach Ferrières mitten ins erste Ausfallgefecht gekommen, welches die Pariser Besatzung am 30. September lieferte. Nach den Papieren, die bei dem gefallenen General Guilhem gefunden wurden, hatte dieser Ausfall schon am 29. stattfinden sollen und war ganz geschickt geplant gewesen, hatte aber, außer Todten und Verwundeten auf beiden Seiten, keine weiteren Folgen. Die 12. Division (General von Hoffmann) wies ihn zurück. Der Kronprinz hatte in der Eile ein Ordonnanzpferd bestiegen; wohnte dem Gefechte bei und kam erst später zur Festtafel nach Ferrirères, dafür aber auch mit der Nachricht von einem abermaligen Siege.

Als ich am Mittage nach Lagny zurückkehrte, fand ich die Einwohner, von denen sich nach und nach wieder eine größere Anzahl in ihren Häusern eingefunden hatte, in auffallender Erregung. Gruppen bildeten sich und besprachen eifrig die auch hier schon bekannt gewordene Nachricht von einem Ausfalle. Natürlich war er siegreich für die Franzosen gewesen, und das Eintreffen der Sieger in Lagny konnte gegen Abend erwartet werden. Auch mein Wirth, M. Bonnet, war von diesen Nachrichten benommen und rieth mir, den Rückzug des Königs aus Ferrières nach Meaux nicht erst abzuwarten, sondern lieber gleich vorauszufahren, weil das Gedränge auf der Chaussee bei der Flucht zu groß werden würde. Ich beruhigte oder vielmehr ich beunruhigte ihn mit der Versicherung, daß ich durchaus noch keine Ursache zur

18*

Eile habe. Doch ließ mich diese Aufregung in der kleinen
Stadt einen Blick in die Verhältnisse thun, welche entstehen
mußten, wenn wir auf irgend eine Art zu einer rückgängigen
Bewegung gezwungen wurden.

Am 1. Oktober befand sich der Kronprinz noch in
Ferrières, wohnte am Vormittage dem Generalsvortrage
bei und kehrte dann nach Versailles zurück, wohin nun, wie
jetzt bekannt wurde, das große Hauptquartier verlegt werden
sollte, so, daß der Kronprinz die dortige Präfektur verließ,
sie seinem Vater abtrat und eine Villa vor der Stadt bezog.
Der König war später aufgestanden, da er sich am Abende
vorher etwas unwohl gefühlt und deswegen dem Thee nicht
beigewohnt hatte; mit ganz besonderer Freude sprach er von
dem gestrigen Gefechte, weil es der erste Versuch eines
Ausfalles gewesen, der trotz des immer noch mangelhaften
Zusammenhanges und der Unfertigkeit der Einschließungs=
arbeiten zurückgeschlagen worden war. Obgleich nur zwei
französische Divisionen im Feuer gewesen waren, hatte man
unter den Gefangenen Soldaten von 42 verschiedenen Regi=
mentern, also losen zusammengesetzten Marsch=Bataillonen
und neuen Formationen gehörend, gefunden. Die Franzosen
hatten resolut angegriffen, auch im Anfange, wie es die
Natur jedes Ausfalles ist, einige Vortheile gewonnen, waren
dann aber in die wohlberechnete Zange genommen und sehr
nachdrücklich zurückgetrieben worden. Der König glaubte
aber, daß die französischen Generale eigentlich nur eine
Rekognoszirung desjenigen Terrains beabsichtigt hatten,
welches ihnen am gefährlichsten erscheinen mußte, da die

Südwestseite der schwächste Punkt für ihre Vertheidigung war. „Wir werden bald mehr von solchen Ausfällen zu hören bekommen" — äußerte der König — „namentlich wenn sie erst erfahren, daß wir auf zwölf Meilen Umfang auf jedem einzelnen Punkte viel schwächer sind als sie. Sie haben ja Leute genug."

Weiter fragte der König, woher in den Zeitungen plötzlich die Angriffe gegen die Johanniterritter kämen, welche doch so viel Gutes wirkten. Ich sagte, was ich darüber wußte und konnte auch hinzufügen, daß vor einigen Tagen der Fürst von Pleß mich gebeten hatte, einen Artikel durch die Zeitungen zu veröffentlichen, nach welchem die demnächst erwartete Ankunft des Ordenskanzlers, Grafen Eberhard von Stolberg, sich keineswegs auf die freiwillige Krankenpflege im Allgemeinen, sondern nur auf die Ordensthätigkeit bezöge. Da ich nicht wußte, welche Verantwortlichkeit der Inhalt dieses gewünschten Artikels nach sich ziehen würde, so ließ ich mir den Tenor desselben in der Handschrift des Fürsten Pleß geben. Dem Könige schien die daraus hervorgegangene Gereiztheit unangenehm zu sein und es wurde nicht weiter davon gesprochen; nur konnte ich noch sagen, daß die Thätig= keit der Johanniterritter in der englischen und nord= amerikanischen Presse die unbedingteste Anerkennung fände.

Am Sonntag den 2. Oktober fand wieder Gottesdienst und zwar in der Dorfkirche von Ferrières statt. Dann fuhr

der König nach Lagny zum Diner beim Großherzoge von
Sachsen und besuchte vorher das auf halbem Wege liegende
Schloß Guemantes, einen Edelsitz, welcher ganz den Charakter
des vorigen Jahrhunderts trug und den frappantesten Gegen=
satz zu der napoleonischen Pracht des Bankier=Schlosses
bot. Die Ahnenbilder, das Mobiliar, die große Mittelhalle
des Schlosses, Alles athmete die Pompadourzeit. Auch die
Parkanlagen überraschten durch ihre Großartigkeit und machten
dem Könige viel Freude. Jedenfalls muß die Revolution
von 1789 ziemlich spurlos über dieses Souvenir de la Ré-
gence hinweggegangen sein. In Lagny verweilte der König
beim Großherzoge nur bis nach dem Diner.

***

Am Morgen hatte ich dem Könige die Ausführung
eines mir schon in Meaux gegebenen Befehls gezeigt. Dort
war nämlich aus Berlin eine Photographie des Monuments
Friedrichs des Großen angekommen, wie dasselbe, von
Schusterjungen und Gassenbuben bedeckt, am Tage des Ein=
ganges der Nachricht von dem Siege bei Sedan ausgesehen
hatte. Schon beim Vorlesen der Zeitungsnachricht von der
eigenthümlichen Art des Siegesjubels in Berlin, der sich
durch Beklettern des Denkmals Luft machte, hatte der König
den Kopf geschüttelt und geäußert: „Wenn das Kunstwerk
nur keinen Schaden gelitten hat." Als aber jene Photo=
graphie in Meaux eintraf und man nun erst einen Begriff
von dem Vorgange bekam, war der König ernstlich unwillig
und befahl mir, sofort in allen mir zugänglichen Zeitungen

von der Wiederholung einer solchen Scene abzumahnen, fügte jedoch hinzu: „Aber mit Talt!" Ich glaubte diese letztere Bemerkung darauf beziehen zu müssen, daß Ihre Majestät die Königin einen der Knaben, die bis auf den Hut des Standbildes gelangt waren, in der Freude über die Siegesnachricht und den unermeßlichen Jubel des Volkes beschenkt hatte. Es war keine leichte Aufgabe, diese Klippe zu umgehen. Als ich aber drei Zeitungen vorlegte, welche sämmtlich Artikel im Sinne des Königs brachten, war derselbe sehr zufrieden damit. Daß auch der „Soldatenfreund" sofort gegen die mögliche, ja gewisse Beschädigung des Denkmals auftrat, versteht sich von selbst, und ich durfte den betreffenden Artikel schon vor dem Druck vorlesen, um nicht zu viel und nicht zu wenig gesagt zu haben.

Am 3. Oktober mußte ich schon sehr früh nach Ferrières, da der König gleich nach dem Kaffee eine Rekognoszirung der Südostseite von Paris vornehmen wollte. Die Zeitungsnachrichten aus England und Belgien waren um diese Zeit außerordentlich interessant, denn es wurden die angeblichen oder wirklichen Verhandlungen mit dem Marschall Bazaine in Metz auf das Eifrigste besprochen und es kamen dabei wunderliche Kombinationen zum Vorschein, von denen viele auf eine durchaus verschiedene Auffassung der Lage von Seiten des Bundeskanzleramtes und des großen Generalstabes hinwiesen. So hieß es in einer englischen Korrespondenz aus Belgien, Graf Bismarck ginge von der Ansicht aus,

irgend eine militärische oder Polizeigewalt müsse doch übrig=
bleiben, wenn man in Paris eingezogen sei und die Re=
gierung des 4. Septembers verjagt habe. — Da nun bereits
hunderteinundfünfzigtausend Mann französische Kriegsgefangene
in Deutschland waren und die noch in Paris vorhandenen
Truppen sich nach der Kapitulation naturgemäß auflösen
mußten, so würde die dann eintretende Regierung, gleichviel
welche, weder Militär noch Polizei haben. In Metz stand
die Sache allerdings anders. Bazaine hatte die Republik
dort noch nicht proklamirt, war also noch ungebunden und
konnte sich der künftigen Regierung zur Disposition stellen,
freilich durften dann seine Truppen nicht ebenfalls Kriegs=
gefangene sein, sondern mußten eine Art von Unbesiegtheit
für sich in Anspruch nehmen können. Der Generalstab —
so hieß es weiter — wolle aber von dergleichen nichts hören
und verlange die unbedingte Unterwerfung der Armee, der
Nation und der Regierung, die sie dann gerade haben
werde. — Wenn ich dergleichen Zeitungskombinationen vorlas,
erwiederte der König nie ein Wort; ich erfuhr also nicht,
was etwa daran wahr sein konnte. Hatte ich geendet, so
fragte er nur: „Was haben Sie noch?" und ging damit zu
etwas Anderem über. Bei Telegrammen und Nachrichten
von Thatsachen äußerte der König hin und wieder Etwas:
z. B. „Was ist denn das wieder?" oder „Falsch!" oder
„Wo mag das herkommen?" oder „Das ist ja unglaublich!"
so daß ich aus den Worten oder aus dem Gesichtsausdruck
erkennen konnte, was ich von der Nachricht zu halten hatte.

Nachdem ich meinen Vortrag etwas kurz gefaßt hatte, fuhr der König mit dem Großherzoge von Sachsen über Roissi und Pontault nach Sucy, wo General von Schacht= meyer, Führer des XI. Armee=Korps den König empfing. Hier wurde zu Pferde gestiegen und nach dem reizenden Le Piple Château geritten, wo bei dem klaren Herbsttage der Ausblick auf einen Theil der Stadt Paris und die davor liegenden Befestigungen sehr lohnend war. Dann be= sichtigte der König die 21. Division und sprach den Hessischen Regimentern 80 und 82 für ihre Tapferkeit bei Wörth und Sedan seinen Dank aus. In Brevannes hatte der König erwartet das 94. Infanterie=Regiment (Großherzog von Sachsen) versammelt zu finden, dies ist aber nicht der Fall gewesen, da das Regiment keine Nachricht von der Annäherung des Königs erhalten hatte.

In Limeil und Valenton wurde die 22. Infanterie= Division besichtigt, ein Dejeuner beim Herzoge von Meiningen eingenommen und dann nach Ferrières zurückgefahren.

—————

Am 4. Oktober hatte ich unerfreuliche Nachrichten über das zunehmende Unwesen der Franktireurs zu bringen. Selbst in der Umgegend von Lagny und Ferrières wollte man verdächtigen Bewegungen auf die Spur gekommen sein. Es hatten sich Bauern in Steinbrüche versteckt, und in der Nacht waren Flintenschüsse gehört worden. Das Letztere er= klärte sich aber dadurch, daß die Leute aus reinem Hunger auf die Jagd gegangen waren und das Verstecken war aus

Furcht vor den menschenfressenden Preußen oder vor dem Zwange, nach Paris hinein zu flüchten, geschehen. Dagegen lauteten die Nachrichten aus den Vogesen und aus dem Orléanais allerdings bedenklich. — Aber auch Lustiges war darunter. Das „Echo du Parlement" brachte, angeblich aus den „Daily News", die Notiz, daß sich ein „Prussian Militiaman", Namens Kurmärker, gegenwärtig in der Picardie aufhalte, um alle Französinnen zu ohrfeigen, weil seine Schwester in Preußen 1806 von einem französischen Offizier in ähnlicher Weise behandelt worden sei. Der Berichterstatter mußte wohl irgend Etwas von meinem dramatischen Scherze „Der Kurmärker und die Picarde" gehört und die Sache gänzlich mißverstanden haben. — Gegen Mittag besichtigte der König ein durch Ferrières marschirendes Bataillon des 95. Infanterie-Regiments und einen Zug Husaren.

Am 5. Oktober erfolgte die Verlegung des großen Haupt-quartiers nach Versailles. Da ich mit meinen zwei schwachen Pferden acht Meilen zu machen hatte, so erbat ich mir für diesen Morgen Urlaub und fuhr von Lagny auf dem nächsten Wege nach Villeneuve St. Georges, wo der Uebergang über die Seine erfolgen mußte. Alle Dörfer, auch die kleinen Städte, welche ich an diesem Tage passirte, waren verödet und nur Soldaten in ihnen zu sehen. Da überall außer-halb des Kanonenschußbereiches gefahren werden mußte, so ging es fast nur auf Feldwegen vorwärts, welche sämmtlich mit der Wegweiserinschrift: „Kolonnenweg für den Be-

lagerungspark" versehen waren. Alle Erkundigungen er-
gaben aber, daß noch kein Geschütz auf diesen Wegen trans-
portirt worden sei, und doch hatten alle Zeitungen in den
letzten Tagen von 300 Riesengeschützen erzählt, die bereits
vor Paris angekommen wären. Die schöne Brücke bei
Villeneuve St. Georges war natürlich gesprengt, aber wie
überall neben diesen zerstörten Brücken spottete eine deutsche
Pontonbrücke solchen unnützen und gedankenlosen Hindernissen.
Die Pontonbrücke war ganz besonders stark gebaut, mußte
sie doch für das so viel besprochene Belagerungsgeschütz
dienen, wozu es aber erst sehr viel später kommen sollte.
Am jenseitigen Ufer wartete der Kronprinz mit dem Stabe
der III. Armee und General von Tümpling mit dem
Stabe des VI. Armee-Korps, und ich mußte mit meiner
Mainzer Droschke an dieser glänzenden Versammlung vorbei-
fahren, denn der König war noch nicht eingetroffen. So
kam ich in das höherliegende Villeneuve le Roi, wo im
Garten des Armee-Korps-Hauptquartiers eine Tafel für das
Gefolge des Königs servirt war. Hier konnte man von einem
Hügel die Annäherung des Königs sehen, der vor dem
Städtchen erst das Füsilier-Bataillon des 22. Infanterie-Regiments und eine Fuß-Batterie des 6. Feld-Artillerie-Regiments
besichtigte, ehe er den Garten des General-Kommandos betrat. Hier gestaltete sich durch die Tafel im Freien, die
ebenso glänzenden, als zahlreichen Uniformen und die vortreffliche Militärmusik ein ungemein belebtes und reizendes
Bild, von einer blendenden Sonne überstrahlt. Nur hin
und wieder accompagnirte ein bumpfdröhnender Kanonen-

schuß von Paris her die rauschenden Fanfaren, unter denen die „Wacht am Rhein" alle Anwesenden elektrisch anregte. Der König schien außerordentlich heiter; die von allen Seiten eingegangenen Berichte über den günstigen Stand der Dinge mochten ihn wohl so gestimmt haben.

Nach dem Déjeuner wurde zu Pferde gestiegen und über Orly, La Vieille Poste, Paray, nach Wissous, also näher an Paris herangeritten, während die Equipagen einen bedeutenden Umweg über mehr südlich gelegene Orte machen mußten. Ich fuhr aber dem Könige nach und konnte so die sämmtlichen Truppen des VI. Armee-Korps, in verschiedenen Formationen die Wege entlang aufgestellt, zuletzt auch die schöne II. Kavallerie-Division Stolberg bei Wissous sehen. Sämmtliche Truppen waren in vollkommener Gefechtsbereitschaft ausgerückt, da man jeden Augenblick einen Ausfall erwarten konnte. Der König fuhr hier über einen Theil des Schlachtfeldes vom 30. September mit den überall aufgeworfenen Schützengräben. Die Emplacements für Geschütze und die Bezeichnung der Schießdistancen ließen die Richtung des stattgefundenen Gefechts erkennen. Als der König in Wissous wieder die Equipage bestieg, um noch zum II. Bairischen Armee-Korps zu fahren und ich auch hier mit meinem komischen Fuhrwerk folgen wollte, belehrten mich die Feldgensdarmen eines Besseren. Diesmal half alles Rockaufknöpfen, um die Orden sehen zu lassen, alles Versichern, ich müsse Seiner Majestät folgen, nichts; die Herren Gensdarmen vom VI. Korps waren durchaus unzugänglich für die subtileren Hofverhältnisse und mochten wohl denken:

„Wenn der zum Könige gehörte, würde er wohl eine bessere Equipage haben!" Also Marsch! ohne vieles Raisonniren über Massy, Bièvre und Jouyen Josas nach Versailles, während der König über Antony und Petit-Bicêtre dorthin fuhr. Trotzdem war ich früher als der König dort, hatte aber freilich auch das II. Baierische Korps nicht gesehen. Je näher ich Versailles kam, je weniger zeigte sich jenes barbarische und unnütze „Vide" der Pariser September-Regierung. Zwar waren auch auf dieser Seite die prächtigen Alleebäume umgehauen und über die Straßen geworfen, aber von unseren Truppen sofort wieder auf die Seite geräumt worden. Auch hier waren Brücken zerstört und das Chaussee-pflaster aufgerissen gewesen, der bei weitem größere Theil der Einwohner war aber in den Häusern geblieben. Das galt auch für Versailles selbst, wo ich die Läden offen, die Cafés besucht, die Leute in Gruppen auf der Straße sah, darunter auch wohlgekleidete, sogar einige Damen in eleganten Toiletten, deren Neugierde, den König von Preußen zu sehen, doch größer als der Haß gegen die Barbaren war.

Rasch war mein Quartier neben der Präfektur bezogen und ich eilte auf die Straße, um beim Eintreffen des Königs zugegen zu sein. Eben stellte sich die Ehrenwache, eine Kompagnie des 58. Infanterie-Regiments vor dem Gitter der Präfektur auf und Alles, was an Preußischen Offizieren und Beamten, bis zum letzten Diener und Marketender hinab, an jenem Tage in Versailles anwesend und augenblick-

lich dienstfrei war, strömte in dem oberen Theile der Avenue
de Paris und an den Ecken der Rue des Chantiers zusammen.
Um sechs Uhr traf der König mit dem Kronprinzen im
Wagen ein, nahm die Honneurs der Ehrenwache ab, zog
sich einige Zeit in seine Gemächer zurück und begab sich dann
zum Diner beim Kronprinzen in die Villa aux Ombrages.

Wunderbar bewegt von dem Eindrucke, den König als
Sieger hier in Versailles zu sehen, ging ich nach Hause und
hatte genug in die Heimat zu schreiben, um neben dem
Thatsächlichen auch dieser Stimmung Ausdruck zu geben.

Von denselben Fenstern aus, unter denen jetzt Preußische
Soldaten spazieren gingen, haben die damaligen Bewohner
des alten Versailler Posthauses, in welchem ich jetzt saß, das
Einbrechen des wüsten Pöbels in das Schloß Ludwigs XIV.
mit angesehen! War es doch gerade heute, am 5. Oktober
im Jahre 1793 gewesen, wo die tumultuarischen Volksmassen
aus der Hauptstadt nach Versailles gekommen waren, um
den unglücklichen Ludwig XVI. und Marie Antoinette in
das aufrührerische Paris, in die grausame Gefangenschaft
und später zum Märtyrertod auf dem Schaffote zu führen!

Ende des zweiten Bandes.

Inhalts-Verzeichniß.

Band II.

Ende des zweiten Bandes.

Lightning Source UK Ltd.
Milton Keynes UK
UKHW022140070119
335138UK00013B/1063/P